Für Friederike

Washington
Vereinigte Staaten
Arizona
Tennessee
U.S.S.
Lincoln
Mexiko
Kuba
Antigua
Haiti
Guatemala
Nicaragua
Senegal
Atlantischer Ozean
Kolumbien
Peru
Pazifischer Ozean

Inhalt

Einleitung

Auf den Flug Nummer 518 der Eastern Airlines von Miami nach Bogotá waren an jenem Oktobernachmittag außer mir und dem Fotografen lediglich zwei kolumbianische Geschäftsleute und drei Amerikaner mit kantigen Gesichtern gebucht. Nach der letzten Anschlagsserie war der Flugverkehr nach Kolumbien weitgehend zum Erliegen gekommen und die meisten Außenministerien hatten schon vor Wochen dringend vor Reisen in den Andenstaat gewarnt. Die Kolumbianer trugen Maßanzüge, bestellten sich Cocktails und lasen schweigend Zeitung. Die Amerikaner trugen Hawaiihemden, tranken Bier und stellten sich als Hubschraubermechaniker vor, wie die meisten amerikanischen Geheimdienstler damals.

Irgendwo über dem Golf von Mexiko erfasste mich dann wieder diese euphorische Neugierde, die einen als Reporter dazu treibt, sich in Situationen zu begeben, die man als vernünftiger Mensch eher meidet. Genau so hatte ich mir das Leben als Kriegsreporter vorgestellt – umgeben von zwielichtigen Gestalten auf einem Flug ins Ungewisse. Als man am verwaisten Flughafen von Bogotá sein Geld nur bei den Soldaten an der Straßensperre wechseln konnte, die dafür den viel günstigeren Schwarzmarktkurs anboten, und der Taxifahrer auf der Fahrt in die Stadt dann erklärte, dass er mit ausländischen Gästen prinzipiell nicht an roten Ampeln anhalte, damit die Straßenräuber erst gar nicht auf dumme Gedanken kämen, waren meine Vorstellungen vom glamourösen Abenteuer Reportage endgültig bestätigt.

Dabei hätte ich allen Grund gehabt, nervös zu sein. Ich war siebenundzwanzig Jahre alt, Korrespondent der Zeitschrift *Tempo* und kannte Kriege und Krisengebiete höchstens aus dem Kino. Mein Chefredakteur hatte mir für diese Reise jedenfalls mehr Vertrauen geschenkt, als ich mir bis dahin verdient hatte.

Sicher – ich hatte schon ein paar Reportagen über Streetgangs und Drogenhändler geschrieben, aber das waren letztlich doch die gleichen subkulturellen Zugänge zum Leben gewesen, die den sogenannten New Journalism schon seit den sechziger Jahren bestimmt hatten. Mit dieser Mischung aus Pop und Politik hatte Kolumbien rein gar nicht zu tun. Dort herrscht seit 1964 ein Bürgerkrieg, der bis heute andauert. Grund meiner Reise war die Terrorkampagne, mit der Drogenbarone des Medellin-Kartells ganz Kolumbien über Jahre hinweg in die Enge gedrängt hatten.

Der Sommer 1989 war besonders schlimm gewesen. Das Kartell hatte den Präsidentschaftskandidaten Luis Carlos Galan ermordet. Als die Regierung mit Razzien und Verhaftungen reagierte, ließ das Kartell in den kolumbianischen Großstädten innerhalb von vier Wochen fünfundsiebzig Sprengsätze detonieren. Mir war zunächst auch etwas mulmig gewesen, aber dann hatte mir mein Freund der Saxophonist Michael Hornstein Telefonnummern von ein paar kolumbianischen Jazzmusikern gegeben, und als ich mich bei dem Pianisten und Arrangeur Oscar Acevedo ankündigte, meinte der nur: »Keine Panik, wir leben hier schließlich nicht im Schützengraben.« Das war genau die Perspektive, die ich gebraucht hatte, um mich nicht von den Kriegsbildern im Fernsehen und den Greuelberichten aus den Zeitungen einschüchtern zu lassen.

Für die meisten Gegenden von Bogotá sollte er auch recht behalten. Zwar erholte sich die Stadt erst langsam von der Anschlagsserie und die meisten Lokale waren noch leer, weil die Sicarios ihre Sprengsätze bevorzugt in Restaurants und Cafés abstellten. Aber die Jazzmusiker ließen sich nicht davon abhalten, trotzdem die Nächte in den Clubs und Bars der Stadt durchzumachen.

Tagsüber besuchte ich die Redaktion des *El Espectador,* der legendären Tageszeitung, bei der Gabriel Garcia Marquéz das

Schreiben angefangen hatte. Im Vorjahr war die Zeitung ins Fadenkreuz der Sicarios geraten, wie die Auftragsmörder des Kartells genannt wurden, die ihre Opfer meistens mit Motorrädern verfolgten, mit einer Salve aus einer Maschinenpistole töteten, und im Gewirr des Straßenverkehrs wieder verschwanden. Die Reporter des *El Espectador* waren den Drogenbaronen ein besonderer Dorn im Auge, weil sie unerschütterlich darüber berichteten, mit welchen Mitteln die Kartelle ganze Städte in ihre Gewalt brachten, wie sie ihre Gegner beseitigten und sogar die kolumbianische Fußballiga kontrollierten. Sechs Mitarbeiter hatten die Sicarios schon umgebracht, darunter den Chefredakteur und den Vertriebsleiter von Medellin. Wenige Wochen zuvor hatten sie dann versucht, das Redaktionsgebäude mit einer hundert Kilo schweren Autobombe in die Luft zu sprengen. Das hatte zwar nur ein paar Löcher in die Betonwände gerissen, dafür hatte die Armee seither am Tor zum Betriebsgelände eine Straßensperre mit Sandsäcken und einem Maschinengewehrnest aufgebaut.

Als ich mich eine Woche später in einem Café in der Innenstadt von Medellin mit dem Kreuzworträtselredakteur der Zeitung traf, der am ganzen Körper zitterte und andauernd unruhig zur Tür schielte, weil er erst vor wenigen Tagen wieder eine Morddrohung bekommen hatte, war ich an den Alltag meiner kolumbianischen Kollegen schon soweit gewöhnt, dass ich mich nicht mehr anstecken ließ. Vor allem aber hatten mir die Tage in Bogotá sehr schnell die selbstgefällige Larmoyanz ausgetrieben, dass ich hier ein gefährliches Leben führen würde, denn im Unterschied zu den Betroffenen und Kollegen vor Ort hatte ich ein Rückflugticket in der Tasche und die Telefonnummer für das nächste Konsulat, das normalerweise dafür sorgt, dass seine Staatsbürger ungeschoren aus dem Land geschafft werden, wenn etwas schiefgeht.

Natürlich ist es verlockend, die eigenen Abenteuer als Konversationskapital einzusetzen. Ich erinnere mich an ein Abendessen in der Villa eines Hollywoodproduzenten, bei dem mich die anwesenden Gäste wie einen Filmstar behandelten, weswegen ich mich nach dem zweiten Glas Champagner auch nicht lange bitten ließ und ein Feuerwerk meiner besten Anekdoten zum Besten gab. Wie die Gendarmerie Militaire im Bürgerkriegsgebiet des südlichen Senegal den Fotografen Tomas Muscionico und mich verhaftete und einer der Offiziere beim getrennten Verhör aus Versehen die Türe offenstehen ließ, worauf ich meine Aussagen so laut und deutlich formulierte, dass Tomas sie hören und seine Antworten darauf abstimmen konnte. Wie der burmesische Geheimdienst nach uns fahnden ließ und ich am Flughafen von Rangun den Volltrottel gab, um davon abzulenken, dass sich in meinem Rucksack fünfzig hochempfindliche Filme mit Bildern aus den Rebellengebieten schmuggelte, die auf keinen Fall geröntgt werden durften. Wie die Soldaten im nächtlichen Chiapas auf mich anlegten, weil ich ihre Handzeichen vor der Straßensperre falsch verstanden hatte, wie sich der palästinensische Geheimdienst über meine privaten Telefongespräche lustig machte oder wie eine guatemaltekische Todesschwadron das Kamerateam bedrohte, mit dem ich unterwegs war. Das war genau die Sorte Geschichten, die sie hören wollten, weil sie sie nie erleben, sondern immer nur inszenieren durften. Später, als die gesamte Abendgesellschaft im Whirlpool lag und mir mit Jahrgangschampagner zuprostete, schämte ich mich ein wenig für meine Prahlereien. Dabei werden solche Geschichten auch dann immer wieder aufs neue erzählt, wenn ein paar Reporter an einer Hotelbar oder in einem Lokal zusammenkommen und versuchen, sich mit all jenen Schnurren zu übertrumpfen, von denen sie glauben, dass sie damit nicht nur Zivilisten, sondern sich auch gegenseitig beeindrucken können.

Dabei taugt der Reporteralltag nicht unbedingt für Abenteuergeschichten, denn der erfordert eher Geduld und Höflichkeit als Mut. Viele Reportagen sind erst zu Geschichten geworden, als ich das Bandgerät längst abgestellt und den Notizblock weggesteckt hatte. Dem dramatischen Interview mit dem Attentäter der Hamas gingen endlose, nervtötende Abende in den Teestuben von Gaza voraus, bei denen ich idiotische fundamentalistische Tiraden über mich ergehen ließ. Das wahre Gesicht von Moskau zeigte sich mir erst, nachdem ich eine Woche lang auf dem Gästesofa eines sogenannten Finanzexperten der Mafia übernachtet und auf seiner Küchenbank Telefongesprächen gelauscht hatte, von denen ich kein Wort verstand. Und der Neonazichef Tom Metzger taute erst auf, als wir beim Squaredance ein paar Biere getrunken hatten. Denn bei Reportagen geht es nicht nur um die Fakten, sondern vor allem um Geschichten.

Alles wird besser!

Nicaragua

Aus. Vorbei. Noch ahnten wir nichts, aber in einem Jahr würde das alles hier Geschichte sein. Eine weitere lautlos geschlagene Schlacht im Endkampf des Kalten Krieges. Wir würden begreifen, warum der Präsident, der jetzt gerade vom Pferd stieg, mit seinem Schnurrbart, dem schwarzroten Tuch um den Hals und den Reiterstiefeln der Inbegriff eines Revolutionärs, warum dieser Präsident keine Chance hatte gegen die silberhaarige Dame im Rollstuhl, die wirres Zeug schwafelte, von Séancen mit ihrem verstorbenen Mann, von ihrem kaputten Knie und ihrer Operation in Texas. Uns würde klar sein, dass es für Daniel Ortega keinen Platz mehr geben konnte in dieser Geschichte, dass er sowohl als Feind als auch als Held einfach abdanken musste, weil er für beides nicht mehr taugte.

Noch wollte ich nicht daran glauben. Warum auch. Violeta Chamorro? Eine Marionette der USA, bestenfalls gut für die Hauptrolle in einer Komödie über den Niedergang einer Bananenrepublik. Aber diesen Status hatte Nicaragua längst hinter sich gebracht. Nicaragua durfte sich seit Jahren in einem Atemzug mit Kuba, Libyen und Iran als Erzfeind der Weltmacht USA betrachten. Ein guter Name allerdings – Chamorro. Der Name ihres Mannes, Pedro Joaquin Chamorro, der vor der Revolution der wichtigste Kopf der bürgerlichen Opposition gegen den Diktator Anastasio Somoza gewesen war.

Pedro Joaquin Chamorro hätte die Rebellen vielleicht in eine demokratische Zukunft geführt, damals, 1979. Aber dann hatte ihn eine Todesschwadron erwischt. Am frühen Morgen des 10. Januar 1978. Drei Salven. Einundzwanzig Kugeln. Ein exilkubanischer Geschäftsmann hatte die Schwadron bezahlt, weil Chamorro seine krummen Geschäfte in der Oppositionszeitung *La Prensa* angeprangert hatte. Doch für die Oppositionellen zählte das nicht weiter. Ihre Immunität als Vorzeigedemokraten für die Diktatur war gebrochen. Einmal baten sie noch die USA um Hilfe. Doch die lehnten ab. Sie wollten Somoza stützen. Und so begann die Revolution.

Nach dem Sieg übernahmen die Ortegas die Macht. Daniel und Humberto – beinharte Ideologen. Galionsfiguren für die Galerie der Feinde. Die Guerillaromantiker im Westen adoptierten die Sandinisten dafür als neue Lieblingshelden. »Las Poetas« hatten sich die Sandinisten genannt. Sie trugen Folkloremasken im Kampfeinsatz und besiegten die moderne Somoza-Armee mit Flinten und Pistolen.

Ich hatte Daniel Ortega schon einmal getroffen. In München. Im Café Glockenspiel ließ er sich damals als Revolutionsheld herumreichen. Im Hintergrund das neugotische Rathaus, im Vordergrund der Held. Er kam in Zivil, trug eine Windjacke, Halbschuhe und Jeans. Das fanden wir etwas enttäuschend, schließlich waren wir als bayrische Oberschüler mit dem Che-Guevara-Bild vom erfolgreichen Revolutionär aufgewachsen. Der hatte eine Uniform zu tragen und wenn möglich eine Waffe, so wie Arafat vor den Vereinten Nationen.

Wir standen trotzdem ganz beeindruckt da. El Presidente berichtete von den Erfolgen der Alphabetisierungskampagne und den Fortschritten beim Bau der Landkliniken. Wir glaubten an das Gute im Menschen, die Macht des Volkes, die Gerechtigkeit auf Erden, und weil wir es uns leisten konnten, uns über das Unrecht auf der Welt zu echauffieren, kam El Presidente gerade recht. »Imperialisten!«, schimpften wir die Amerikaner.

Eine ganze Menge widersprüchlicher Politpubertät verbarg sich hinter unserem naiven Antiamerikanismus. Das fing mit dem Glauben an das Gute an, der doch nichts weiter war als eine Fortsetzung der simplen Ansicht, dass sich die Welt in zwei Teile spaltet – in die Guten und die Bösen, die Kapitalisten und die Kommunisten, die Demokratie und den Totalitarismus, die Freiheit und die Unterdrückung. Auch wir hatten unsere klar definierten Feinde. Allerdings wollten wir von der Unterdrückung im Osten nichts hören. Wir waren jung und wollten gegen unsere Eltern rebellieren, obwohl die als Linksliberale sowieso einer Meinung waren mit uns. Also wollten wir zumindest gegen irgendeine Autorität anstinken – warum nicht gegen die Weltmacht Amerika, die doch für so viel Leid in der Welt verantwortlich war?

Ein kleines bisschen war dieser linkspubertäre Antiamerikanismus aber auch das Ventil für einen Patriotismus, den wir in Deutschland nie äußern durften, nie äußern wollten, schließlich hatte uns die Geschichte mehr als einmal bewiesen, dass es einen gesunden Patriotismus in Deutschland nie geben würde, weil der immer gleich in humorlosen, bitterbösen Nationalismus umschlägt. Wir waren auf der Suche nach der moralischen Schweiz, wie Uwe Johnson das Bedürfnis der Deutschen nach einer heilen Welt nannte. Doch wir waren auch die erste Generation ohne eigene Schuldgefühle. Da kam uns die Selbstgerechtigkeit des linken Moralismus und des antiimperialistischen Internationalismus gerade recht. Hätte uns jemand gesagt, dass wir einmal dem Kalten Krieg nachjammern würden, dass wir einsehen würden, was uns der amerikanische »way of life« alles beschert hatte, wir hätten lautstark protestiert, irgend etwas von der »Befreiung der unterdrückten Völker« gefaselt, von »CIA«, »Verschwörung« und »Vietnam«.

Das war damals. Jetzt stand ich auf dem Dorfplatz von San Benito unter einem mächtigen Kastanienbaum, der mit den schwarzroten Wimpeln der Partei geschmückt war, und wartete darauf, dass der Held der Revolution seine Rede hielt. Alex, Peter und ich tranken lauwarme Limonade und wischten uns den Schweiß von der Stirn. Alex, Fotograf aus Venezuela, Peter, Fotograf aus New York, und ich, Schreiber aus München – eine dieser verschworenen Reportergemeinschaften, die sich an allen Krisenherden dieser Welt zusammenschlossen, weil der eine ein Mietauto hatte und der andere einen Draht zum Minister. Ich glaubte immer noch an das Gute im Menschen und die Gerechtigkeit, nur die Macht des Volkes ging allerorten zu Ende, deswegen war ich hier in Nicaragua und hoffte auf ein letztes Aufbäumen der Verdammten dieser Erde. Ortega, Castro und die gesamte Jeunesse dorée der europäischen Linken dachten damals genauso.

Das Bild von der zweigeteilten Welt hatte allerdings längst Risse bekommen, und genauso, wie sich der Westen nach dem Mauerfall wenige Wochen zuvor langsam daran gewöhnen musste, dass der Kalte Krieg zu Ende ging und dass die neue Ära nach neuen Definitionen verlangte, so hatte sich die neue Verwirrung auf die Subkulturen übertragen. Während der gesamten achtziger Jahre hatten wir versucht, die Ideologien zu demontieren. Wir erklärten die Essenz des Kapitalismus zum Credo des Protests – Konsumismus, Mode, Pop und Stil halfen uns, die verkrampfte Verinnerlichung unserer Vorgänger zu überwinden. Politik sahen wir ganz pragmatisch. Das war lustig in den achtziger Jahren, als die Welt im Prinzip noch in Ordnung war und die Wertkategorien der Kalten-Kriegs-Generation noch funktionierten. Links blieben wir natürlich trotzdem, obwohl wir längst zu viel Geld verdienten, um SPD zu wählen. Ganz egal. Der Rebellenmythos funktionierte noch, und in Drittweltländern sowieso. Da unterschieden wir uns gar nicht so sehr von den linken Betroffenheitstouristen, die zur Kaffee-Ernte anreisten – die Dritte Welt war unser moralischer Eskapismus.

Auf dem Dorfplatz von San Benito ging es zu wie auf einem Volksfest. Bierflaschen wurden herumgereicht, die Straßenhändler hatten ihre Tabletts mit Kaugummi, Zigaretten und Bonbons auf Hocker gestellt, das ganze Dorf war zusammengekommen. Alle waren sie froh, dass sie heute nicht auf den Feldern des Kollektivs schuften mussten.

»Ell gaa-llo fajaar-do!« Die Marimbakapelle schmetterte die immer gleiche Hymne auf den Kampfhahn der Partei. »Esse tambiehn, Daa-niell Ortee-gah ...« Der reckte die Arme zur Siegergeste nach oben und ging dann gleich zum Angriff über. »El Yanqui!«, begann er seine Rede. »El Yanqui no tiene una alma!«

Der Yankee hatte keine Seele, deswegen litt das Volk der Revolutionäre. Gestern hatten die Contras wieder ein Dorf überfallen, die Männer gemeuchelt, die Frauen geschändet. Das Volk vernahm es und schwieg. Er hatte ja recht, aber die Politik hatte den Menschen noch nie etwas eingebracht. Die Somozas hatten sie vier Jahrzehnte lang geknechtet, die Sandinisten sie in zehn Jahren ruiniert. Aber weil die Politik im Kommunismus zum Pflichtprogramm gehörte und weil die Helden der Revolution nicht alle Tage nach San Benito kamen, herrschte eben diese Stimmung wie auf dem Volksfest.

Nach der Ansprache kamen die jungen Mütter des Dorfes, schälten ihre Babys aus den bunt bestickten Tragetüchern und reichten sie zur Bühne hinauf. Selbst ich bekam so ein zappelndes Bündel in den Arm. Ortega zwinkerte mir zu, als ich ihm ein Baby nach dem anderen reichte. Er wusste, dass diese inszenierten Begeisterungsstürme auf Besucher aus dem Norden mächtig Eindruck machten. Zumindest hatte das die letzten zehn Jahre mit den jungen Gringos so funktioniert. Gab man ihnen dann noch einen kleinen Platz in der Revolution, trugen sie ihre Begeisterung über die tapfere Frente Sandinista de Liberación Nacional brav in die Welt hinaus.

Die Bodyguards griffen noch mehr Babys, legten sie dem Präsidenten in den Arm, und die Genossin vom Informationsministerium machte davon ein Polaroid.

Dann marschierte der Präsident die Treppe hinunter, in seinem Kielwasser ein Geschwader von Ministern, Genossen und örtlichen Honoratioren. Comandante Ortega verteilte Baseballschläger an die Kinder. Einen Sportplatz dazu würde man sicher auch bald bauen. Abschiedsrufe. Der Konvoi setzte sich in Bewegung.

Ganz vorne der japanische Geländewagen des Präsidenten. El Gallo lenkte selber. Dahinter zwei Pick-up-Trucks. Auf den Ladeflächen saßen die Bodyguards des Präsidenten, die ihre Kalaschnikows auf dem Schoß balancierten. Sie trugen Jeans und karierte Hemden, und gegen den Staub hatten sie sich rote Tücher vor die Gesichter gebunden. Ein simples, aber wohldurchdachtes Bild. Mit ihren Gewehren und Tüchern sahen sie wie die Freiheitskämpfer aus, die 1979 die Diktatur verjagt hatten. Das sollte Erinnerungen wecken.

Zwei Stunden ging es über Schotterpisten durch eine karstige Landschaft. Hier in der Ebene erinnerte Nicaragua mit seinen struppigen Gräsern und Büschen an die kalifornische Wüste. Am Horizont flimmerten schon die Umrisse von San Francisco Libre. Bauernhäuser und Bäume, in der Mitte ein Kirchturm, ringsum flaches Land. Am Dorfrand machte der Konvoi halt. Die örtlichen Honoratioren warteten bereits zu Pferd. Für den Präsidenten stand ein Schimmel bereit, auf dem er zum Dorfplatz reiten sollte.

Die Revolutionsnostalgie war das einzig Handfeste, das die Sandinisten in diesem Wahlkampf zu bieten hatten. Nach zehn Jahren Revolutionsregierung war Nicaragua zum zweitärmsten Land der westlichen Hemisphäre verkommen, und weil die Zahlungen aus Moskau und Havanna langsam versickerten, drohte der endgültige Zusammenbruch. Deswegen hatten die Sandinisten die Wahlen veranstaltet, sie konnten sich das Wirtschaftsembargo und den Bürgerkrieg nicht mehr leisten. Ihr Wahlkampfslogan lautete: »Todo sera mejor!« Alles wird besser. Es ging allerdings das Gerücht um, dass die amerikanische Armee in Panama schon zur Invasion rüstete, denn falls die Sandinisten die Wahl gewinnen sollten, konnte es sich nach Auffassung der Beobachter des State Department nur um Wahlbetrug handeln.

Am nächsten Morgen entwischten wir den Zensoren. Schließlich wollten wir mit Violeta Chamorro sprechen, auch wenn die Sandinisten das gar nicht gerne sahen. Ich hatte Violeta Chamorro vor ein paar Tagen im Fernsehen gesehen. Sie war mit dem Flugzeug aus Texas angekommen, wo sie ein Team erstklassiger amerikanischer Ärzte am Bein operiert hatte. Sie saß im Rollstuhl und schimpfte: »Die sandinistische Regierung hält sich nicht an die Wahlgesetze. Sie setzen Regierungsmittel im Wahlkampf ein. Sie bringen Parteikader mit öffentlichen Verkehrsmitteln zu ihren Veranstaltungen und verbreiten Wahlkampfslogans über das Fernsehen und das Radio. Das ist Totalitarismus.«

Doch während sie sich in Texas hatte operieren lassen, bekamen ihre Landsleute in den Clinicas nicht einmal mehr Aspirin, weil seit dem Boykott die meisten Medikamente ausgegangen waren. Und deshalb hatten wir aus dem Norden die alte Dame schon als Klassenfeindin auf der Liste.

Wie überall auf der Welt wohnte der Klassenfeind auch in Managua in einem dieser Villenviertel, in dem jeden Tag Sonntagsruhe herrschte, mit zwitschernden Vögeln und rauschenden Bäumen, wo hohe Mauern um die Häuser standen und einen die Polizei anhielt, wenn man so aussah, als ob man hier nicht hergehörte.

Vor der Residenz der Doña Violeta stand ein Mann, der sein weißes Hemd über die Hose hängen ließ, damit man die Pistole nicht sah, die er lässig in den Bund gesteckt hatte. Ohne ein Wort zu sagen, führte uns der Bodyguard durch einen Innenhof mit Tropenpflanzen und Fischteich in das Arbeitszimmer der Kandidatin. Schwere Eichenmöbel standen da, Bücherschränke mit Glastüren, an den Wänden sentimentale Ölbilder. Geduldig betrachteten wir die edlen Buchrücken. Nach einer halben Stunde öffnete sich die Tür und der Hausdiener schob die Oppositionsführerin in einem Rollstuhl herein. Ihre feinen Gesichtszüge wurden von silbergrauem Haar umrahmt, sie trug ein schlichtes Seidenkleid und reichte uns zur Begrüßung die Linke. Immer einen Schritt dahinter folgte ihr Schwiegersohn, der den Wahlkampf leitete.

»Sie müssen mich entschuldigen«, sagte Doña Violeta. Doña Violeta entschuldigte sich andauernd für irgend etwas. Bei Fernsehinterviews sagte sie immer: »Ich bin ja gar keine richtige Politikerin. Ich verstehe mich nicht auf die Demagogie.« Aber dann hatte sie außer Schelte für die Sandinisten meist nicht viel zu bieten.

Heute entschuldigte sie sich dafür, dass sie zu spät kam, aber trotzdem nur wenig Zeit hatte. »Ich habe große Schmerzen«, sagte sie und schaute wehleidig auf ihr Gipsbein. »Nur mit meinen kleinen Pillchen schaffe ich es, meinen Terminen nachz kommen.« Ihrem Schwiegersohn war das unangenehm, aber er sagte nichts. Letzte Woche erst hatte er seiner Schwiegermutter abgewöhnt, ihre Ansprachen damit zu beginnen, dass sie von ihren morgendlichen Gesprächen mit ihrem Mann Pedro Joaquin erzählte.

»Die Sandinisten setzen im Wahlkampf Mittel ein, die ihnen nicht zustehen«, sagte Violeta Chamorro. Ihr Sohn knurrte von hinten: »Das hast du schon gesagt, Mama.« Die Pillchen schienen nachzulassen. Über ihre Verbindungen zu den Amerikanern mochte sie nicht so gerne reden. Das hätte man ihr übelnehmen können. »Ich weiß nicht, warum sie die Amerikaner immer so verteufeln«, sagte sie kurz angebunden. »Herr Bush war außerordentlich reizend. Zweimal hat er mich angerufen, als ich mit meinem gebrochenen Bein in Texas im Krankenhaus lag. Und der andere, der Präsident, mit dem ich so ein gutes Verhältnis habe ...« Der Schwiegersohn beugte sich über ihre Schulter. »Ronald Reagan, Mama. Ronald Reagan.« – »Ach ja. Ronald Reagan, der hat sich persönlich um unser Land gesorgt.«

Und die Contras, die Rebellen, die der CIA im Norden des Landes unterstützte und die ihren Guerillakrieg mit Brutalität und Terror führten? »Ach. Das sind doch nur arme Jungs in den Wäldern. Ich will, dass sie nach Hause kommen und wieder zur Schule gehen oder arbeiten oder sonst etwas Nützliches tun.« Dann gab es also keinen Krieg an der Grenze? »Nein, den halte ich wirklich für einen Mythos.« Dann wurde sie ungeduldig. »Sehen Sie, Daniel Ortega hat einen Wahlslogan, der lautet: ›Alles wird besser.‹ Warum hat er dann in den letzten zehn Jahren nicht einfach alles besser gemacht? Glauben Sie mir, ich will nichts anderes für meine Leute, als dass alles besser wird.« Sie seufzte bedeutungsvoll, strich sich über den Gips. Ohne sich umzudrehen, winkte sie dem Hausdiener. Es war Zeit zu gehen.

Im Stadtzentrum von Managua fuhren wir die Hauptstraße entlang. Eine apokalyptische Wüstenlandschaft. Kein Mensch zu sehen. Links und rechts der Straße lagen Brachfelder, auf denen magere Kühe im Schutt nach Gras suchten. Dahinter ein paar Ruinen. An einem Platz unten am See stand die Kathedrale wie eine leere Hülle. Die Mauern waren brüchig, die Fensterhöhlen leer, das Dach eingestürzt. Zwischen den Bänken im Inneren wuchs Unkraut.

1972 hatte das große Erdbeben Managua in Schutt gelegt. Somoza ließ damals nur die Regierungspaläste wiederaufbauen. Den größten Teil der Hilfsgelder investierte er in die Geschäfte seiner Freunde. Die Sandinisten hatten es ebenfalls nicht geschafft, die Stadt wiederherzurichten.

In der Kathedrale trafen wir Hipolito, einen Bauarbeiter mit dem faltigen Gesicht eines Sechzigjährigen, der sagte, dass er vierzig Jahre alt sei. »Seit zehn Jahren warte ich darauf, dass die Partei mir ein Haus zuteilt«, erzählte er. Wo er wohnte? »Kommt mit. Ich zeig's euch.«

Ein paar hundert Meter hinter der Kathedrale stand das ehemalige Kino wie ein ausgebombter Palast am Rande des Brachfelds. An der Hinterseite fehlten die Außenmauern. Das Betondach war weggeknickt, als wäre es aus Pappe. »Da leben wir jetzt seit zehn Jahren«, sagte Hipolito und winkte mich weiter. Obwohl es draußen fast dreißig Grad heiß war, stand die Luft nasskalt und muffig in dem Gebäude.

»Acht Familien wohnen hier«, sagte Hipolito und ging mir voran die Treppe hinauf. Das Foyer glich einem Flüchtlingslager. Mit Wäscheleinen und Bettüchern hatte sich eine Familie Zimmer abgetrennt. Plastikeimer standen herum, Blechtöpfe und Kisten. Zwei Frauen lehnten im ersten Stock gelangweilt an einer Balustrade und schauten müde, wen ihr Nachbar da mitbringt.

Hipolito lebte mit seiner Frau und den sechs Kindern im zweiten Stock. Sie hatten sich das ehemalige Filmarchiv eingerichtet, einen langgezogenen Raum, zur Straße hin offen, weil die Wand eingestürzt war. Ein rosa Leintuch hing davor und flatterte leicht im Wind. Licht kam nur durch einen Spalt herein. Drei Kinder saßen auf dem rohen Betonboden und starrten mich apathisch an. Hipolitos Frau Maria kochte einen Kaffee. Dazu stellte sie eine Blechkanne mit Wasser auf eine Feuerstelle aus Ziegelsteinen und fachte darunter ein Feuer an.

Nein, Hoffnung hatte Hipolito keine mehr. »Todo sera mejor. So ein Blödsinn.« Verächtlich schnaubte er durch die Nase. »Nichts wird besser. Somoza war vielleicht ein Tyrann, aber wenigstens konnten wir Armen uns damals etwas zu essen kaufen. Heute reicht mein Geld jeden Monat gerade für Brot, Kaffee und Reis. Gemüse und Fleisch haben meine Kinder schon seit einem Jahr keins mehr gegessen.« Er wollte auch nicht zur Wahl gehen. »Wozu denn? Wir Armen verlieren immer.«

Abends saßen wir Journalisten in der Lobby des Interconti, eines der wenigen funktionierenden Hotels des Landes. Das Interconti hatte ursprünglich wie eine Maya-Pyramide aussehen sollen, aber wie es in all seiner weißbetonierten Herrlichkeit gleich neben der ehemaligen Somoza-Villa auf einem Hügel über dem zertrümmerten Stadtkern thronte, erinnerte es eher an ein Raumschiff. Hilfreiche Wesen vom anderen Stern sausten in ihren blitzweißen Geländewagen mit den blauen UNO-Wimpeln den Hügel hinunter und erzählten den geplagten Unterdrückten, dass sie ihnen das Allheilmittel zur Erlösung von allem Übel mitgebracht hätten: die Demokratie.

Wächter mit Schrotflinten passten auf, dass niemand ins Interconti eindringen konnte, der dort nicht dringende Geschäfte vorzuweisen hatte. Die Lobby diente in der heißen Wahlphase als politischer Basar. Da handelten die Honoratioren in der Cafeteria Hilfsprogramme aus, Geheimdienstler versuchten an der Hotelbar herauszufinden, ob die Journalisten mehr wussten als sie, die Journalisten versuchten einen der Honoratioren zum

Interview zu stellen, und die Hilfswerkler erholten sich von ihren Hilfstouren bei Whisky und Steak.

Alex machte sich einen Spaß daraus, zwei Sandalistas mit Hipolito-Zitaten zur Weißglut zu bringen. »Sandalistas« wurden die jungen Gringos genannt, die viel Geld dafür bezahlten, um im Sommer für die Revolution auf den Kaffeeplantagen zu akkern. Die Nicaraguaner auf dem Land konnten gar nicht glauben, dass jemand, der ein wahres Luxusleben führte, aus einer europäischen Großstadt kam, wo er in einer Wohnung mit Kühlschrank und Wasserklo lebte, freiwillig in einer Hängematte schlafen und frühmorgens auf die Felder ziehen wollte, um bei gleißender Sonne zwölf Stunden lang Kaffeebohnen zu pflükken. Aber weil der Politkommissar ihnen etwas von »internationaler Solidarität« gesagt hatte, von »Freunden der Revolution« und »Beweis der Brüderlichkeit«, sagten sie nichts und gaben den Sandalistas das Gefühl, dass sie hier etwas Nützliches und Gutes taten.

Alex hatte die zwei Sandalistas in der Halle gefunden, wo sie auf einen UNO-Funktionär warteten. Jan aus Holland und Wolfgang aus Köln. Sie wollten als Wahlbeobachter eingesetzt werden. Das war immerhin besser, als Kaffee zu pflücken. Aber weil der UNO-Funktionär Wichtigeres zu tun hatte, saßen sie schon seit fünf Stunden in den Polstersesseln, schämten sich, drei amerikanische Dollar für eine Cola zu bezahlen, wo doch jeder wusste, dass eine fünfköpfige Familie davon zwei Tage leben konnte, und ließen sich auf einen Streit mit Alex ein.

»Heute nachmittag. Eine von den Familien, die in der Kinoruine leben. Die würden Somoza sofort wieder ins Amt wählen.« Jan wusste nicht, ob er Alex ernst nehmen soll. Alex trug eine Khakiweste, an der eine Ray-Ban-Sonnenbrille baumelte, kurzgeschorene Haare und Armeestiefel. So einer konnte doch nicht in Ordnung sein. Aber Wolfgang fiel auf die Sticheleien herein. »Begreifst du nicht, was das für dieses Land bedeuten würde, wenn die Sandinisten verlieren?« Er klang ganz verzweifelt. »Die Contras wären an der Macht. Die Chamorro ist doch nur eine Marionette der Reaktionäre.« Alex konnte sich das Grinsen kaum verbeißen. »Unter Somoza hatte das Land eine stabile Währung, und jeder hatte zu essen. Alles, was die Sandinisten erreicht haben, sind fünfstellige Inflationszahlen.«

Ich war unterdessen mit einem nervösen Mittvierziger ins Gespräch gekommen. Diplomat bei der Botschaft der DDR war er. Auch er wartete auf irgend jemanden. Auf wen, wollte er allerdings nicht sagen. Überhaupt war ihm das Gespräch unangenehm. »Ich kann Ihnen im Moment keine Auskunft geben«, erwiderte er auf jede Frage. Daheim war die Mauer gefallen. Egon Krenz hatte die Regierungsgeschäfte übernommen. Keiner wusste, ob es die DDR noch lange geben würde. Und als Diplomat eines Landes, das es nicht mehr gab, wusste er nicht einmal, ob ihm noch jemand das Ticket für den Heimflug bezahlen würde.

Wenige Tage später verkündete die Wahlkommission der UNO das Ende der Revolution. Ohne große Worte. Die Sandalistas brachen in Tränen aus. Das hatten sie nicht erwartet. Das Volk der Arbeiter und Bauern hatte seine Chance verpasst. Zwischen der Revolution und dem Nichts hatte es sich für das Nichts entschieden, weil ihm das praktischer erschien.

Die Sandinisten trugen die Niederlage mit Fassung. »Wir werden die Regierung der Señora Chamorro mit allen Mitteln unterstützen«, sagte Ortega. Was hätte er auch sonst sagen sollen.

In Washington knallten an diesem Abend die Champagnerkorken. Die Theorie vom Dominoeffekt hatte sich nun doch noch bestätigt. Russland, Ostblock, Nicaragua – da fehlten nur noch Kuba, Jugoslawien, Nordkorea. Der Feind war am Ende. »On a clear day you can see Armageddon«, hatte es geheißen.

Die Angst vor dem Ende. Bei guter Sicht konnte man jetzt das Weltreich sehen.

Die Demokratie hätte gesiegt und die Menschenrechte, hieß es. Alle Erdenbürger könnten nun auf ein Leben hoffen, das von Freiheit und Wohlstand bestimmt sei.

Das schnelle Geld

Moskau

Alexej holte mich vom Flughafen ab, weil ich nicht wissen konnte, welcher Taxifahrer mich in irgendeine Vorstadt fahren und bis auf die Unterwäsche ausziehen würde. »Kein Witz«, sagte Alexej. Mit ihm war ich sicher. Ein Meter neunzig war er groß. Selbst unter dem Tweedjackett konnte man den Kraftkörper erkennen, den er sich bei den Eliteeinheiten in Angola antrainiert hatte. Sein Gesicht hatte einen mongolischen Einschlag, und wenn er lachte, misstrauisch oder böse wurde, verengten sich seine Augen zu Schlitzen. Alexej bezeichnet sich selbst als »Beeznyesmyan«, als Geschäftsmann. Aber das waren in Moskau viele.

Alexej wohnte im fünften Stock einer jener stalinistischen Mietskasernen, die sich grau und wuchtig die Ausfallstraßen entlangzogen. Hinter seiner Wohnungstür war eine zweite aus Stahl. Die hatte er sich einbauen lassen, seit er ins Geschäft eingestiegen war und damit rechnen musste, dass ihm die Konkurrenz einen Besuch abstattete. Zwei Millionen Dollar war Alexej wert. Alles in einem Jahr verdient. Als »Finanzspezialist«, wie er sagte. In der Wohnung hatte sich seit seinem Aufstieg allerdings noch nichts verändert. Zwei Zimmer, Küche, Bad, Möbel in schwerem Sozialistenbarock. Die Dollar seien investiert, sagte Alexej. Das wollte er mir alles am nächsten Tag erklären.

Ich bekam das Sofa im Arbeitszimmer. An der Wand hingen

Fotos aus dem Kaukasus. Alexej mit Kameraden im Schützengraben. Armenische Soldaten beim Angriff. Früher hatte er davon gelebt, Westjournalisten an die Kaukasusfront zu bringen. Was sollte ein Elitesoldat im jungen Russenkapitalismus sonst schon anfangen? Auf dem Schreibtisch lagen zwei Patronen und eine Uhr, deren Glas gesplittert war, als hätte jemand mit dem Hammer draufgeschlagen. Alexej lächelte. Ich sagte nichts, konnte mir denken, wie die Uhr kaputtgegangen war.

In der Küche kochten wir Kaffee. Alexej telefonierte auf russisch. Seine Stimme klang ungeduldig. Mit einem Schlag knallte er den Hörer auf die Gabel. »Schon wieder ein Fall für den Kühlschrank«, brüllte er. Dann lachte er. Wir rauchten zollfreie Zigaretten und tranken Kaffee, den wir mit Himbeermarmelade gesüßt hatten, weil kein Zucker da war.

Ich sah mir einen Stapel Fotos an. Alexej als Bub mit blonden Wuschelhaaren und Grübchen. Alexej auf dem Institut für Fremdsprachen, auf dem sich der KGB seine besten Leute gezogen hatte. Alexej als Internationalist in Angola. Die Wuschelhaare waren weg, die Grübchen auch. Bilder von der Front. Dschungellandschaft und angolanische Soldaten hatte er fotografiert, eine Kubanerin, jung, hübsch, in Uniform. Alexej war für portugiesischsprachige Länder ausgebildet worden. An der Front arbeitete er als Verhörspezialist. »Da habe ich gelernt, wie man jemandem die Eier an einer Autobatterie anschließt«, sagte er und lachte. »So was kann man im Bankgeschäft gut gebrauchen.«

Am nächsten Morgen fuhren wir durch den Nieselregen in die Innenstadt, über die Kamenyibrücke, zu einem Kasino gleich hinter dem Bolschoitheater. Alexej zeigte auf eine Wechselstube auf der anderen Seite des Platzes. »Da hat alles angefangen.« Die Wechselstube war Alexejs Sprungbrett in die Finanzwelt von Moskau gewesen. Dort hatte er ein Jahr zuvor begonnen,

Mafiagelder zu waschen, und damit so viel verdient, dass er nach sechs Monaten zehn Wechselstuben betreiben konnte. »Jetzt bin ich ins Investitionsgeschäft eingestiegen«, sagte er. Eine Bank hatte er aufgemacht, eine der unzähligen Kreditklitschen, die es in Moskau an jeder Straßenecke gab.

Wir liefen quer über den Platz zum Kasino. Alexej musste einen Kredit retten. Zwei Bodyguards in Anzug und Fliege winkten uns in ein Hinterzimmer. Alexejs Beschützer saßen im Halbdunkel um einen Tisch in der Ecke, trugen Schnauzbärte, Seidenpullover und Goldkettchen. Sie hatten sich ihre Gangsterattitüden von amerikanischen Filmen abgeguckt. Deswegen taten sie, als hätten sie mich gar nicht bemerkt. Wenn ich mit Alexej gekommen war, musste ich schon in Ordnung sein, aber Respekt hätte ich mir erst verdienen müssen.

Einer kam uns entgegen. Alexej und der Gangster begrüßten sich, gingen murmelnd in eine Ecke am anderen Ende des Raums. Handschlag, Umarmung, dann waren wir auch schon wieder draußen. »Alles geregelt«, sagte Alexej zufrieden. Der Fall für den Kühlschrank war nun in den Händen der Bratva, der Bruderschaft, die für Alexejs Geschäfte garantierte.

Das Kreditwesen funktionierte nach dem klassischen Prinzip von Kredit und Garantie, nur dass der Kreditnehmer mit seinem Leben garantierte. Die Verhandlungen liefen immer nach dem gleichen Muster. Alexej führte die Vorverhandlungen alleine. Zum Abschluss des Vertrages brachte er ein paar Khuligany mit, glatzköpfige Muskelmänner mit Pistolen unter den Jacken. »Die setzen sich nur hin, spielen mit ihren BMW-Schlüsseln und sagen gar nichts«, erklärte mir Alexej das Verfahren. »Dann weiß jeder, auf was er sich einlässt.«

Im Moment hatte Alexej vier große Kredite laufen. Zwei waren im Verzug. Einer finanzierte zwei Zugladungen Aluminium, die ein Schwarzhändler aus St. Petersburg irgendwo im Hinterland aus der Produktion abgezweigt hatte und nun nach Amsterdam verschieben wollte. Und vierhunderttausend Dollar waren an einen Händler in Berg-Karabach gegangen, der das vom Bürgerkrieg gebeutelte Land mit überteuertem Getreide schröpfen wollte.

Zwanzig bis dreißig Prozent Zinsen mussten Alexejs Kreditnehmer pro Monat bezahlen. Das war der Standardsatz. Für Schnellkredite bei der Bratva fielen zum Beispiel zwei Prozent Zinsen am Tag an. Bei den immensen Gewinnen, die man in Russland mit Immobilien und Rohstoffen machen konnte, beschwerte sich niemand; nur wenn eines der Pokergeschäfte platzte, wurde es schwierig.

Das Schlüsselwort lautete »Rasborka«. So nannte man in Moskau die Methoden, mit denen die Mafia ein Problem regelte. Die Rasborka für säumige Schuldner lief nach dem immer gleichen Schema ab: Die erste Warnung war ein kurzer Besuch. Nichts Schlimmes. Ein paar Schubsereien, ein paar zerbrochene Möbel. Bei der zweiten Mahnung kamen die Schuldner in die Patvale, den Folterkeller, der im Fall von Alexejs Bratva unter dem Spielkasino lag. Da wurden sie drei, vier Tage lang von den Khuligany bearbeitet. Trieben sie das Geld dann immer noch nicht auf, blieb nur noch der Kühlschrank.

»Ich finde das ziemlich schwachsinnig«, sagte Alexej. »Es bringt ja nichts. Das Geld ist dann endgültig weg. Nur die Ehre ist wiederhergestellt.« Er seufzte. »Aber man darf in Moskau sein Gesicht nicht verlieren. Unser Mann in Berg-Karabach hat das offensichtlich nicht begriffen. Nun ja. Bis Mittwoch hat er Zeit. Das kriegt der schon hin.« Bis Mittwoch waren ja noch achtundvierzig Stunden Zeit.

Auf dem Weg zu seiner Bank legte Alexej eine Plastiktüte unter den Sitz. Ein paar tausend Dollar. Nicht viel. »Manchmal muss ich ein paar Millionen transportieren«, sagte er. »Deswegen fahre ich auch immer noch meinen alten Ford Escort. Mit einem teuren Auto hält mich die Miliz an, und wenn die das

Geld finden, ist es weg.« Eine Million Dollar unter dem Autositz? War das nicht ein bisschen viel? Alexej schüttelte den Kopf. »Das ist ungefähr eine halbe Plastiktüte voller Hundertdollarscheine. Oder?« Er überlegte kurz. »Jaja. Eine volle Tüte sind zwei Millionen. Das kommt schon hin.«

Wir fuhren über eine Kreuzung, und Alexej fluchte. »Aaaah, fuck!« Das war eins seiner Lieblingsworte, das er von den Westjournalisten gelernt hatte. »Da schau, die Schweine sind unterwegs.« Er zeigte auf einen dunkelblauen BMW. »Tschetschenen.« Alexej mochte keine Tschetschenen. »Die bringen Leute aus purem Vergnügen um«, sagte er. »Schwachsinniges Gangstergeprotze. Die haben zu viele amerikanische Filme gesehen.« Er machte ein verächtliches Gesicht. »Kennst du das schnellste Tier der Welt?«, fragte er. »Ein Tschetschene im BMW.« Dann lachte er über seinen Witz, den ich nicht verstand.

»Die Tschetschenen sind ganz verrückt nach BMWs«, versuchte er zu erklären. »Daheim im Kaukasus fahren sie mit ihren BMWs sogar an die Front.« Vor der ersten großen Offensive liefen absurde Bilder aus Tschetschenien im Fernsehen. Wie Separatistenführer Dudajev im stilechten Don-Corleone-Aufzug die Unabhängigkeit der winzigen Kaukasusprovinz Tschetschenien verkündete und seine Mannen in einem Konvoi aus Schützenpanzern und Luxuskarossen ausrückten. In den BMWs saßen Muskelmänner, die Rambostirnbänder trugen und ihre Kalaschnikows durchs Schiebedach hielten.

Hier in Moskau erkannte man die Wagen der Tschetschenen daran, dass sie die deutschen und österreichischen Nummernschilder nicht abgeschraubt hatten. Kein Polizist hätte es gewagt, sie anzuhalten, nur weil sie einen gestohlenen BMW fuhren. »Gangster«, beendete Alexej das Thema Tschetschenen und schüttelte den Kopf. Er und die meisten Russen sahen in den Tschetschenen schon seit Jahren den Sündenbock für den Verfall der Gesellschaft und den Ausbruch der Barbarei.

Überhaupt das ganze Kaukasusgesocks, dazu die Juden, Asiaten, Afrikaner – »Dschornia« nannten sie die Menschen aus den ehemaligen Provinzen oder aus dem Ausland. Ein böses Wort, das russische Äquivalent für »Nigger«. Aber mit ihrem Rassismus hatten die Russen kein Problem. Das konnte einem auf Dauer ziemlich auf die Nerven gehen. Gehörte man zur Kategorie »Dschornia«, wurde es sogar gefährlich.

Ein paar Abende später standen wir mit ein paar Mafiosi aus Alexejs Bratva am Straßenrand, als ein Wagen der Miliz anhielt und zwei Offiziere mit Maschinenpistolen auf die Straße stürmten. Wir dachten schon, jetzt seien wir dran, aber sie begnügten sich damit, zwei orthodoxe Juden gegen die Wand zu schlagen und sie mit ruppigen Griffen zu durchsuchen. »Alles Verbrecher«, murmelte Alexej dazu.

Trotz seiner Mafiafreunde war Alexej stolz darauf, dass er die Gesetze beachtete und trotzdem reich geworden war. Was man ihm allerdings nicht zu hoch anrechnen konnte. Es gab in Russland ganz einfach keine Gesetze, kein ordentliches Strafrecht und schon gar kein Wirtschaftsrecht. Nach siebzig Jahren Kampf gegen den Kapitalismus war niemand auf die Dynamik der freien Marktwirtschaft vorbereitet gewesen. Keiner wusste, wie man den Geldfluss ohne Druck von oben steuerte, und die Jet-Set-Ökonomen wie Milton und Rose Friedman, die nach dem Ende des Kommunismus in Osteuropa einfielen, trieben Russland und seine ehemaligen Satellitenstaaten in eine Laissez-faire-Wirtschaftspolitik, die mörderische Konsequenzen hatte. Ein anarchischer Kapitalismus hatte sich breitgemacht, das Gegenstück zum monopolistisch ausgerichteten Kapitalismus des Westens. Zwei gemeinsame Nenner waren nach dem Zusammenbruch der Werte und Ideologien in Russland übriggeblieben: der Dollar und das Faustrecht.

»Lange wird das nicht mehr gutgehen«, sagte Alexej. »In ein paar Jahren wird die Regierung merken, dass man ein Land wie

Russland nicht ohne Gesetze regieren kann.« Wenn nicht vorher die naturgegebenen Mechanismen des Kapitalismus das Land in die ökonomische Katastrophe stürzten.

Die einzigen, die sich im Faustrecht der russischen Wirtschaft behaupten konnten, waren die Mitglieder der Mafia und die alte Nomenklatur. Die Mafiosi waren die einzigen gewesen, die im Kommunismus Kapital mit verbotener Hartwährung ansammeln konnten. Und die Nomenklatur hatte Zugriff auf Rohstoffe, Immobilien, Waffen und was sonst noch Geld bringen konnte.

Die Zusammenarbeit von Nomenklatur und Mafia war allerdings nicht erst in den letzten Jahren zustande gekommen. Schon Stalin hatte den Wert gewitzter Mafiosi erkannt und sie für seine Geheimpolizei engagiert. Unter Gorbatschow gab es die ersten Annäherungen korrupter Bürokraten. Es hieß, dass es in den GUS-Staaten über vierzehnhundert kriminelle Organisationen gab, organisiert in Banden, Bruderschaften und Klans. Acht Klans gab es alleine in Moskau. Jeder hatte seinen festen Bereich. »Beeznyesmyan« wie Alexej gehörten offiziell noch nicht einmal zum organisierten Verbrechen.

Alexejs Adelphi Bank war zwei Blocks von Moskaus Einkaufsstraße Gorki-Prospekt im Hochparterre eines Gründerzeithauses in einer Dreizimmerwohnung mit Stuck und Flügeltüren untergebracht. Ein schmaler Mann mit hohlen Wangen und struppigem, schwarzem Haar öffnete die Tür. Andreij der Eskimo. Im Kommunismus hatte er am Bahnhof Bilder von nackten Frauen verkauft. Dann hatte ihm einer der Mafiosi einen Job in Alexejs Wechselstuben gegeben. Jetzt war Andreij Alexejs Lakai, machte den Bürovorsteher und Botendienste. Dafür durfte er in Alexejs Bank ein wenig mit Anteilscheinen handeln, Pseudoaktien von Instituten, die nach dem Pyramidenschema arbeiteten. Die gingen mit unglaublichen Gewinnen an die Börse, die dann schon nach kurzer Zeit einbrachen, bis die Firma den Bankrott erklärte und sich die Gründer mit den Gewinnen aus dem Staub machten.

Eine Dame im Steppmantel trat herein. Unsicher schaute sie sich um. »Ich möchte gerne Aktien kaufen«, sagte sie. Andreij setzte einen arroganten Blick auf. »Warten Sie draußen«, schnauzte er sie an. Alexej kicherte. »Alter Bürokratentrick. Wenn die Leute draußen warten müssen, glauben sie, dass das ein besonders wichtiger Laden ist.« Minuten später wurde die Dame an den Tisch gebeten. Mit gelangweilter Miene deutete Andreij auf einen fotokopierten Zettel, den er auf seinen Tisch geklebt hatte, der eine Grafik zeigte, auf der der Aktienkurs steil nach oben ging. In zwei Monaten von zehntausend auf einhundertdreißigtausend Rubel. Was ein Anteil heute kostete? »Vierzehntausend«, knurrte Andreij. Ungefähr vier Dollar. Die Dame kaufte hundert Anteile. Alexej schüttele den Kopf. »Heute morgen waren die Anteile mit vierzehntausend notiert«, flüsterte er mir zu. »Jetzt ist es allerdings schon Mittag, und die Dinger sind nur noch siebentausend wert.«

Lasen die Leute keine Zeitungen? Wussten sie nicht, dass sie von den Spekulanten verraten und verkauft wurden? »Der Kommunismus hat bei uns in Russland jegliches Verhältnis zum Geld zerstört«, sagte Alexej. »Die Russen haben überhaupt keine Ahnung von Geldgeschäften. Woher sollen sie wissen, dass Andreij bei uns im Büro nur ein Betrüger ist und die Aktien wertloses Papier? Sie waren in ihrem Leben ja noch nie in einer Bank. Und eine echte Aktie haben sie auch noch nie gesehen.«

Zwei ältere Frauen betraten die Bank. Die beiden kauften für umgerechnet fünfhundert Dollar Aktien. Danach kam eine junge Frau. Sie wollte die Grafik kopieren. Andreij warf sie raus. »Wir sind ein anständiges Unternehmen. Wenn Sie uns nicht vertrauen, gehen Sie eben woanders hin.« Von der anderen Seite des Gangs winkte Mischa herüber und lachte. Sein Mann an der

Börse hatte ihm gerade den Nachmittagskurs der Anteilscheine durchgegeben – dreitausend Rubel.

Den ganzen Tag kamen die Käufer und legten brav ihr Geld auf Andreijs Tisch. Als am Abend die letzten aus der Tür waren, kam Alexej prustend aus seinem Büro gelaufen. Er kriegte sich gar nicht mehr ein vor Lachen. »Darf ich euch den Mann vorstellen, der soeben seine letzten hunderttausend Dollar verloren hat?«, gluckste er. Der letzte Kurs wurde gerade durchgegeben: achtzehnhundert Rubel. Andreij lächelte gequält. Aber als ein Mann im Anorak die Bank betrat, gab er auch dem noch sein Paket zum Morgenkurs. Dann nahm er den Stapel mit den restlichen Aktien, drückte mir ein paar in die Hand, »zum Andenken« wie er sagte, und warf den Rest in den Papierkorb.

Pyramidensysteme hatten Hunderttausende russischer Bürger ruiniert. Und ein paar Dutzend schwerreich gemacht. Alexej hatte keine Ambitionen auf das große Geld. »Wer in Russland zuviel Macht oder Geld hat, landet entweder im Gefängnis oder im Kühlschrank.« Wenn alles gutging, wollte er im folgenden Winter mit zwei Millionen Dollar nach Luxemburg fahren und das Geld auf einem Nummernkonto parken. Dann wollte er mit seiner Freundin Nadja, die am Konservatorium Klavier spielte, ein bürgerliches Leben führen. Ein Geschäft aufmachen oder ein Lokal.

Die wahren Ausmaße des Filzes kennen nur die Chefs, sagte Alexej. Er selbst mache ja nur verhältnismäßig kleine Geschäfte. Nichts über eine Million Dollar. Seine eigenen Chefs wollte er mir aber lieber doch nicht vorstellen. Also verabredete ich mich über Bekannte mit Jurij, der in der Mafiahierarchie ganz oben rangierte. Treffpunkt war ein georgisches Restaurant, fünf Minuten vom Roten Platz entfernt.

Eine Glastür in einem Hinterhof, kein Schild, nur eine Klingel. Die Wirtin öffnete selbst. Ein großer Raum, von Kerzen erleuchtet, an den Wänden Teppiche und Ölgemälde. Im Hintergrund eine Bar. Das georgische Restaurant wurde von den Mafiagruppen in Moskau als neutraler Boden anerkannt. Hier trafen sich die Mitglieder der acht Mafiaklans, wenn sie über neue Revierverteilungen verhandeln wollten. Am frühen Abend war es noch ruhig. Jurij, Mitte Vierzig, trug eine schwarze Hornbrille, ein beiges Tweedjackett, halblange graue Haare und Vollbart. Die Wirtin trat an den Tisch, brachte eine Flasche Wodka und nahm die Bestellung auf. Dann begannen zwei Kellner Teller aufzutragen: eingelegte Gemüse, Rindfleisch, Fisch, kleine Brotstücke mit Kaviar und Ei.

Jurij genoss seine Rolle als Gastgeber, verteilte Portionen auf unsere Teller, erzählte mir, wo ich in Moskau Autos, Frauen oder Waffen kaufen könne, welche Kasinos ich besuchen solle, welche Diskotheken. Alles in der Hand seiner Bratva. Ob er glaube, dass Russland schon längst aufgeteilt ist? Dass die neuen Strukturen schon gefestigt seien? Er schmunzelte. »Das glaube ich nicht nur. Das weiß ich«, antwortete er. »Es gibt in diesem Land niemanden, der die Macht hat. Also hat die Mafia das Vakuum gefüllt.«

Jurij hatte den Aufbau der neuen Strukturen von Anfang an mitgemacht. Ende der sechziger Jahre hatte er als Student mit Dollars gehandelt, um elektrische Gitarren und ein Schlagzeug für seine Band zu kaufen. Der Besitz von Dollars galt im Kommunismus als Schwerverbrechen. Jurij endete im Gulag. Im Straflager arrangierte er sich mit der Bratva und stieg schon bald in den Führungskader auf. Er war anders als die traditionellen Mafiosi. Er hatte studiert, war ein Intellektueller. Deswegen erkannte er in der Umbruchphase nach 1989 als einer der ersten die riesigen Chancen in der Wirtschaft.

Jurij hatte sich auf Immobilien spezialisiert. Neben dem Handel mit Rohstoffen war das zur Zeit der einträglichste Wirtschaftszweig der Mafia. »Ich bin mit der Privatisierung attraktiver Objekte betraut«, erklärte mir Jurij sein Geschäft. Dabei spielte ein süffisantes Lächeln um seinen Mund. Vor allem Altbauwohnungen und Bürogebäude stünden hoch im Kurs. Privatisierte er auch Industrieobjekte? Jurij schüttelte den Kopf. »Von der Industrie lassen wir die Finger. Produziert nichts, taugt nichts, bringt nichts.«

Die Privatisierung von Immobilien durch die Mafia hatte in Moskau dramatische Ausmaße angenommen. Achttausend Moskauer Bürger wurden vermisst, weil sie der Privatisierung durch die Mafia im Wege standen. Die Regierung hatte inzwischen sogar eine Spezialeinheit der Polizei aufgestellt, die ausschließlich auf Immobilienfälle angesetzt wurde.

Für die Privatisierung, erklärte er mir, gab es verschiedene Techniken. Am einfachsten lief es bei Rentnern und Alkoholikern. Notorische Säufer mit schönen Wohnungen wurden von professionellen Trinkern in die Vorstadt gelockt, wo sie dafür sorgten, dass der Säufer ein bis zwei Wochen im Vollsuff blieb. Schliefen sie dann endlich ihren Rausch aus, war ihre Wohnung meist schon verkauft.

Rentnern boten Jurijs Mitarbeiter eine Art Lebensversicherung an – ein junges Paar versprach, sich um sie zu kümmern, Essen zu kochen, sie bei Krankheit zu pflegen, wenn sie ihnen dafür nach ihrem Tod das Anrecht auf ihre Wohnung überließen. Die Alten unterschrieben. Am nächsten Tag waren sie tot. Bei Familien reichte oft schon ein Besuch der Khuligany.

Befürchtete er, dass die Regierung der Entwicklung ein Ende setzen wollte? Jurij schüttelte den Kopf. »Die Regierung ist längst Teil dieser Entwicklung. Sicherlich, der Präsident erlässt das eine oder andere Gesetz, es gibt sogar eine Sondereinheit gegen das organisierte Verbrechen. Aber die kratzt immer nur an der Oberfläche und erwischt nur die Stümper, die zu offensichtlich arbeiten. Die maßgeblichen Strukturen existieren im verborgenen. Und die Kontakte zwischen Mafia und Regierungsstellen sind längst gefestigt, denn ohne Verbindungen zur Regierung kann niemand operieren. Das Interessante daran ist, dass es immer die Regierungskreise waren, die die Initiative ergriffen haben.«

Und die Brutalität auf den Straßen? Jurij lachte verächtlich. »Die meisten Dinge, über die Sie in den Medien lesen, Schießereien, Prostitution, Schutzgelderpressungen und Raubüberfälle, spielen sich auf unterster Ebene ab. Das ist furchtbar armselig. Meistens sind das junge Burschen, die sich ihre Muskeln aufpumpen und dann losziehen, um ein paar Geschäftsleute auszurauben oder Nutten zu verprügeln. Bei den wenigsten Kämpfen kommen sich die etablierten Gruppen in die Quere.«

»Versucht irgend jemand, diese jungen Leute zu kontrollieren?«

»Meistens schalten sich die jungen Leute gegenseitig aus. Ansonsten hängt das von der Laune der Gruppen ab, auf deren Gebiet sie operieren. Wenn sie eine Wohnung ausrauben, ist das nicht so schlimm. Dann bekommen sie es eben mit der Miliz zu tun. Wenn sie allerdings ein Geschäft oder eine Bank überfallen, fällt das in den Bereich der Klans. In diesem Fall hätten sie Glück, wenn sie von der Miliz verhaftet würden, weil die Klans sie sofort erschießen.«

»Wie ist das mit ausländischen Geschäftsleuten?«

»Die ausländischen Geschäftsleute haben ganz genau verstanden, wie das hier funktioniert.«

»Dann sind alle Firmen unter der Kontrolle der Mafia?«

»Da müssen Sie im Rathaus nachfragen. Die bestimmen das.«

»Aber wenn sich eine Firma mit den Klans geeinigt hat, wird sie in Ruhe gelassen.«

Jurij nahm einen tiefen Zug aus seinem Glas. »Wenn sie pünktlich bezahlt und keine Schwierigkeiten macht. Da gab es erst neulich so einen Fall. Vor ein paar Jahren wurde in Moskau die Firma Varus Video gegründet, die in Russland die offiziellen Vertreter für Warner Brothers wurden. Alles fing sehr korrekt an. Sie brachten ihre Kopiermaschinen, legten einen Code auf die Bänder, damit niemand Raubkopien ziehen kann, und sie einigten sich mit den Tschetschenen, auf deren Revier sie operierten. Dann begann der Chef der Firma allerdings in den Medien und im Fernsehen herumzuposaunen, dass er ›der Video-piraterie ein Ende setzen‹ würde. Ein ganz überflüssiges Statement. Wenige Wochen später wurde er niedergeschossen. Er hatte seine Position vollkommen überschätzt. Sicher war er Präsident einer großen Firma, und die hatte auch ihre Arrangements mit den Mafiastrukturen. Aber in der Praxis war er eine Null. Und jetzt ist er eben tot.«

Den etablierten Klans reichte Russland alleine schon lange nicht mehr. Sie strebten ins Ausland. »Vor allem nach Deutschland, Österreich und in die USA«, sagte Jurij. »Sie müssen bedenken, dass in den vergangenen Jahrzehnten unzählige Russen ihr Land verlassen haben. Ihre Verbindungen zur Heimat haben sie jedoch aufrechterhalten. Da wäre es doch dumm, diese Verbindungen nicht zu nutzen.«

Als Alexej und ich am nächsten Morgen in der Adelphi Bank ankamen, herrschte großes Durcheinander. Ein kleiner Mann im Ledermantel keifte in ein Telefon. Sergeij, der Geldeintreiber. Die Sekretärin lief verstört mit einer Teekanne durchs Büro, und Mischa zog Alexej sofort in ein Zimmer. Andreij, der Bürovorsteher, hatte hunderttasend Dollar unterschlagen. Jetzt war er verschwunden. Und einer der Moskauer Schuldner hatte nicht bezahlt. In beiden Fällen war es zu spät für strenge Worte.

»So kommen wir nie nach Luxemburg«, murmelte Alexej. »Rasborka«, sagte Mischa. »Ruf die Bratva an.« Alexej schüttelte den Kopf. »Die regeln schon Karabach. Moskau kriegen wir selbst hin. Und das mit Andreij erzählen wir besser nicht weiter. Wenn sich herumspricht, dass wir von unseren eigenen Leuten übers Ohr gehauen werden, ist der Ruf dahin.«

Mischa öffnete den Schrank hinter seinem Schreibtisch, reichte Sergeij einen achtunddreißiger Revolver und steckte eine Makarov-Pistole in seine Lederjacke. Alexej griff sich eine Tokarev-Selbstladepistole und einen Elektroschockknüppel. Grinsend drückte er auf den Knopf. Mit lautem Britzeln schlugen die drei Eisenpole am Knüppelende Funken. »Nach drei Sekunden beginnt sich der Körper ungewollt zu entleeren«, erklärte er die Funktion. »Nach zehn Sekunden treten irreparable Lähmungen auf.«

Sie stiegen in Mischas Geländewagen. Zuerst wollten sie sich um den Immobilienhändler kümmern. Vor acht Monaten hatte er sich bei Alexej und Mischa hunderttausend Dollar geliehen. Jetzt schuldete er ihnen rund dreihunderttausend Dollar. Die Fahrt ging zur Ausfallstraße Volgograd-Prospekt.

Der Immobilienhändler war ein untersetzter Herr mit einem bescheidenen Büro im Erdgeschoss eines flachen Gebäudekomplexes. Ganz nervös wurde er, als sich Alexej, Mischa und Sergeij an seiner Sekretärin vorbei ins Büro schoben. »Wir wollen nicht gestört werden«, sagte er zu seiner Sekretärin und verschloss die Tür von innen.

Mit dünner Stimme versuchte er den dreien zu erklären, warum er noch nicht bezahlt hatte. Alexej, Mischa und Sergeij sahen ihn mit finsterer Miene an, ließen ihn reden. Plötzlich brüllte Alexej ihn mitten im Satz an: »Sie schulden uns Geld. Also bezahlen Sie! Es ist uns scheißegal, was für jämmerliche Probleme Sie haben! Geld wollen wir sehen! Und zwar sofort!« Dabei knallte er mit einer Hand seine Pistole auf den Schreibtisch und fegte mit der anderen die Lampe auf den Boden. Der Immobilienhändler wischte sich den Schweiß von der Stirn. »Lassen Sie mich kurz telefonieren.« Mit unsicheren Bewegungen wählte er eine Nummer, sprach zwei, drei Sätze. »Ich hab's.« Fünf Minuten Fahrt waren es bis zu einem Supermarkt, in den der Immobilienhändler investiert hatte. Im Büro lag schon die Geldreserve bereit. Hunderttausend Dollar in Hundertdollarscheinen. Die erste Rate. »Schon besser«, knurrte Mischa und schaufelte die Geldbündel in eine Plastiktüte. »Der Rest ist nächste Woche fällig.«

Zurück in der Bank öffnete ihnen Andreij die Tür. Er grinste und wollte sich herausreden: »War zu spät.« Noch bevor er aussprechen konnte, hatte Alexej ihn an die Wand geschleudert. Mit dem Unterarm drückte er ihm die Gurgel zu. Sergeij zog seine Pistole. »Du glaubst wohl, du kannst uns verscheißern!«, brüllte er. »Du hältst uns wohl für blöde!« Andreij rang nach Luft. Alexej brüllte ihn nieder. »Weißt du, was dir blüht, du Versager?« Andreij versuchte zu lächeln. Alexej schnaubte verächtlich. »Du hast eine Woche Zeit, das Geld aufzutreiben. Und versuch nicht, abzuhauen. Du weißt ganz genau, dass wir dich finden.« Ganz grau im Gesicht drückte sich Andreij durch die Tür.

Alexej schüttelte den Kopf. »Das schafft er nicht. Das ist ein Fall für den Kühlschrank.« Und wenn er sich einfach ins Ausland absetzte? Alexej zog seine Jeans hoch. »Dann wird das sogar noch billiger. In Moskau kostet es fünftausend Dollar, jemanden erschießen zu lassen. In Westeuropa nur die Hälfte.«

Am Abend war die Rasborka vergessen. Am Abend landeten Alexej, Mischa und die Bratva einen Coup. Reiner Zufall. Alexej wollte an einem der Kioske in der Nähe des Kasinos eine Stange Zigaretten kaufen. »Kommen Sie in einer halben Stunde wieder«, sagte der Kioskbesitzer. »Ich weiß nicht, was die gerade kosten.« Alexej lief sofort ins Kasino. »Der Rubel fällt!« Mischa wurde alarmiert, die Chefs der Bruderschaft. Ein Anruf beim Kontaktmann in der Zentralbank. Die Entscheidung war schnell gefällt. Innerhalb weniger Stunden war der Kurs um vierhundert Rubel pro Dollar gefallen. Ein neuer Crash. »Die Wechselstuben bleiben offen. Wir kaufen alle Rubel«, befahl Alexej. Die Chefs der Bruderschaft nickten. Sie vertrauten ihm.

In der Wechselstube drängten sich schon die Menschen. Alexej trieb die Kassierer an. Bis Sonnenaufgang musste das Geschäft über die Bühne. Der Mechanismus war ganz einfach: Die Regierung druckt Unmengen Geld. Nach vier bis fünf Monaten hatte der neue Schub den Markt erreicht. Viertausend Rubel kostet der Dollar heute. Morgen würde er nur noch dreitausend wert sein. Aber das wussten nur die wenigsten, und die verdienten damit Millionen. »Der erste Rubelsturz war eindeutig von der Regierung lanciert«, sagte Alexej. »Da haben sich zehn, zwölf Leute dumm und dämlich verdient.« Den neuen Sturz wollte er jetzt nicht versäumen.

Die ganze Nacht stürmten die Leute in die Wechselstuben. Am nächsten Morgen war es dann soweit. Alexejs Mann von der Zentralbank gab durch, dass die Bank den Kurs auffangen würde. Alexej ließ die Wechselstuben schließen. Alexej tippte Zahlen in seinen Taschenrechner. Als das Ergebnis auf der Anzeige erschien, grunzte er zufrieden. »Jeder von uns hat heute nacht zweihundertfünfzigtausend Dollar verdient.«

Alexej fuhr den Leninskij-Prospekt hinauf. Nach Hause. In einer Nacht eine Viertelmillion verdient, fast alle Außenstände zurück. Wollte er jetzt nach Luxemburg? Alexej schüttelte den Kopf. »Noch nicht.« Alexej und Mischa hatten eine neue Lücke im Gesetz gefunden. »Wir werden eine Investitionsfirma gründen, den Leuten Anteilscheine verkaufen und ihnen zweihundert Prozent Zinsen versprechen«, sagte Alexej und zog genüsslich an seiner Zigarette. »Wenn wir ihnen das Geld nur zurückbezahlen, ist alles in Ordnung. Für die Zinsen sind wir nicht verantwortlich.« Ein halbes Jahr wollten sie das Geld der Leute behalten und in Dollar anlegen. Bei der derzeitigen Inflationsrate warf das fette Gewinne ab. Und die Leute würden ihnen die Anteilscheine so einfach abkaufen? Alexej zuckte mit den Schultern. »Eine Anzeige in der Zeitung, und die Leute rennen dir die Bude ein.« Für den Job brauchten sie nicht einmal die Bruderschaft. Da schützt sie das Gesetz.

Wenn der Penisschrumpfer kommt

Senegal

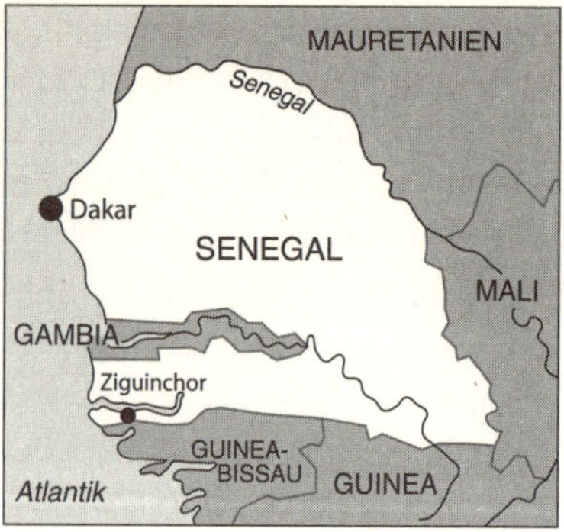

Der Penisschrumpfer kam mit dem Buschtaxi aus einem der Dörfer im Osten nach Ziguinchor. Den ganzen Tag hatte er mit den Bauern, Händlern und Marktfrauen auf den Holzbänken hinten auf der Ladefläche des Peugeot 504 gesessen. Hatte mit ihnen unter dem Blechdach in der Hitze ausgeharrt, als sie die endlosen Strecken durch die Hüttendörfer der Diola, die Reisfelder, Mangroven- und Palmwälder hinter sich brachten. War mit ihnen abgestiegen, wenn die Soldaten an den Straßensperren die Ausweise verlangten und die Bündel kontrollierten. Er hatte kaum ein Wort gesprochen und war bis zum Gare Routière von Ziguinchor gefahren. Niemand kümmerte sich dort um ihn, schließlich kamen jeden Tag Hunderte aus dem Umland mit Bussen und Taxis in die Hauptstadt der Provinz Casamance, dem umkämpften Süden des Senegal.

Der Penisschrumpfer war vom Stamm der Peul, ein unauffälliger Mann, nicht mehr ganz jung, das Haar kurz geschoren. Er trug ein kariertes Oberhemd, eine dunkle Hose und über die Schulter einen Stoffbeutel. In einer der Buden, in denen es Limonade und Weißbrot mit gebratenem Hähnchenfleisch zu kaufen gab, erkundigte er sich nach dem Weg ins Quartier Kandialang, eines der Wohnviertel, in dem die Arbeiter und Handwerker der Stadt lebten. Dort wohnte sein Cousin Dierry, der Maurer. Dann machte sich der Penisschrumpfer zu Fuß auf den Weg.

Dierry hatte dem Penisschrumpfer in einem Brief von Mamadou Sow, dem Boutiquier, erzählt, der im Marktviertel Boucotte einen Laden unterhielt, in dem man Damenwäsche, Kinderkleider, Seifen und Shampoos kaufen konnte. Mamadou hatte Geld, das wussten alle. Viel Geld, das er nie ausgab, weil er unverheiratet und kinderlos geblieben war. Nur zum Medizinmann ging er hin und wieder, ließ sich ein Orakel legen oder ein Pulver mischen, obwohl er ansonsten als redlicher Moslem galt. Mamadou war das ideale Opfer – reich, allein und abergläubisch. Der Penisschrumpfer würde ihm buchstäblich die Männlichkeit rauben und sie ihm nur für viel Geld wieder zurückgeben.

Eine gute halbe Stunde hatte der Penisschrumpfer zu laufen, bevor er das Haus seines Cousins erreichte. Er hielt sich an die geteerten Hauptstraßen. Das hatten ihm Bekannte im Dorf geraten, die erzählten, dass die Rebellen in den Nebenstraßen der Wohnviertel von Ziguinchor Tretminen unter dem Sand versteckten. Die Taxifahrer wagten sich schon nicht mehr in die Viertel. Doch das hatte den Penisschrumpfer nicht davon abgehalten, nach Ziguinchor zu fahren. Auch in den Dörfern im Osten der Casamance herrschte Krieg. Er würde schon aufpassen.

Die Minen gehörten zur neuen Offensivtaktik der »Mouvement des Forces Démocratiques de la Casamance« (MFDC), der Rebellenarmee der Diola, die für die Unabhängigkeit der Casamance kämpft, jenes fruchtbaren Landstrichs, der den Südteil des Senegal ausmacht. Die MFDC begann den Bürgerkrieg Mitte der achtziger Jahre mit Pfeil und Bogen, die sie schon bald gegen Automatikgewehre und Panzerfäuste eintauschte, welche sie von General Ansumane Mané bekam, einem Stammesbruder in der Heeresleitung des Nachbarlands Guinea-Bissau. Viel hatten sie damit allerdings auch nicht erreicht. Doch die Minen der MFDC hatten die Situation in den letzten Monaten extrem verschärft.

Auf den Hauptstraßen von Ziguinchor war tagsüber vom Krieg nichts zu merken. Nur nachts erinnerten die Panzerwagen und Patrouillen daran, dass in der Gegend fast täglich gekämpft wurde. Tagsüber waren überall geschäftige Menschen unterwegs. Die Läden hatten geöffnet, Taxis drehten ihre Runden, die Radiostationen spielten die neuesten Hits aus Dakar und Kinshasa, und fünfmal am Tag schepperte aus den Lautsprechern der Moscheen das »Allah'u akbar« der Muezzins. Ab und zu hörte man von einem Scharmützel, wenn die Rebellen irgendwo vor der Stadt einen Armeeposten angegriffen hatten oder wenn die Soldaten mal wieder eines der Guerillalager entdeckten. Man hatte sich an den Zustand gewöhnt. Es herrschte ja kein offener Stellungskrieg, sondern nur einer jener unzähligen schmutzigen kleinen Konflikte in einem Entwicklungsland, die sich ewig hinziehen und vom Rest der Welt kaum bemerkt werden, weil für ein paar Dutzend afrikanische Tote pro Woche kein Platz ist in den Zeitungen.

Und so sprach auch der Penisschrumpfer mit seinem Cousin nicht über den Krieg. Er erkundigte sich während der Begrüßungsformeln nach dem Wohlbefinden der Familie. Dann beredeten sie ihren Plan.

Commissaire Sylla, Polizeichef von Ziguinchor, hatte an diesem Nachmittag noch nicht wissen können, dass ihm ein Neuankömmling einen Haufen Ärger und viel Arbeit einbringen würde. Als hätte er nicht schon genug zu tun gehabt. Im postkolonialen Senegal bedeutete Polizeiarbeit vor allem Papierkram. Er verdrehte die Augen, als ich ihn besuchte und um ein wenig von seiner kostbaren Zeit bat. Bis zur Decke reichten die Regale in der muffigen Wachstube, vollgestopft mit denselben senfgelben Aktenordnern, die sich auch auf den drei Schreibtischen der wachhabenden Beamten stapelten. Die schienen nichts anderes zu tun, als ungeheure Mengen Formulare mit Gummistempeln und elektrischen Schreibmaschinen zu bearbeiten.

Weil die Regierung in Dakar zu Beginn des Krieges beschlossen hatte, dass sie die Rebellen nicht als bewaffnete politische Opposition, sondern als Terroristen behandeln würde, mussten die Polizeibeamten gegen die Guerilla kämpfen. »Wir sollen jetzt zusätzlich zu unserer Polizeiarbeit auch noch Waffenlager ausheben, Subversive verhaften und nach Anschlägen die Schuldigen suchen«, beschwerte sich der Kommissar. »Das heißt de facto, dass wir Krieg führen müssen.«

Kommissar Sylla war ein freundlicher, großgewachsener Mann, der eine dunkelblaue Hemdjacke trug und sich neben der Wachstube des Präsidiums im einzigen klimatisierten Büro des modrigen Kolonialbaus hinter einem wuchtigen, glanzlackierten Schreibtisch verschanzt hatte. Er tupfte seine Zigarette in einem Aschenbecher aus Kristallglas ab und blätterte durch die Penisschrumpferakte. Zeigen durfte er sie mir nicht, dazu hätte er erst auf die Genehmigung aus Dakar warten müssen, und das würde dauern. Aber er erinnerte sich noch gut an den Fall. Es war ja nicht der erste. »In ganz Westafrika hat sich die Angst vor den Penisschrumpfern inzwischen breitgemacht«, sagte er und schüttelte den Kopf. »Komplette Hysterie ist das.«

Seit Mitte der neunziger Jahre kursierte der Mythos von den Penisschrumpfern schon durch Westafrika. Eine Mär, die aus den Urzeiten der westafrikanischen Voodoo-Religionen stammte. In Ghana und der Elfenbeinküste hatten aufgebrachte Lynchmobs Dutzende Männer gesteinigt und verbrannt, die sie für Penisschrumpfer hielten. Oft war der Anlass für die Lynchmorde nicht einmal auf einen konkreten Verdacht gegründet. Aber jedesmal waren die Getöteten Fremde aus einer anderen Stadt, von einem anderen Stamm oder aus einem anderen Land. Eine Mischung aus Pogrom und Hexenjagd. In Dakar hatte sich die Angst so weit gesteigert, dass viele Männer keinem Fremden mehr die Hand geben wollten. Denn mehr brauchte es angeblich nicht, um einen Penis verschwinden zu lassen. Keine Minute dauerte der Akt eines Penisdiebstahls. Der »Voleur du sexe« murmelte eine Formel, spuckte sich in die Hand, griff seinem Opfer zwischen die Beine oder schüttelte ihm die Hand. Das war alles, und nur der Penisschrumpfer selbst konnte den bösen Zauber rückgängig machen.

Der Penisschrumpfer aus dem Dorf im Osten wusste, dass er nicht viel Zeit haben würde, um Mamadou zum schwanzlosen Gespött der Nachbarn zu machen. Tagsüber herrschte viel Betrieb im Quartier Boucotte, und Mamadous Geschäft lag in einer engen Gasse inmitten eines Gewirrs aus Läden, Buden und Ständen. Da müsse er aufpassen, dass er nicht eine aufgebrachte Menge an den Hals bekäme, warnte ihn sein Cousin. Doch der Penisschrumpfer winkte ab. Gleich am Morgen würde er Mamadou aufsuchen, bevor seine Gehilfen und die Kundschaft da wären. Er würde sich noch etwas umsehen in der Stadt, aber in wenigen Tagen wollte er zuschlagen. Und dann hätten sie viel Geld. Mamadous Geld.

Daran, dass Mamadou zahlen würde, zweifelten der Penisschrumpfer und sein Cousin keine Sekunde. Ein Mann, der so viel Geld zum Medizinmann trug wie Mamadou, würde auch viel Geld dafür bezahlen, einen Fluch loszuwerden.

Malafy Coly war einer der besten Medizinmänner der Stadt. Vielleicht konnte ja er mir etwas mehr erzählen. »Guérisseur« stand auf der Holztafel vor dem flachen Betonhaus mit dem eingemauerten Vorhof. Heiler. Weil er im Institut für traditionelle Medizin in Bamako, Mali, eine richtige Ausbildung gemacht hatte. Umgeben von Säcken, Tüten, Bündeln und Zweigen saß er im Halbdunkel seines Behandlungsraums. Ein süßlicher Dunst lag in der Luft. Es war nicht viel Platz in dem Zimmer. Ich setzte mich auf die schmale Holzbank, auf der normalerweise die Patienten Platz nahmen. An den Wänden zogen sich Regale entlang, auf denen Gläser mit Pulvern und Kräutern aufgereiht standen. Darunter waren Pappschilder mit den Namen der Krankheiten, die mit den Medizinen bekämpft wurden – Mittel gegen Herpes, Bauchweh und Aids standen da neben solchen gegen Schlaflosigkeit und Liebeskummer.

Malafy Coly trug einen dunkelblauen Kaftan nach Art der konservativen Moslems und kratzte sich während unserer Unterhaltung die ganze Zeit mit einem Bleistift unter einem fleckigen Verband am Knie. Vor ihm lag ein flacher Bastkorb mit einem Häufchen weißer Muschelschalen. Damit befragte er das Orakel der Vorfahren nach Fragen der Gesundheit und des Lebens. Ich bezahlte meine fünfzig Franc, Malafy Coly schüttelte die Muscheln durcheinander und warf sie auf den Lehmboden. Als ich erklärte, dass ich nicht gekommen war, um etwas über meine Zukunft zu erfahren, reagierte er erst etwas ungehalten. Aber dann fühlte er sich doch geschmeichelt, als Experte befragt zu werden.

Ob er hier in der Stadt gespürt habe, dass die Menschen wieder mehr an die Medizinmänner glauben, wollte ich wissen. »O ja«, sagte er. »Seit ein paar Jahren haben wir Medizinmänner enormen Zulauf bekommen.« Nicht nur im Senegal, sondern in ganz Westafrika. Anthropologen sprachen von einer Rückkehr des Aberglaubens, Soziologen von einer Renaissance der afrikanischen Traditionen, und Wirtschaftswissenschaftler glaubten, dass die kostspielige moderne Medizin aus den Industrieländern in diesen Zeiten der Wirtschaftsflaute für ein Großteil der afrikanischen Bevölkerung schlicht unerschwinglich geworden war.

»Es gehen immer noch viele ins Krankenhaus«, beschwichtigte Coly. Er sah da ein viel grundsätzlicheres Problem: »Oft wirkt die moderne Medizin nicht. Dann kommen sie zu mir.« Hatte er auch schon Patienten, denen von einem Penisschrumpfer die Männlichkeit geraubt worden war? Malafy Coly beäugte mich misstrauisch. Sicher, er wüsste um die Penisschrumpfer, sagte er. Aber da könne er mir nicht helfen. Er verstehe sich nur auf traditionelle Medizin und weiße Magie. Mit Hexenzauber wolle er nichts zu tun haben. »Das schlägt nur auf den zurück, der die Mächte des Bösen beschwört.« Nein, er sei ein Heiler, er könne den bösen Blick abwehren und den Fluch von Zauberern bannen. Doch die Penisschrumpfer, das seien wahre Teufel. Ich sollte einen Marabout fragen, einen der Korangelehrten, die ihre Orakel- und Seelsorgedienste auf den Straßen um die große Moschee anboten. Schließlich, so sagte er, stammten die Beschwörungsformeln der Penisschrumpfer aus dem Koran.

Die Grande Mosquée de Ziguinchor war eine luftige Halle mit zwei Minarettürmen, hinter der ein Sandhof lag, auf dem schattenspendende Bäume standen. Vor der Moschee fand ich einen der Marabouts, einen alten, gebeugten Mann, der einen ausgebleichten schwarzen Kaftan trug. Unter einem Dach aus Holzstangen und Plastikplanen hatte er sich eingerichtet. Zwei Gebetsmatten lagen auf dem Boden und daneben, auf einem Tisch, ein Bündel mit Orakelmuscheln, ein Haufen Schröpfköpfe aus Kuhhörnern und ein Koran. Auch er wollte zunächst fünfzig Franc für ein Orakel, störte sich aber nicht daran, dass ich ganz andere Fragen hatte. Bedeutsam nickte er mit dem Kopf. Er wisse, was es mit der Penisschrumpferei auf sich habe, sagte er. Der Koran sei ein so mächtiges Buch, das eigne sich ganz hervorragend für Schwarze Magie. Vor allem wenn man bestimmte Verse rückwärts lese, lasse sich viel Unheil anrichten. Dutzenden Männern habe er schon geholfen, denen die Voleurs du sexe alles geraubt hätten. In hundeähnliche Wesen hätte der Fluch sie verwandelt, die mit buckligem Rücken durch die Gegend schlichen und mit leisen, fistelnden Stimmen sprachen. Und dann sagte auch er: »Wer die Kräfte des Bösen beschwört, der wird auch von ihnen getroffen.«

Der Penisschrumpfer wusste sehr wohl, was es mit den Kräften des Bösen auf sich hatte. Doch er hätte sich nie träumen lassen, dass sie wirklich auf ihn hereinstürzen könnten. Am dritten Morgen nach seiner Ankunft postierte er sich vor Mamadous Geschäft und wartete. Gegen zehn Uhr kam der Boutiquier die Gasse entlang. Ein mürrischer Zeitgenosse, der die Nachbarn kaum grüßte. Der Penisschrumpfer beobachtete, wie Mamadou die Rolläden aus Eisen nach oben rasseln ließ. Dann trat er hinter ihm in den Laden.

Rasch murmelte er die arabischen Worte, die sein Opfer das Geschlecht kosten sollten. Den siebzehnten Vers aus der achtzehnten Sure des Koran: »Wen Allah leitet, der ist recht geleitet, und wen Er irreführt, für den findest du nimmer einen Beschützer noch Führer.« Dann spuckte er sich in die Hand, rief »Monsieur!« und schüttelte Mamadou die Rechte. Der sah dem Penisschrumpfer erstaunt ins Gesicht, dann auf den Speichel in seiner Hand und plötzlich dämmerte ihm, dass er mit einem Fluch belegt war. »Was haben Sie getan?«, keuchte er. Der Penisschrumpfer lächelte. »Ich habe Ihr Geschlecht gestohlen«, sagte er trocken. »Lassen Sie uns nun über das Geschäft reden.«

Mamadou spürte, wie ihn die Kräfte verließen. Er hielt sich an der Theke fest, auf der noch die Kleider und Kindersachen vom Vortag lagen. Dann fragte er nur: »Wieviel?«

Der Penisschrumpfer freute sich, dass sein Opfer so schnell auf den Handel einging. »Eine Million«, sagte er. Da richtete sich Mamadou auf, ließ die Rolläden wieder herunterrasseln und holte zwei Stühle aus dem Hinterzimmer. Zweihundertfünfzigtausend könne er zahlen, sagte er. Eine Million habe er nicht. Zweihundertfünfzigtausend westafrikanische Franc, umgerechnet fast vierhundert Dollar, waren viel Geld in einem Land, in dem sich das Bruttosozialprodukt pro Kopf auf etwas mehr als achthundert Dollar jährlich beläuft. Wahrscheinlich hatte Mamadou wirklich nicht so viel Geld, aber der Penisschrumpfer wollte sich auf keine Verhandlungen einlassen. »Eine Million«, sagte er immer wieder.

Bis zum Abend saßen sie in Mamadous Laden, der geschlossen blieb. Mamadous jüngerer Bruder Omar schaute später vorbei, ein muskulöser Glatzkopf, der am Stadtrand das Gemischtwarengeschäft Boutique Sud FM besitzt. Mamadou erklärte ihm flüsternd die Lage, dann bat er ihn, draußen zu warten.

Immer heftiger wurden die Verhandlungen. Es muss gegen sechs gewesen sein, als Mamadou seine Angst vergaß und die Wut über ihn kam. Mit einem Ruck zog er eine Machete hinter der Kasse hervor und hieb sie dem Penisschrumpfer mit einem Streich über die Schulter. Eine große Fleischwunde öffnete sich, aus der Blut quoll. Der Penisschrumpfer wusste, dass sich das Blatt nun gewendet hatte. Mit einem Satz war er am Eingang, riss den Rolladen hoch und taumelte auf die Straße. Doch dort wartete Omar.

Der sah, was geschehen war, und brüllte so laut, dass sich gleich eine Schar Neugieriger um sie sammelte. »Ein Penisschrumpfer«, rief er. »Packt ihn!« Dann hob er einen Stein auf und warf ihn dem Penisschrumpfer an den Kopf. Der stürzte, rappelte sich wieder auf und versuchte davonzulaufen. Doch die schmale Gasse hatte sich schon mit wütenden Menschen gefüllt, die mit Fäusten durch die Luft fuchtelten. Dann flog noch ein Stein, Omar griff nach einem Knüppel, versetzte dem Penisschrumpfer einen Schlag auf den Kopf, und so trieben sie ihn die Straße entlang.

Vorne an der Avenue Djignalo war der blutüberströmte Penisschrumpfer so schwach, dass er sich nicht mehr aufrappeln konnte. Irgend jemand hatte inzwischen seinen Cousin angeschleppt, der ebenfalls schon blutete. »Schlagt sie tot!«, riefen einige. Die wenigen Beschwichtiger wurden niedergezischt, einen Penisschrumpfer zu töten sei keine Sünde. Omar brüllte die beiden derweil abwechselnd an und versetzte ihnen Hiebe mit seinem Knüppel.

Plötzlich übertönten die Sirenen der Polizeiwagen das Gebrüll. Drei Wagen hielten, aus denen Polizisten mit Schlagstöcken und Pistolen stürmten. Mit Schlägen und Warnschüssen räumten sie einen Kreis um die Opfer frei. Der Sergeant fragte, was hier los sei, doch die aufgebrachte Menge brüllte nur: »Penisschrumpfer«, und: »Bringt sie um!«

Die Polizisten sahen, dass sie nicht weiterkamen. Also packten sie die beiden Opfer und Mamadou in die Wagen und brausten davon.

Ein Wagen fuhr die beiden Geschundenen ins Krankenhaus. Die ganze Nacht mussten die Ärzte sie nähen und wieder zusammenflicken, bevor sie sie in einem der überfüllten Krankenzimmer unterbrachten.

Mamadou wurde ins Polizeipräsidium gebracht. Commissaire Sylla persönlich nahm sich des Falles an. Auf Rädelsführer von Lynchmobs war er überhaupt nicht gut zu sprechen.

»Was sollten meine Beamten tun, als sie eine Meute von hundert hysterischen Gewalttätern vor sich hatten?«, fragte er sich. »Wen sollten sie da verhaften? Wen sollte man vor Gericht bringen? Nein, die hatten selber Angst um ihr Leben.«

Mamadou plädierte auf Notwehr, jammerte, dass er nun den Rest seines Lebens als Geschändeter, als Schwanzloser und Eunuch verbringen müsse. Bis es dem Polizeichef reichte. Er ließ dem Jammerer von zwei Polizisten die Hosen herunterziehen. Und siehe da, unbeschadet baumelte das Gemächt zwischen Mamadous Beinen.

»Das ist ein psychologisches Problem, das diese Scharlatane ausnutzen«, sagte der Kommissar mir später bei meinem Besuch. »Ginge es uns hier allen gut, dann gäbe es auch sicher keine Penisschrumpfer.«

Boubacar Sec, Chefredakteur der Tageszeitung *Le Matin* in Dakar, hat das Phänomen der Penisschrumpfer sehr klug analysiert: »Die Wurzeln dieser Angst liegen fünf, sechs Jahre zurück, als die Industrienationen ihre Wirtschaftspolitik gegenüber Westafrika änderten.« Der Internationale Währungsfonds verhängte damals strenge Stabilisierungsmaßnahmen über die Region. Und Frankreich, das den westafrikanischen Franc an den französischen Franc angehängt hatte und somit stützte, senkte den Wert der Tochterwährung 1994 ganz einfach um die Hälfte. Dazu kam, dass in der Casamance durch den Krieg eine wichtige Wirtschaftsquelle weggefallen war – die Touristen, die bis in die frühen neunziger Jahre das ganze Jahr über die fast unberührte Landschaft bereist hatten oder sich in den Strandhotels von Cap Skirring vergnügten. Den Sickereffekt dieser Maßnahmen und Probleme bekam schon bald die lokale Wirtschaft zu spüren. Sehr zum Unverständnis der Land- und Kleinstadtbevölkerung. Dürrekatastrophen oder Überschwemmungen hätten sie verstanden. Selbst den Krieg konnten sie noch nachvollziehen. Das waren ganz klare Gründe für Not und Armut. Doch abstrakte Wirtschaftsmaßnahmen? Da machte sich ein Gefühl der Machtlosigkeit breit. Und deren Extremform war die Angst vor den Penisschrumpfern.

Nach der Rettungsaktion der Polizisten war die Nacht im Quartier Boucotte noch nicht vorbei. Die Wut der Menge war ungebrochen und suchte nach einem neuen Ziel. In dem Moment kamen drei Fremde die Avenue Djignalo entlang. Drei Haussa aus Niger, Marabouts, die sich in den letzten Tagen mit Orakeln und Heilungen ein wenig Geld auf den Straßen von Ziguinchor verdient hatten.

»Da sind sie!«, rief einer aus der Menge. »Wer?«, fragten einige, doch dann gellten schon die Schreie durchs Marktviertel. »Penisschrumpfer! Penisschrumpfer!« Immer mehr kamen aus den umliegenden Straßen zusammen, griffen sich noch im Laufen Steine und Knüppel.

Diesmal wagte die Polizei nicht, dazwischenzugehen. Zwei der Haussa blieben tot im Sand liegen. Der dritte wurde so schwer verletzt, dass er wohl nie wieder ein normales Leben führen wird. Zwei Tage später erschien *Le Matin* mit der Schlagzeile »Haben wir den Verstand verloren?«

Erst im Sommer danach schien die Angst vor den Penisschrumpfern in der Casamance zu verebben. General Ansumane Mané aus Guinea-Bissau, ein Diola, der den Guerillatruppen seiner Stammesbrüder in der Casamance seit Jahren Zuflucht gewährt und sie mit Waffen unterstützt hatte, versuchte einen Staatsstreich. Während der wochenlangen Kämpfe um die Hauptstadt wurden schätzungsweise tausend Menschen getötet. Die Artillerien der Putschisten, der loyalen Truppenverbände und der senegalesischen Armee legten nicht nur ganze Viertel in Schutt und Asche, sondern auch die Botschaften von Frankreich und den USA. All das geschah nicht einmal hundert Kilometer von Ziguinchor entfernt. Plötzlich war aus dem schwelenden Bürgerkrieg ein großes Schlachten geworden. Plötzlich gab es eine Angst, die größer war als die Furcht vor schwarzer Magie. Wenigstens eine Zeit lang.

Auf teurem Boden

Kolumbien

»Und was tun wir, wenn es zu einer Massenpanik kommt?« Gloria Cuartas ließ ihren Blick kreisen, sah jedem einzelnen Mitglied des Krisenstabs prüfend in die Augen. Wenn es zu einer Massenpanik kommen sollte, wäre sie als Bürgermeisterin von Apartadó, der Provinzhauptstadt von Urabá, dafür verantwortlich gewesen. Das hatte sie schon einmal erlebt, letzten Februar, als die Guerilla eine Autobombe vor das Polizeirevier gestellt hatte. Sechzig Kilo Sprengstoff, zwölf Tote, sechzig Verletzte, Massenpanik. Danach zirkulierten wochenlang Flugblätter im Ort, die sie anklagten, sich auf internationalen Reisen in ihrem Ruhm zu sonnen, während daheim die Menschen sterben. Dabei hatte sie bisher nur überlebt, weil sie internationale Friedenspreise bekommen hatte, mit der UNICEF zusammenarbeitete und unter internationalen Menschenrechtlern eine prominente Figur war. Das garantierte ihr ein Mindestmaß an Immunität, obwohl die Paramilitares ein Kopfgeld von fünfzig Millionen Pesos auf sie ausgesetzt hatten, umgerechnet über dreißigtausend Dollar.

Dass es ihre Feinde ernst meinen, hatten sie ihr schon einmal ganz deutlich gezeigt. Während ihres zweiten Amtsjahres besuchte sie eine Schule in der Stadt. Eine Todesschwadron Paramilitares tauchte auf, beschimpfte sie, drohte. Dann schnitt einer der Paramilitares einem Kind den Kopf ab und warf ihn ihr vor die Füße. Das Bild hat sie nie vergessen können. Aber sie machte trotzdem weiter.

Sie konnte sich denken, wer die Flugblätter nach dem Anschlag in Umlauf gebracht hatte. Den General hatte sie im Verdacht. General Rito Alejo Del Rio, den »Friedensstifter von Urabá«. Der hatte 1996 das Kommando der XVII. Brigade im benachbarten Carrepa übernommen. Kurz darauf war es zu mehreren Massakern an Dörflern und Indios gekommen. Danach hatten sich die Kampfhandlungen zwischen der Armee und der Guerilla auf ein paar Scharmützel in den Bergen beschränkt. Man munkelte, er hätte mit den Todesschwadronen der ACCU zusammengearbeitet, der Autodefensas Campesinas de Córdoba y Urabá des Großgrundbesitzers Carlos Castaños, der mit seinen paramilitärischen Truppen im ganzen Land einen brutalen Krieg gegen die Guerilla führte, bei dem die Dörfler und Indios auf dem Land oft genug als vermeintliche Sympathisanten der Rebellen ins Kreuzfeuer gerieten.

General Rito Alejo konnte Gloria Cuartas von Anfang an nicht leiden. Weil sie sich um Frauen, Arme und Minderheiten kümmerte, Tausende von Flüchtlingen aufgenommen hatte und bereit war, mit allen Seiten zu verhandeln: mit der Guerilla, mit den Todesschwadronen der Paramilitares, mit den Kommunisten, den Drogenbossen und den Großgrundbesitzern. Weil sie Frieden wollte. Um jeden Preis. So eine war verdächtig. Das ging sogar so weit, dass sie sich vor Gericht verantworten musste. Man warf ihr vor, sie hätte die Guerilla unterstützt, dabei lag ihr nichts ferner. Natürlich konnte sie nicht beweisen, wer sie verleumdet hatte, aber viel Zeit und Nerven hatte es gekostet.

Ihre eigene Regierung hatte sie damals im Stich gelassen. Der Gouverneur in Medellin war auch ein Rechter. Und Bogotá war weit weg.

Gloria Cuartas saß am Kopfende des Konferenztischs wie eine Raubkatze auf dem Sprung. Sie sah älter aus als ihre sechsunddreißig Jahre. Eine kleingewachsene Frau, die brave Kostüme trug, Perlenketten und graublondes Haar im Helmschnitt. Keine auffällige Erscheinung, aber wo immer sie auftauchte, stand sie sofort im Mittelpunkt, weil sie ständig in Bewegung war und jeden Moment mit einer fast manischen Leidenschaft bei der Sache.

Die Sozialarbeiterin aus Medellin arbeitete seit 1984 in Urabá. Der Krieg hatte schon damals in der abgelegenen Provinz im Nordwesten Kolumbiens getobt, die sich von den Bergen bis ans Karibische Meer erstreckte, eine Ebene, auf der sich die Bananenplantagen bis an den Horizont zogen. Ein feiger, dreckiger Bürgerkrieg, in dem die kommunistischen Guerilleros gegen die rechten Paramilitares der Großgrundbesitzer und die Armee kämpften. Direkte Kampfhandlungen gab es nur selten. Meistens ging es Paysanos an den Kragen, den Kleinbauern und Landarbeitern.

Massaker in den Dörfern, Anschläge, Morde, Vertreibungen. Fünfunddreißigtausend Tote in fünf Jahren. Neunhunderttausend Menschen auf der Flucht. Der Bürgerkrieg in Kolumbien hatte mehr Opfer gefordert als der Bürgerkrieg in Nicaragua, mehr als die Militärdiktaturen in Chile und Argentinien. Die *New York Times* hatte geschrieben, Kolumbien sei »das Bosnien Lateinamerikas«. Der Vergleich hinkte, beschrieb vor allem die Ratlosigkeit der Beobachter. Worum es bei diesem Krieg ging, wusste längst keiner mehr. Keiner erkannte mehr die Ziele. Die Ideologien der Guerilla und Demokratiebekenntnisse der Regierung waren längst zu hohlen Phrasen verkommen. Sicher, es ging um Macht, Geld, Einfluss wie in jedem Krieg. Doch meist ging es ganz einfach nur um Land.

Die Bananenprovinz Urabá war zum Beispiel wichtig geworden, weil die Regierung einen Kanal bauen wollte, der den Pazifik mit der Karibik verbinden sollte. Ein größenwahnsinniger Plan, der die durchstoßene Landenge von Kolumbien als Konkurrenz zum Panamakanal etablieren sollte. Außerdem hieß es immer wieder, der Panamerican Highway sollte fertiggestellt werden, weil der immer noch in Panama endete und erst kurz vor Apartadó wieder begann. Das Land war also wertvoll. In den Augen der Großgrundbesitzer und ihrer Todesschwadronen viel zu wertvoll, um es den Kleinbauern oder der Guerilla zu überlassen.

Gloria Cuartas suchte keine Erklärungen für die Massaker. Nicht einmal Lösungen. Die Probleme waren so viel größer als ihre Möglichkeiten, etwas dagegen zu tun. Also begnügte sie sich mit kleinen Schritten. »Wir können nicht auf den großen Friedensplan hoffen«, sagte sie. »Wir müssen versuchen, an der Basis zu arbeiten. In einem Land wie Kolumbien ist die Staatsregierung machtlos. Deswegen müssen die Lokalregierungen versuchen, die Demokratie zu retten.«

Meist war sie allerdings damit beschäftigt, unmittelbaren Schaden zu begrenzen, auf Katastrophen zu reagieren, auf alles gefasst zu sein. Deswegen tagte ihr Krisenstab auch jede Woche einmal. Und deswegen wollte sie an diesem Nachmittag keine Vorschläge hören, sondern präzise Angaben, was jeder der Verantwortlichen im Ernstfall tun wollte.

Es war der Donnerstag vor dem Wahlwochenende. In acht Stunden begann der Ausnahmezustand, den die Regierung in Bogotá für ganz Kolumbien erklärt hatte. Die Faxe mit den Dekreten kamen seit heute morgen im Halbstundentakt aus der Hauptstadt: landesweites Alkoholverbot, Unterbindung aller Massenversammlungen, strikte Einhaltung der Waffengesetze, vorgeschriebene Straßen- und Personenkontrollen durch Polizei und Militär, Alarmbereitschaft für Krankenhäuser und Feuerwehr. Fast hätte der Präsident das Kriegsrecht verhängt, denn Wahlen waren in Kolumbien kein demokratisches Procedere, sondern Schlachten um den Erhalt der zerbrechlichen Demokratie.

Buchstäblich Schlachten. Während des Wahlkampfs hatte die Guerilla vierzig kommunale Kandidaten ermordet und einhundertneunzig zum Rücktritt gezwungen. Vor zwei Tagen hatten die beiden größten Guerillagruppen, die Fuerzas Armadas Revolucionaras de Colombia (FARC) und der Ejército de Liberación Nacional (ELN), den gesamten öffentlichen Verkehr inklusive aller Flugzeuge, Züge, Busse und Lastwagen offiziell zum militärischen Ziel erklärt.

In Urabá war es während des Wahlkampfs bisher ruhig geblieben. Eine trügerische Ruhe sei das, sagte Gloria Cuartas. »Druck von oben heißt nicht, dass Frieden herrscht.« Der Druck war überall zu spüren. Die Armee hatte Straßensperren errichtet, kontrollierte Autos und Passanten, patrouillierte rund um die Uhr durch die Städte und Dörfer. Gloria Cuartas hielt sowieso nicht viel vom demokratischen Theater. »Es heißt, Kolumbien sei eine Demokratie, weil wir regelmäßig Wahlen veranstalten«, sagte sie. »Aber Demokratie ist mehr als bloß Wahlen. Demokratie ist ein Lebensstil. Und den genießen hier nur die wenigsten.«

Der Krisenstab erstattete Rapport. Die Krankenhäuser hatten sich mit Blutkonserven eingedeckt, die Feuerwehr alle Mann im Einsatz, und die Polizei würde zusätzlich zur Armee doppelte Streifen gehen. Gloria nickte, stellte Fragen, bohrte nach. Zusammen mit dem Feuerwehrhauptmann und dem Leiter des technischen Hilfswerks entwarf sie einen strategischen Plan, wie die Helfer über die Provinz verteilt werden sollten. Gleich zu Beginn ihrer Amtszeit hatte sie lernen müssen, dass sie als Bürgermeisterin von Apartadó keine zivile Beamtin war, sondern die Befehlshaberin einer zivilen Front.

Deswegen wollte sich bei den letzten Kommunalwahlen auch niemand als Kandidat aufstellen lassen. Eine Kandidatur galt als sicheres Todesurteil, denn die militärische Front war nicht weit. Sie begann gleich hinter der Stadtgrenze im Osten, dort, wo die Bergkette aufragte, die die Bananenfelder der Provinz Urabá von den endlosen Weiden trennte, auf denen das Vieh der Rinderbarone aus der Provinz Córdoba graste. Dort oben, in dichtem Dschungel und verborgenen Tälern, kampierten die Kämpfer der Cinquo Frente de las FARC. Nachts kamen sie manchmal herunter, zogen durch die Armen- und Arbeiterviertel der Stadt und erschossen Kollaborateure, Konterrevolutionäre und Faschisten. Ihre Erzfeinde, die Paramilitares, zogen dann ein paar Nächte später durch die Stadt und erschossen Kollaborateure, Subversive und Kommunisten. Zwölfhundert Menschen hatten in Urabá während der letzten fünf Jahre ihr Leben lassen müssen. Die meisten von ihnen Zivilisten. Oder zivile Beamte.

Vierzehn Parteien hatten sich damals zusammengeschlossen, um einen Bürgermeister zu bestimmen, und sie einigten sich auf Gloria Cuartas. Weil sie ohne Parteibuch und Ideologie für die Stadt gekämpft hatte. Sie wollte erst nicht antreten. Dreizehn ihrer Mitarbeiter waren kurz zuvor bei einem Massaker der Guerilla ums Leben gekommen. Sie wusste, dass sie sich als Bürgermeisterin für die Armen und Verfolgten einsetzen würde und damit rechnen musste, als Subversive auf die Todeslisten der Paramilitares gesetzt zu werden. Auf den Todeslisten der Guerilla stünde sie als Regierungsbeamtin sowieso. Doch sie nahm an.

Seit drei Jahren führte sie nun schon das Rathaus von Apartadó. Ihr manischer Eifer hatte einen guten Grund: In Kolumbien kann ein amtierender Politiker kein zweites Mal kandidieren. Deswegen hatte sie so viele Projekte ins Leben gerufen. Das Frauenhaus, die Jugendgruppe für Straßenkinder, das

Arbeitsprojekt für alleinstehende Mütter. Laufende Projekte zu schließen würde ihrem Nachfolger schwerer fallen als geplante einfach abzuwürgen.

Die Krisensitzung ging zu Ende. Gloria Cuartas sah auf die Uhr. Zeit aufzubrechen. Heute mussten Nahrungsmittel nach San José geschafft werden, ein Dorf oben in den Bergen, keine zwanzig Minuten von Apartadó entfernt. San José lag mitten im Kampfgebiet der Guerilla und der Paramilitares. Das Rote Kreuz hatte seine Arbeit dort schon letztes Jahr eingestellt, nachdem Paramilitares den Fahrer des vom Roten Kreuz entsandten Delegierten vor dessen Augen erschossen hatten. Eine beliebte Taktik der Todesschwadronen, um die lästigen Hilfsorganisationen aus ihrem Revier fernzuhalten. Nur die Kirche, die Bürgermeisterin und ihre Mitarbeiter wagten sich noch hinauf.

Seit einem halben Jahr lief in San José ein Modellversuch. Nachdem die Guerilla und die Paramilitares die Menschen aus den umliegenden Ortschaften vertrieben hatten, schlossen sich die Flüchtlinge mit den Bürgern von San José zusammen, erklärten den Ort zur Friedensgemeinde und verkündeten eine Politik der »aktiven Neutralität«. Das hieß, dass kein Bewohner des Dorfs Kontakt mit Mitgliedern der bewaffneten Gruppen haben durfte. Kein Handel, keine Gespräche, absolute Kontaktsperre. Die Guerilla quittierte das Programm mit einem Überfall, bei dem die drei Vorsitzenden des Dorfrats erschossen wurden.

Gina kam mit, Gloria Cuartas Fahrerin, und Enilda, eine junge Sozialarbeiterin, die sich in San José um die Schule und den Kindergarten kümmerte. Dreimal in der Woche fuhr Enilda in die Berge hinauf. Ohne die Hilfe der Gemeinde und der Kirche wären die Leute da oben zum Verhungern verurteilt, sagte sie. Die Felder um San José reichten nicht aus, um alle zu ernähren. Angst hatte sie keine, obwohl sie wusste, was sie für ein Risiko einging. Sie sagte: »Wenn man anfängt, Angst vor dem Tod zu haben, hört das Leben auf.«

Die Fahrt ging vom Rathaus durch den Ortskern nach Osten. Apartadó war keine große Stadt. Vierzigtausend Menschen lebten hier. Besonders schön war sie auch nicht. Die meisten Gebäude waren aus Beton, schnell gebaut, oft nicht einmal verputzt. Die Straßen entlang zog sich ein Gewirr von Ladengeschäften, die ihre Waren bis auf die Bürgersteige auslegten. Stiefel, Werkzeug, Plastikwannen. Dazwischen Cafés, aus denen Vallenato dröhnte, kolumbianische Akkordeonmusik. Bullige Lastwagen voller Bananenstauden rollten über die Schlaglöcher. Mopeds, Geländewagen, Pick-up-Trucks, ein paar gelbe Taxis. Trotz des Gedränges schien es niemand eilig zu haben. Das ganze Jahr über drückte eine schwüle Hitze auf die Stadt, die jede Bewegung verlangsamte.

Wir bogen von der Avenida Central in die Straße ein, die nach Osten führte, aus dem Ort hinauf in die Berge. Nach ein paar hundert Metern standen nur noch flache Betonbaracken dicht nebeneinander. Die Seitenstraßen waren ungeteert. Verdreckte Kinder spielten im Straßengraben. Die Leute schauten misstrauisch, wer da angefahren kam. Nur wenn sie die Bürgermeisterin erkannten, lächelten und winkten sie. La Chinita, das Arbeiter- und Armenviertel.

Am Ortseingang hatte sich die Armee in einem Rohbau verschanzt. Auf dem Dach hatten die Soldaten mit Sandsäcken zwei Maschinengewehrnester gebaut. Neben dem Gebäude standen zwei Panzerwagen, die Geschütze nach Osten ausgerichtet. Das war die Frontlinie. Wir preschten vorbei. Grußlos. Auf die Armee war Gloria Cuartas nicht gut zu sprechen.

Kurz nach dem Ortsende verwandelte sich die Landstraße in eine Schotterpiste. Steil ging es durch den Wald nach oben. Nach ein paar Kilometern plötzlich ausgebrannte Gebäude. Die Überreste eines Dorfes. Graffiti der Todesschwadronen verkündeten den Tod aller Kollaborateure der Guerilla. Gloria Cuartas Fahrerin drückte aufs Gas. Wir wollten vor Einbruch der Dunkelheit wieder zurück in Apartadó sein. Nachts machten Bewaffnete die Straße unsicher – Guerillas, Todesschwadronen und Banditen. Die Bürgermeisterin wollte ihre Immunität nicht auf die Probe stellen.

Nach einer weiteren Viertelstunde waren wir am Ziel. In einem sonnigen Talkessel lag San José. Flache Häuser, beige und hellblau angestrichen. Auf dem Dorfplatz breiteten Bauern Kaffeebohnen zum Trocknen aus. Ruhig war es. Außer dem Vogelgezwitscher und dem Grunzen eines Schweins, das auf der Suche nach Essbarem die Straße entlanglief, war nur hie und da das Wiehern eines Pferds zu hören. Vor der Lagerhalle der Gemeinde warteten schon die Männer auf uns, die die Pakete mit Reis, Nudeln und Konserven ausladen würden. Einige der Flüchtlinge saßen bei der Schule auf Bänken und warteten darauf, dass der Tag vorbeiging. Sie hatten sich aus den Bergdörfern hierher gerettet.

José war mit seiner Frau und seinen fünf Kindern seit vier Monaten hier. Flüchtlinge aus dem Nachbardorf wären damals bei ihm zu Hause vorbeigekommen, hätten gesagt, dass es dort ein Massaker gegeben habe und er sich in Sicherheit bringen solle. Zwei Tage später seien Bewaffnete in sein Dorf gekommen, hätten zwei seiner Nachbarn verschleppt. Da packte er seine Sachen und kam hierher. Ob die Bewaffneten von der Guerilla oder von den Todesschwadronen gewesen seien, wusste er gar nicht.

Alle hatten sie solche Geschichten zu erzählen. Von Überfällen, von Drohungen, von niedergebrannten Häusern und tagelanger Flucht. Warum sie vertrieben wurden, verstanden sie nicht. Sie hatten ja nichts. Kaum Land, kaum Vieh, und politisch engagiert waren sie auch nicht. Gloria Cuartas hörte ihnen aufmerksam zu. Sie kannte die Geschichten, hatte sie schon hunderte Male gehört. Doch sie verachtete Politiker, die das Leid in Statistiken versteckten. Sie wusste, dass eine Geschichte so wichtig ist wie die andere. Und so blieb sie, bis die Dämmerung hereinbrach und ihre Fahrerin zur Rückkehr drängte.

Drei Tage später war Sonntag. Wahltag. Um halb acht Uhr früh eröffnete Gloria Cuartas zusammen mit dem Polizeichef und Bischof Tullio Duque das Wahllokal in der Oberschule. Nur langsam füllte sich der Schulhof mit Wählern. Stumm reihten sie sich in die Schlangen vor den Wahlurnen ein. Ein Bus fuhr vor. Indianer vom Stamm der Embera stiegen aus, die Männer mit traditioneller Bemalung im Gesicht, die Frauen in bunter Tracht. Gestern waren sie mit einem Bus der Kirche aus ihren Dörfern angereist, hatten am Ortsrand auf einem Feld übernachtet.

Im Armenviertel La Chinita fuhr die Armee heute mit ihren Panzerwagen Patrouille. In Schrittgeschwindigkeit holperten die Stahlkolosse über die Lehmstraßen. Der Offizier, der die Patrouille anführte, saß mit geradem Blick auf dem Geschützturm, die Hand am Abzug des Maschinengewehrs. »Wir garantieren die Sicherheit. Wir arbeiten für das Volk«, sagte er mechanisch.

General Del Rio hatte diese Parolen ausgegeben. Er glaubte fest an die Armee als Garant für die Demokratie. Und Demokratie hatte für ihn eben nichts mit den gleichmacherischen Utopien der Menschenrechtsaktivisten zu tun. Demokratie war für ihn eine freie Marktwirtschaft, und um die nach den langen Jahren aufzubauen, musste man eben Opfer bringen. Die Belange von Kleinbauern und Indiostämmen durften dem Fortschritt nicht im Weg stehen.

Am nächsten Tag war der General allerbester Laune. In seinem Büro in der Kaserne der XVII. Brigade servierte er Kaffee und Eiswasser. Ein gewichtiger Mann war er, mit einem dicken Schnauzbart, der Kampfanzug trug und ein Schnellfeuergewehr.

»Während des gesamten Wahlkampfs keine Probleme in Urabá«, sagte er stolz. Beweis für den Erfolg seiner Befriedungskampagne. Außerdem war er froh, dass die Amtszeit von

Gloria Cuartas ihrem Ende zuging. Sein Vizekommandant Colonel Correa warnte uns vor der Bürgermeisterin. »Sie wird Ihnen nur Elend und Leid vorführen«, sagte er. »Wissen Sie, warum? Weil sie viel Geld dafür bekommt. Wenn sie die Wahrheit sagen würde, dass hier alles ruhig und unter Kontrolle ist, käme kein Geld mehr von der UNO und von der Europäischen Gemeinschaft. Das ist ein Geschäft. Vergessen Sie das nicht.«

Ein Offizier projizierte an diesem Nachmittag eine vierfarbige Computerkarte an die Wand des Büros, mit der der General die Stellungen der Guerilla-Fronten und die jüngsten Einsätze seines Bataillons erläutern wollte. Die Bürgermeister, sieben Herren mittleren Alters aus den umliegenden Dörfern und Städtchen, hatten sich pünktlich eingefunden und auf die Klappstühle gesetzt.

Vor dem Fenster lehnten zwei junge Piloten in silbergrauen Overalls. Die Piloten waren an der Akademie in Bogotá die Besten ihres Jahrgangs gewesen, deswegen durften sie den kleinen Kampfhubschrauber fliegen, ein schwarzlackiertes Geschenk des amerikanischen Verteidigungsministeriums mit weißen Schriftzügen und runden Trommeln für die Luft-Boden-Raketen an der Seite. Sie hatten mir vor Beginn der Präsentation von ihrem letzten Flug in den Dschungel an diesem Nachmittag erzählt. Zwanzig Minuten hätte es gedauert, danach habe die Stellung der Guerillas ausgesehen wie ein frisch gepflügtes Feld.

Die Bürgermeister saßen schon ein Weilchen da, bevor ein Soldat die Tür öffnete und der General in sein Büro stapfte. Ein wuchtiger Mann um die Fünfzig, den massigen Körper in eine frisch gebügelte Kampfuniform gezwängt, den grauen Schnurrbart exakt gestutzt. Über die Schulter trug er ein leichtes Heckler-&-Koch-Automatikgewehr, ohne das er nie ausging, um zu zeigen, dass er kein feiger Bürokrat war, sondern wirklich etwas von seinem Handwerk verstand.

Er hängte das Gewehr an einen der Garderobenhaken und baute sich hinter seinem Schreibtisch auf. Sein Bauch spiegelte sich dabei in der Glasplatte, unter der neben Visitenkarten und topographischen Plänen Bilder seiner Familie klemmten. Mit langen Sätzen voll umständlicher Beschreibungen erläuterte er den Bürgermeistern seine erfolgreiche Taktik, wie er die Parameter erweitert und der Subversion ein Ende bereitet habe, während ein Rekrut seine Erläuterungen mit dem Zeigestab auf der projizierten Karte verfolgte.

Die Bürgermeister verstanden und schwiegen. Sie schwiegen auch, als mitten im Satz der Strom ausfiel. Der General entschuldigte sich jovial, selbstsicher wie immer, denn er konnte damals noch nicht ahnen, dass der nächste Präsident ihn feuern würde. Wegen der Zusammenarbeit seiner Brigade mit dem nationalen Dachverband der Todesschwadronen ACCU.

Mit gespielter Strenge starrte er den Offizier an, der den Computer bediente, der daraufhin eifrig an den Kabeln rüttelte. Dann lief die Klimaanlage wieder an, die Festplatte des Computers gab ein Surren von sich, und für zwei Minuten warf der Projektor den Bildschirmschoner an die Wand, eine Collage aus Spielkarten mit hübschen, nackten Frauen. Die Bürgermeister starrten auf die blonden, brünetten und schwarzhaarigen Kalifornierinnen, die kokett von der Wand herunterlächelten. Keiner wagte etwas zu sagen. Der General genoss den Moment. Sekundenlang ließ er das Schweigen im Raum stehen, bevor er es mit einem Lächeln brach und fortfuhr.

Später im Offizierskasino schlug mir der General bei Kaffee und Cognac vor, für den Rest der Woche in der Suite für Gäste der Armee zu wohnen. Geräumige Apartments seien da am Rande der Garnison, mit einem Swimmingpool dazu und Klimaanlagen in jedem Zimmer, gegen die schwüle Hitze und die Mücken. Ich lehnte höflich ab, suchte nach einer Ausrede. Aber das T-Shirt seiner Truppe sollte ich doch wenigstens bekommen, sagte der General. Sein Oberst sollte es mir bringen, und der bestand auch darauf, eine Führung durch die Apartments zu machen, helle, luftige Räume mit Fliesenböden und teuren Möbeln. Und die Adressen auszutauschen. Vielleicht würde man sich ja wiedersehen.

Am nächsten Morgen war Abfahrt in die Berge, nach Pavarandó, einem Dorf, neben dem die Armee ein Flüchtlingslager eingerichtet hatte. Lorenzo vom Grill Café hatte angeboten, mir seinen Geländewagen zu leihen. Es sei zu gefährlich mit dem Bus und viel zu mühsam. Ich war ihm dankbar. Drei Stunden brauchte ich nur für die einhundertfünfzig Kilometer statt der üblichen sieben.

Am Rand des Dorfes, bei dem sie das Lager auf einer großen Lichtung im Busch errichtet hatten, hielten zwei Rekruten den Schlagbaum besetzt. Ich dürfe durch, aber das Auto müsse draußen bleiben. Der diensthabende Offizier blätterte unsicher durch meine Papiere. Nun gut, das Auto dürfe auch hinein. Aber nach sechs bliebe der Schlagbaum geschlossen. Bis Sonnenaufgang. Keine Ausnahmen.

Es gab viel zu tun in Pavarandó. Viertausend Flüchtlinge aus der Gegend um Riosucio hatten sich vor den Todesschwadronen und den Kämpfen zwischen der Armee und den Rebellen in das Lager von Pavarandó gerettet. Die ersten hundert waren im Februar gekommen. Die letzten wenige Tage vor meiner Ankunft. Ich wollte die Aussagen der Vertriebenen mit einem Tonbandgerät aufnehmen, damit man später die Geschichte zweier Dörfer rekonstruieren konnte. Zwei, drei Nächte sollte ich im Lager verbringen, dann erst wieder zurückfahren, sagten die Ärzte. Sie hätten noch Platz. Eine Decke am Boden der Krankenstation und ein Moskitonetz. Auch eine warme Mahlzeit könnte ich haben.

Die Arbeit ging zügig voran, denn die Ärzte hatten alles vorbereitet und führten mich zielstrebig durch die Lehmgassen des Lagers. So saßen wir vor den Hütten aus Brettern, Plastikplanen und Pappkartons und lauschten. Geschichten von Massakern und Vertreibungen, von Bombenangriffen der Armee und Überfällen der Todesschwadronen. Wir blieben ernst und nüchtern.

Gegen Mittag ging ein Raunen durchs Lager. Man konnte das Raunen nicht hören. Es übertönte nicht das Schreien der Kinder, die Musik aus den Kofferradios und das Rufen der Männer und Frauen, das Kläffen der Hunde und Gackern des Geflügels, diesen permanenten Geräuschpegel, der an Dorflärm erinnerte, nur viel kompakter, konzentrierter und aufgeregter klang. Es war eher eine Welle der Spannung, die sich unaufhaltsam näherte, wie ein Tier auf der Pirsch, unsichtbar und doch präsent.

Eine Patrouille war es, vier junge Kerle, kupferbraun gebrannt von der Sonne hier oben, die breitkrempige Dschungelhüte trugen und grünbraun gescheckte Uniformen. Mit den Läufen ihrer Gewehre stießen sie die Plastikplanen der Hütten zur Seite, die ihnen im Weg hingen. Nicht rüde, eher lässig. Einer zeigte auf mich, winkte, ich winkte ab, war beschäftigt, da wedelte er energisch mit der Hand. »Wer weiß, dass du hier bist?«, fragte der Arzt. »Kein Mensch.« Doch dann stand die Patrouille schon vor mir, wies wortlos den Weg zum Kommandoposten, begleitet von den Blicken ringsum.

Die Soldaten hatten sich in der Nähe des Schlagbaums in einem Rohbau eingerichtet, Schützenlöcher in den Garten gegraben, Zelte aufgestellt. Im ersten Stock hatte der Offizier seine Hängematte quer durch eins der Zimmer gespannt. Vorne neben dem Campingtisch, auf dem Limonadeflaschen und Dosen mit Frühstücksschinken standen, hatten die Soldaten eines der 70-mm-Maschinengewehre auf ein Stativ montiert, so dass es aus der Mauerlücke in die Landschaft hinausragte wie die Galionsfigur einer Karavelle.

Der Offizier nickte nur kurz und deutete auf eine Maueröffnung, die in den hinteren Teil des Hauses führte. Einer der Patrouillensoldaten ließ mich vorausgehen. Hinter der Maueröffnung lag ein leerer, fensterloser Raum. Als einziger Einrichtungsgegenstand lehnte ein metallener Tornister an der Wand, das Feldtelefon. Ein Soldat hockte daneben, nur mit Shorts und olivgrünem Unterhemd bekleidet. Schweißperlen liefen ihm über die Brust. Er streckte mir den Hörer entgegen.

»Mein Freund!« Es war die Stimme des Obersts, der sogleich begann auf mich einzureden. Fast akzentfreies Englisch sprach er. Das hatte er von den Amerikanern gelernt, in Fort Benning. »Wie geht es Ihnen?«

»Danke, gut.«

»Kein Regen in den Bergen?«

»Nein, nein.«

»Da haben Sie ja Glück gehabt. Wie geht die Arbeit?«

Ich stutzte kurz, hatte ihm doch nichts erzählt. »Danke der Nachfrage.«

»Sie müssen uns unbedingt besuchen, wenn Sie wiederkommen.«

»Sicher.«

»Der General lässt Sie herzlich grüßen. Er wird am Wochenende die Frontstellungen abnehmen. Er würde sich sehr freuen, wenn Sie ihn begleiten.«

Als ich Tage später in die Stadt zurückkehrte, wartete an der Rezeption schon ein Umschlag auf mich. Eine Notiz des Obersts mit einer Telefonnummer und dem Zusatz »Flugfeld, Samstag 10:00 Uhr«.

Das Flugfeld war nicht mehr als eine große Wiese hinter dem Büro des Generals. Unter den Bäumen am Rand der Wiese standen kleine Haubitzen. Neben der Verwaltung war der Kampfhubschrauber geparkt. Mitten auf dem Rasen ruhte der Hubschrauber des Generals, ein russisches Ungetüm, hellblau gestrichen mit dem Schriftzug »aéro rental« über den Bullaugen. Der General hatte den Transporter gemietet, weil das billiger war, als einen zu kaufen. In seinem Abschnitt hatte die Militärhilfe nur für den Kampfhubschrauber gereicht.

Der General und der Oberst saßen schon im Kasino. »Frühstück«, rief der Oberst und lächelte über das ganze Gesicht. Er gab dem Soldaten hinter der Bar ein Zeichen, der daraufhin mit einem Servierwagen erschien, uns Rührei, Rindfleisch und Maisfladen auf die Teller schaufelte und Wassergläser mit Coca-Cola, Whisky und Eiswürfeln daneben stellte. Wir würden an die Küste fliegen, sagte der General, danach in die Berge, über den Sumpf zu den Bananenfeldern und zurück. Einen Dreieckskurs, er werde mir das später zeigen. Dann redeten wir bis zum Abflug über Fußball. Über die Millonarios und die Bayern, über den Sohn des Generals, einen Rechtsaußen, und über die Jugend des Obersts als Libero, der seine Mannschaft in die Kreisliga geführt hatte.

Wir flogen nicht zur Küste. Gestern hatte die Guerilla dort den Hubschrauber beschossen. Nicht dass sie ihn abschießen könnten mit ihren Gewehren, aber der Pilot der Hubschraubervermietung wollte keinen Schaden am Gerät riskieren. Den müsste er selbst bezahlen. Stattdessen besuchten wir das Städtchen eines der Bürgermeister, die zu der Präsentation gekommen waren.

Der Hubschrauber setzte etwas außerhalb auf, hinter den Sandsackwällen der Stellung, die den Ort gegen Überfälle aus dem Wald schützen sollte. Zehn Soldaten standen Spalier, präsentierten die Gewehre. Der General grüßte, die Soldaten salutierten, dann setzte sich unser Trupp in Bewegung. Vorne drei Mann mit Sturmgewehren, dahinter der General, sein Heckler & Koch an einem Riemen um die Schulter, der Oberst und ein Sergeant. Die Nachhut bestand aus zwei Burschen mit tragbaren

Granatwerfern und einem Koloss, der seinen Oberkörper mit Patronengurten verschnürt hatte und das schwere 70-mm lässig unter dem Arm trug.

Langsam trotteten wir über die Brücke, die Hauptstraße entlang, vorbei an der Schule, an Wohnhäusern aus Holz mit Veranden davor, an den Marktbuden, an denen T-Shirts und Tragetaschen hingen. Kinder lugten neugierig hinter Mauern hervor, ein Eselskarren fuhr vorüber, hoch beladen mit Brennholz, zwei Feldarbeiter trotteten uns entgegen, die lehmverschmierten Hacken geschultert – Pastorale mit Soldaten.

Wir waren nicht angekündigt, deswegen musste die Sekretärin des Rathauses jemanden schicken, um den Bürgermeister zu holen. Der Oberst funktionierte die Kneipe am Markt unterdessen zum Kasino um. Rechts ein Tisch für die Soldaten, links die Offiziere. Der General und der Wirt kannten einander, plauderten über ihre Familien, während eine Tochter Limonade brachte, Eiswürfel, Brot und eine Flasche Whisky für die Offiziere. Ob es ruhig sei im Ort, fragte der General und achtete darauf, dass ich auch zuhörte. Ganz ruhig, sagte der Wirt. In den letzten Monaten hätten sich die Rebellen nicht blicken lassen. Der General nickte zufrieden. Der neue Hubschrauber habe ganze Arbeit geleistet, sagte er. Und die Truppe am Waldrand.

Der Bürgermeister kam angelaufen, die Haare nass zum Scheitel gekämmt. Er hatte sich wohl gerade geduscht und ein frisches Hemd angezogen, das ihm hinten aus der Hose hing. Eifrig begrüßte er uns, salutierte den Soldaten. Als der General mich als seinen Gast aus Europa vorstellte, deutete er einen Diener an. »Alles in Ordnung hier?«, fragte der General. »O ja, mein General. Alles in bester Ordnung. Ruhig und sicher. Dank Ihnen. Und die Ernte wird gut.«

Der General schien genug zu haben. Er nickte, und einer der Soldaten verschwand in der Küche, aus der schon bald die Töchter des Wirts kamen, mit Schüsseln voll Schweinefleisch, Reis und Gemüse. Dreimal ließ er sich auftragen. Der Oberst lachte und sagte zu mir auf englisch: »Sein Hobby. Das Essen.« Dann zog der General die Whiskyflasche zu sich und schenkte uns ein. »Salud!« – »Salud, mi general.«

Am Nachmittag wurde der Kurs noch einmal geändert. Wir befanden uns im Anflug auf eine kleine Garnison hinter den großen Bananenplantagen. Wir konnten sie schon sehen, die olivgrün gestrichenen Baracken parallel nebeneinander, das weiße Kreuz des Landeplatzes, die Soldaten, die sich daneben aufgestellt hatten. Ein Funkspruch kam herein. Der Oberst eilte ins Cockpit, zog die Tür hinter sich zu. Dann drehte der Hubschrauber in einer steilen Kurve nach rechts und stieg auf.

Der Oberst kam wieder nach hinten. Durch den Spalt der Cockpittüre konnte man sehen, wie sich die beiden zivilen Piloten Schrapnellwesten anlegten. »Kleiner Umweg«, sagte der Oberst und lächelte mir zu. Der General sah ihn beunruhigt an, ließ sich ins Ohr flüstern, nickte.

Mitten im Sumpf setzten wir auf. Der Pilot ließ den Rotor laufen. Vier Soldaten sprangen nach draußen, entrollten eine Trage, der Oberst hinterher. Geduckt liefen sie durch das Buschgras, das von den Abwinden plattgedrückt wurde, keine hundert Meter weit zu einem Maschinengewehrnest aus Sandsäcken und Zweigen. Ein kleiner Trupp Soldaten kauerte dort, staubverkrustet, erschöpft. In ihrer Mitte, flach auf dem Boden, einer der ihren, ganz ruhig. Um den Kopf hatten sie ihm einen Verband gewickelt, der weiße Zellstoff mit Blut vollgesogen. Mit flinken Bewegungen hoben die Begleitsoldaten des Generals den Verletzten auf die Trage, liefen geduckt zum Hubschrauber zurück. Kaum waren alle an Bord, hoben wir ab, stiegen steil auf. Die zurückgebliebenen Männer waren schnell nur noch als Schemen auszumachen, olivgrüne Figuren im braungrünen Gras, die sich hinter die Sandsäcke pressten.

Beim Anflug auf die Garnison blickte der General wehmütig aus der Türöffnung des Hubschraubers. Unten schlängelte sich die Panamericana, verfolgte den Lauf eines Flusses, der sich durch die Felder zog. »Mein Land«, seufzte er. »Ich liebe mein Land. Sehen Sie nur. Es gibt kein schöneres. Lieben Sie Ihr Land?« Er wollte etwas über Bayern hören, über die Berge, die Seen und die Leute dort. Er ließ sich von den Alpen erzählen und vom Schnee. Dann zeigte er über die Ebene. Am Horizont war das Meer zu sehen. Im Zweiten Weltkrieg habe die Marine dort ein deutsches U-Boot aufgespürt. Kurz vor der Kapitulation des Deutschen Reichs. Sein Vater war damals Offizier der Marine, hatte ihm immer wieder davon erzählt. Aber schon damals sei der Krieg in Kolumbien ein anderer gewesen. Keiner gegen die Deutschen, keiner gegen ein anderes Land.

Am nächsten Morgen kam ein Soldat ins Hotel. Er brachte einen Umschlag mit einer Einladung zum Fest der Polizei. Wieder ein Zettel des Obersts, formuliert wie ein Befehl. »Dienstag 12:00 Uhr, Büro des Generals.«

Ich ging nicht zum Fest der Polizei. Auch nicht zur Einweihung der wieder aufgebauten Brücke und nicht zum Feldgottesdienst. Einmal traf ich den General noch. Bei der Eröffnung des neuen Krankenhausflügels.

Die Zeremonie war längst vorbei. Gloria Cuartas hatte gesprochen, ebenso der Bischof, dem sie in Amerika eine Friedensmedaille verliehen hatten, und der Chefarzt, ein drahtiger Herr, dem die vielen durchwachten Nächte tiefe Furchen ins Gesicht gegraben hatten. Sie hatten sich bei den Spendern bedankt, bei den Helfern und Freiwilligen. Stolz hatten sie die Festgäste in den neuen Operationssaal geführt, einen gekachelten Raum mit einem Operationstisch, neben dem ein kleiner Geräteturm stand. Und in die Werkstatt, in der Holzbeine und -arme für die Opfer der Landminen hergestellt würden, ein ebenerdiger Raum, in dem schon zwei Techniker an Werkbänken saßen und Gummimanschetten an die Holzkeulen schweißten.

Die Gesellschaft stand im Konferenzsaal herum, trank Weißwein aus Plastikbechern, bediente sich am kalten Büfett, das die Krankenhausküche auf dem Versammlungstisch angerichtet hatte, als die Tür aufschwang. Freundlich lächelnd marschierten der General und sein Oberst herein. Sie trugen Uniform wie immer, nur die Waffen hatten sie draußen gelassen. Beim Büfett bauten sie sich auf, schüttelten Hände, parlierten. Nur die Bürgermeisterin und der Bischof hielten sich höflich entfernt.

Als mich der General erspähte, verließ er seinen Posten. Er schüttelte mir die Hand, zog mich beiseite zum Chefarzt und stellte mich als einen Freund aus Europa vor. Der Chefarzt nickte, nannte seinen Namen, obwohl wir uns kannten. Irgendjemand hatte einen Whisky für den General aufgetrieben, den er uns in die Becher schenkte. So standen wir da, ließen die Eiswürfel kreisen, während der General umständlich versprach, er werde alles tun, um die Arbeit der Ärzte zu erleichtern. Das Elend im Land sei so furchtbar, da seien die Männer und Frauen der Klinik die wahren Helden des Krieges. Er werde sogar ein Essen für sie geben, im Offizierskasino, ich solle doch kommen, er werde auch den Bischof einladen, ein paar Bürgermeister, das sei eine gute Gelegenheit für alle, sich kennenzulernen. Der Chefarzt lächelte sauer, bedankte sich, schenkte Whisky nach.

Die Einladung blieb jedoch aus, denn plötzlich hatte der General zu tun. An der Ostflanke seines Abschnitts hatten die Rebellen eine Offensive versucht. Sie hatten den Milizen zugesetzt, ein Dorf eingenommen, zwei Polizisten erschossen. Alle zwei Stunden hörte man in diesen Tagen den Kampfhubschrauber starten oder landen.

Zwei Tage später wurde das Wahlergebnis verkündet. Teodoro Diaz hatte gewonnen. Ein schmaler Mann mit Stirnglatze, Schnurrbart und grimmigen, schmalen Augen. Früher war er einer der Guerilleros gewesen in den Bergen über Apartadó. Noch vor fünf Jahren war er steckbrieflich gesucht worden, weil er die Brücke an der Straße nach Turbo gesprengt hatte. Jetzt hatten sich einige seiner früheren Genossen den Paramilitares angeschlossen. Mit monotoner Stimme gab er seine Interviews. Er wolle Apartadó in die Zukunft führen, sagte er. Das Schulwesen modernisieren, die Infrastruktur auf die geplanten Neuerungen vorbereiten. Auf den Kanal und den Highway. Details verriet er nicht.

Gloria Cuartas verließ Apartadó gleich nach der Amtsübergabe am 1. Januar. Bleiben wäre zu riskant gewesen. Sie stand immer noch auf den Todeslisten. Sie wollte in Bogotá für die UNESCO arbeiten. Außerdem sollte ihre Biografie erscheinen: »Porque no tengo miedo.« Warum ich keine Angst habe.

General Rito Alejo Del Rio wurde ein knappes Jahr später unehrenhaft aus der Armee entlassen. Man hatte ihm nachweisen können, dass er mit den Todesschwadronen der ACCU zusammengearbeitet hatte.

Taxi zur Folter

Kolumbien

Luis Adolfo Cardona konnte sich noch gut an den Morgen jenes Donnerstags erinnern, seit dem er auf der Flucht war. Als er den Schuss hörte, stand er im Kiosk des Abfüllwerks am Rande der Kleinstadt Carepa, in dem die Firma Panamco Sprudelgetränke für Coca-Cola produzierte. Es war noch früh am Tag, aber in der Provinz Urabá am nordwestlichen Ende Kolumbiens lag wie immer schon kurz nach Sonnenaufgang eine stickige Hitze über den Bananen- und Zuckerrohrfeldern.

Luis Cardona lief sofort auf den Werkshof, um zu sehen, was geschehen war. Er war nicht besonders kräftig, nicht besonders groß, eher der Typ Fußballer mit muskulösen Beinen, schmalen Schultern und einem prächtigen Schnauzbart im Gesicht. Aber als er den Schuss hörte, handelte er fast wie im Reflex. Vorne am Eingangstor sah er noch, wie sich der Bursche mit der Pistole über Isidro beugte. Über Isidro Segundo Gil, den Bezirksleiter der Gewerkschaft SINALTRAINAL für Arbeiter der Lebensmittelindustrie, der hier als Pförtner arbeitete und der an diesem 5. Dezember später am Abend die Tarifgespräche mit der Werksleitung hätte führen sollen, weil der Vertrag mit den Arbeitern auslief und sie ein paar Wünsche hatten. Ein wenig mehr Geld zum Beispiel, etwas Zuschuss für das Schulgeld ihrer Kinder, aber vor allem Schutz vor den Paramilitares, die den Gewerkschaftern schon seit zwei Jahren zugesetzt hatten. Aber nun lag Isidro vorne am Tor in seinem Blut. Sein Mörder fühlte ihm kurz mit dem Finger am Hals. Dann sprang er mit einem Satz auf den Rücksitz des Motorrads, das schon auf ihn wartete und mit hochdrehendem Motor davonfuhr. Luis Cardona lief zu seinem Freund, doch dem konnte keiner mehr helfen. Vier Schüsse hatten ihn im Kopf getroffen, sechs in Brust und Unterleib.

Luis Cardona kannte die beiden auf dem Motorrad. Sie gehörten zu den Todesschwadronen der Castaños-Brüder, die im ganzen Land die Drecksarbeit für die Armee erledigten und seit einiger Zeit auch für die Bosse bei den Fabriken und Betrieben. Denn die dachten gar nicht daran, ihren Arbeitern mehr als den monatlichen Durchschnittslohn von umgerechnet rund zweihundert Euro zu bezahlen, auch wenn die Gewerkschaften da meist anderer Meinung waren.

Aber solange General Rito Alejo del Rios die Paramilitares von Urabá unterstützte, galt deren örtlicher Anführer Calíche mit seinen zweiundzwanzig Jahren als so etwas wie ein inoffizieller Bürgermeister von Carepa. Und die Gewerkschafter wussten – wenn Calíche seine Mannen am Tag der Tarifverhandlungen ausschwärmen ließ, bedeutete das nicht nur das Ende der Gewerkschaft, sondern Lebensgefahr für jeden einzelnen von ihnen. Werksleiter Ariosto Milan Mosquera hätte die Todesschwadrone angeheuert, sagte Luis Cardona. Um keine Verhandlungen führen zu müssen. Beweisen konnte ihm das keiner. Doch jeder am Ort wusste, dass Mosquera oft mit den Paramilitares in Bars ging und ihnen schon seit Jahren gratis Coca-Cola für ihre Feste lieferte. Eilig beschlossen die Gewerkschafter, sich an diesen Nachmittag um halb drei im Gewerkschaftsbüro zu treffen, um zu beraten, was sie nun nach dem Mord an ihrem Chef tun sollten.

Luis Cardona fuhr an diesem Mittag mit seinem Fahrrad die zwei Kilometer vom Abfüllwerk ins Ortszentrum von Carepa, wo er mit seiner Frau Luz und seiner vierjährigen Tochter Dayanna in einem kleinen Haus mit grünen Fensterläden und kühlen Steinböden lebte. Nach einem kurzen Mittagessen schwang er sich wieder auf sein Fahrrad, um ins Werk zurückzuradeln. Er kam nicht weit.

Gleich hinter der zentralen Plaza wartete schon Calíche auf ihn. Der Paramilitares-Chef stellte sich ihm in den Weg, legte die Hand auf den Fahrradlenker und sagte mit perfider Freundlichkeit: »Luis, wir müssen mal reden. Warum kommst du nicht auf einen Sprung in die Heladería la Selva? Ich kauf dir eine Cola und wir besprechen den ganzen Ärger mit der Gewerkschaft.« Luis Cardona kannte die Eisdiele. Die meisten am Ort mieden den Laden, weil dort die Paramilitares herumsaßen und Bier tranken.

Langsam setzte er sich in Bewegung. Vorsichtig sah er sich um – Calíche fuhr auf seinem Motorrad hinter ihm her. Für einen Moment sah Luis Cardona das Tor des Polizeireviers, dachte kurz daran, vom Fahrrad zu springen und loszulaufen. Aber Calíche war zu dicht hinter ihm.

Vor der Heladería zögerte Luis Cardona noch einmal. Calíche stellte sein Motorrad auf der gegenüberliegenden Straßenseite ab, schien ihn für einen Moment aus den Augen zu verlieren. Doch dann sah Luis Cardona schon die sechs Paramilitares, die im Lokal saßen und ihn beäugten. Ihre finsteren Gesichter verhießen nichts Gutes. Langsam dämmert ihm, dass er diesen Tag vielleicht nicht überleben würde. Er kannte die Geschichten, die man sich im ganzen Land erzählte. Wie Fabrikbesitzer die Paramilitares dafür bezahlten, die Gewerkschaften zu zerschlagen, und dass die meist nur wenige Tagen brauchten, um Verbände aufzulösen, die schon seit Jahrzehnten bestanden. Er kannte auch die Statistiken der internationalen Gewerkschaftsverbände, dass von zehn weltweit ermordeten Gewerkschaftern neun in Kolumbien starben, dass dort seit Anfang der Neunziger jedes Jahr zwischen einhundert und zweihundert Gewerkschafter ermordet werden, und dass niemand etwas dagegen tat. Weder die Regierung, noch die Polizei, die Armee oder die Mutterfirmen der Betriebe, die oft in den USA oder Europa saßen. Er hatte die Berichte der Menschenrechtsgruppen gelesen, die nachwiesen, dass mit den Militärhilfen aus den USA Einheiten finanziert wurden, die Pipelines und Fabriken bewachten, und die wiederum mit den Todesschwadronen zusammenarbeiteten. Und ganz langsam kroch ihm die Angst in die Glieder.

»Was wartest du noch? Lass uns gehen«, sagte Calíche und gab ihm einen Schubs. Luis Cardona setzte sich an einen Tisch etwas abseits der sechs Paramilitares. Die beiden Schergen vom Morgen saßen auch dort. Jetzt sahen sie betont weg. Nur Calíche hockte sich breitbeinig an seinen Tisch, stellte zwei Coca-Cola auf den Tisch und meinte, der Ärger mit der Gewerkschaft sei ja groß, deswegen würde jetzt gleich der Provinzleiter der Autodefensas kommen, der müsse sich nur noch duschen. Luis Cardona nippte an seiner Cola. Calíche fragte ihn nun alles Mögliche. Wie viele Mitglieder die Gewerkschaft im Abfüllwerk hätte. »Achtzig von hundert.« Wie lange sie das schon machten. »Zehn, zwölf Jahre.« Was sie denn erreichen wollten, ob sie mit den Gewerkschaften in Bogotá zusammenarbeiteten, und ob sie Kontakt zu den Rebellen hätten, es sei doch bekannt, dass die Gewerkschaften mit den Rebellen zusammenarbeiteten. Luis Cardosa sagte, dass er ja nur für die Kultur zuständig sei und das alles nicht wisse. Er habe eigentlich immer nur die Fußballspiele organisiert. Die Coca-Cola-Belegschaft gegen die Jungs aus dem Ort, gegen die Plantagenarbeiter, gegen die Lastwagenfahrer, gegen die Polizei.

Calíche rauchte Zigaretten, fragte gelangweilt weiter, als würde ihn das eigentlich alles nicht interessieren. Und dann sah Luis Cardona aus dem Augenwinkel plötzlich das weiße Taxi vorfahren, ein betagter Geländewagen mit einem Schild aus Plastik auf dem Dach. Wie ein kalter Guss schoss Luis Cardona die Angst aus dem Kreuz in die Fuß- und Fingerspitzen. Es schien unter der Kopfhaut zu prickeln. Das Taxi war nicht weiter auffällig, aber alle am Ort wussten, was es damit auf sich hatte. Das war der Wagen, mit dem die Paramilitares ihre Opfer zum Fluss hinunter fuhren. Stundenlang folterten sie ihre Gefangenen dort, schnitten ihnen mit Fleischermessern Hände und Füße ab, zogen ihnen den Skalp vom Kopf und wenn sie der Folter müde wurden, schossen sie ihnen ins Genick. Die verstümmelten Leichen ließen sie dann einfach liegen. Als Warnung für die anderen.

Nun erhob sich der Bursche, der am Morgen Isidro erschossen hatte. »Los, steig in das Auto da«, herrschte er ihn an. Luis Cardosa wurde leicht schwindlig. Wie im Traum erhob er sich, trottete mit den Paramilitares über die Straße. Die hatten sich schon in den Wagen gedrängt, jeder Platz war besetzt. Da sagte Calíche: »Du fährst bei mir auf dem Motorrad«, und Luis Cardona wusste – jetzt! Für eine Sekunde kümmerten sich die Paramilitares nicht um ihn und Calíche nestelte an seinem Motorrad herum. Lieber auf der Flucht sterben, als an den Fluss hinunterfahren.

Er rannte los. Einfach geradeaus. Hinter sich hörte er Rufe, das Knattern von Calíches Motorrad. Wie ein Besessener hetzte Luis Cardona die Straße entlang, bog um die Ecke und drückte sich in den Eingang einer Billardhalle. Mit schreckgeweiteten Augen harrte er hinter dem Türstock, bis er hörte, wie das Motorrad vorbeiraste. Dann sprang er zurück auf die Straße, doch Calíches Mitfahrer hatte ihn schon gesehen. Mit wenigen Sätzen hetzte Luis Cardona Richtung Plaza, in die Menge. Dort drehte er sich zum ersten Mal um und sah noch, wie Calíche seine

Pistole in die Luft reckte. Doch da war er auch schon am Tor des Polizeireviers. Atemlos warf er die Tür zu der modrigen Polizeistation hinter sich zu.

Dort durchzuckte ihn gleich noch ein Schreck. Kein Mensch war in den düsteren Amtsstuben. Kein einziger Polizist. Nur beklemmende Stille. Erst hinten in der Zentrale fand er einen einzigen Beamten, der das Funkgerät bewachte. Und der gestand ihm auch, dass alle ausgeflogen wären, weil sie schon wussten, dass ihm die Paramilitares in der Eisdiele wohl an den Kragen wollten. Damit wollten sie nichts zu tun haben, denn gegen die Macht der Todesschwadronen konnte auch die Polizei nichts ausrichten.

Es dauerte, bis Luis Cardona den einsamen Beamten davon überzeugt hatte, dass er das Revier so lange nicht mehr verlassen würde, bis er Geleitschutz zu seinem Haus bekäme. Hier, das wusste er, würden sie ihm nichts tun. Denn offiziell mussten sich Armee und Polizei von den Paramilitares distanzieren, auch wenn viele Soldaten und Beamte nach Dienstschluss mit den Autodefensas loszogen.

Acht Mann kamen schließlich nach langem Betteln und Flehen, fuhren Luis Cardona mit einem Polizeilaster nach Hause. Dort packte er eilig eine Tasche. Ein Kleid für seine Frau, zwei für seine Tochter, zwei frische Hemden für sich selbst. Sie würden die Gegend verlassen müssen. Nach zwölfeinhalb Jahren bei Coca-Cola würde er als Neununddreißigjähriger noch einmal von vorne anfangen. Doch auf dem Weg zum Flughafen müssten sie erst noch zum Pfandhaus und den Familienschmuck versetzen. Drei Flugscheine nach Medellín kosteten rund einhundertfünfzig Euro. Eine Busfahrt kam nicht in Frage. Würden sie einen Bus besteigen, wüssten die Todesschwadronen schon bald, in welchen, und würden ihnen draußen auf der Landstraße auflauern.

Wortlos setzten die Polizisten die Familie schließlich am Flughafen ab, einer flachen Betonbaracke, hinter der die Landebahn eine Schneise durch die Felder schlug. Zu spät. Der letzte Flug hatte vor wenigen Minuten abgehoben. Die Sonnne stand schon tief.

Reiner Zufall, dass Apartadós Bürgermeisterin Gloria Cuartas an diesem Nachmittag am Flughafen war und ihm einen Geleitbrief für Polizei und Rotes Kreuz schrieb. Reiner Zufall, dass einer der Beamten im Revier am Flughafen Luis Cardona vom Fußballspielen kannte. Reiner Zufall, dass der Fahrer der Streife, die sie zur Rotkreuzstation nach Apartadó fuhr, damit sie sich dort verstecken konnten, ein guter Freund seines Schwagers war und sie bei sich unterbrachte, weil auch bei der Rotkreuzstation kein Mensch mehr aufzufinden war.

Man merkte Luis Cardona in New York an, dass es ihm immer noch Angst einjagte von diesem Donnerstag zu erzählen. Später erfuhr er, dass die Todesschwadronen noch am Nachmittag auf das Gelände des Abfüllwerkes gekommen waren und das Büro der Gewerkschaft niedergebrannt hatten. Eine Woche später waren sie dann am frühen Morgen auf dem Werkshof erschienen und hatten die Belegschaft zusammengetrommelt. Calíche hatte einen Stapel Formulare mitgebracht. Austrittserklärungen für die Gewerkschaftsmitglieder, fein säuberlich mit allen persönlichen Daten ausgefüllt, die er sich aus dem einzigen Firmencomputer hatte ausdrucken lassen. Wer nicht unterschreiben würde, sei dem Tod geweiht, sagte er. Um fünf Uhr nachmittags kamen die Paramilitares dann zurück und sammelten die Formulare wieder ein. Alle hatten unterschrieben. Das war das Ende der Gewerkschaft im Coca-Cola-Werk von Carepa in Nordkolumbien.

Seit fünf Jahren war Luis Cardona nun auf der Flucht. Selten konnte er länger als zwei, drei Wochen an einem Ort arbeiten. Selbst in der Hauptstadt Bogotá liefen Männer mit seinem Foto herum und fragten nach ihm. Als ich ihn traf, war er in Sicherheit. Für ein Jahr durfte er im Rahmen eines Schutzprogramms des amerikanischen Gewerkschaftsverbandes AFL/CIO in den USA bleiben. Dreißig kolumbianische Gewerkschafter versteckten sich zu der Zeit in amerikanischen Großstädten. Hin und wieder reisten sie durchs Land, um zu Abgeordneten, Gewerkschaftsverbänden, Studenten und Menschenrechtlern zu sprechen. Wie an diesem Wochenende, an dem sich fünf aus dem Schutzprogramm in New York zusammengefunden hatten. Den ganzen Tag waren sie bei Treffen und Konferenzen, bevor sie sich am Abend in einem chinesischen Lokal trafen. Was sie trinken wollten, fragte der Kellner. »Pepsi«, antworten sie wie aus einem Mund.

Sie alle haben ganz ähnliche Geschichten zu erzählen. José Luis Cortés von der Beamtengewerkschaft einer Kleinstadt bei Cali, der freundlich über die Ränder seiner Nickelbrille blinzelt, ergriff zum Beispiel die Flucht, nachdem sie das Büro seiner Gewerkschaft mit einer Briefbombe demoliert hatten. Hector Castro, der als Elektriker in einer Plastikfabrik arbeitete, konnte sich vor Morddrohungen gar nicht mehr retten.

Hier in den USA konnten sich die Gewerkschafter endlich wehren. Amerikanische Gewerkschaftsanwälte hatten den Alien Torts Claims Act von 1789 ausgegraben, nach dem Ausländer in den USA nach Menschenrechtsverletzungen in ihrem eigenen Land auf Schadensersatz klagen konnten. Daniel Kovalik, ein junger Anwalt der Metallgewerkschaft United Steelworkers of America ist aus Pittsburgh angereist, um vom letzten Stand der Dinge zu berichten. Mit Unterstützung des International Labour Rights Funds hatten sie beim Bezirksgericht in Miami Klagen gegen zwei amerikanische Mutterfirmen eingereicht, deren Unterfirmen in den Terror der Todesschwadronen gegen die Gewerkschaften verwickelt seien – gegen Coca-Cola und gegen den Energiekonzern Drummond, der in Kolumbien vor allem Kohle abbaute.

Doch es gab keine schriftlichen Beweise für die Zusammenarbeit der Werksleitungen mit den Todesschwadronen. Nur Zeugenaussagen. Außerdem galt die Firma Panamco, die für Coca-Cola in acht verschiedenen Ländern Erfrischungsgetränke abfüllt, rein rechtlich nur als Zulieferbetrieb, auch wenn fünfundzwanzig Prozent der Firma dem Coca-Cola-Konzern gehörten. Protestbriefe an Coca Cola wurden mit einem Formschreiben beantwortet, in dem es unter anderem hieß: »Wir möchten betonen, dass diese Klage unglaubliche Unterstellungen gegen die Firma und ihre Abfüllpartner beinhaltet. Die Firma betrachtet die Anschuldigungen für die Ermordung und Folter von Gewerkschaftsmitgliedern verantwortlich zu sein als besonders absurd.« In Kolumbien hatte Panamco sogar Verleumdungsklagen gegen die Gewerkschaftler angestrengt. Doch Panamco war keineswegs ein Einzelfall. Viertausend Gewerkschaftler wurden in Kolumbien während der letzten zwanzig Jahre umgebracht. So viele wie sonst nirgends auf der Welt.

Der Aufstand

Mexiko

Um vier Uhr früh fielen die Bomben auf San Miguel. Die Soldaten in dem Propellerflugzeug warfen sie einfach aus der Türe. Drei Stück hintereinander. Drüben am Hügel über der Straße schlugen sie ein. Viel Schaden richteten sie nicht an. Sie fällten ein paar Bäume, pflügten den Waldboden um, doch Ildefonso packte seine Frau und das Baby und rannte los. Zusammen mit den anderen liefen sie durch das Dunkel in den Wald, immer weiter, bis sie eine Lichtung fanden. Er wusste, warum die Bomben fielen. Alle wussten es, denn San Miguel war einer der Hauptstützpunkte des EZLN, des Zapatistaheers der Nationalen Befreiung, jenem Heer aus Indianern und Bauern, das in einem einzigartigen Streich am Neujahrstag 1994 im bergigen Süden Mexikos vier Städte des Bundesstaats Chiapas besetzt hatte.

Zweitausend Zapatistas in Gummistiefeln und Skimasken gegen die mexikanische Armee, die ein Viertel ihrer Truppen nach Chiapas beorderte. Viele Zapatistas waren nur mit Flinten, Holzlatten oder Macheten bewaffnet. Sie mussten Lastwagen und öffentliche Busse beschlagnahmen, um ihre Einheiten zu bewegen. Die Armee kam mit Hubschraubern, Panzern und Truppentransportern, mit Maschinengewehren und Raketen. Zwei Wochen dauerte der Kampf um Chiapas, schätzungsweise vierhundert Tote gab es, dann erklärte die Regierung einen Waffenstillstand, und die Rebellen zogen sich in die Berge zurück. Ungeschlagen wie ihr Vorbild Emiliano Zapata, der legendäre Indianerrebell, der auf dem Höhepunkt der mexikanischen Revolution 1914 zusammen mit Pancho Villa die Hauptstadt stürmte.

Die Rebellen des EZLN hatten am Neujahrstag 1994 die Städte der Region Chiapas angegriffen. Pünktlich zu jenem Tag, an dem der amerikanische Freihandelsvertrag NAFTA in Kraft trat, jenes Kronjuwel der internationalen freien Marktwirtschaft, das den nördlichen Kontinent von den Eisschollen Neufundlands bis zu den Regenwäldern von Chiapas zu einer einzigen Wirtschaftszone erklärte.

Die Männer, die das EZLN aufgebaut hatten, wussten, was NAFTA für die Kleinbauern und Indios ihres Landes bedeuten würde. Noch konnten sie nicht ahnen, dass aus dem Drittweltland Mexiko, in dem fast die Hälfte aller Bewohner in Armut lebte, das Schwellenland werden würde, in dem acht Jahre nach Inkrafttreten des Freihandelsvertrags drei Viertel aller Bewohner in Armut lebten. Doch sie sahen schon damals, dass das Drittweltland Mexiko unter der nordamerikanischen Ägide mit äußerster Rücksichtslosigkeit zum Schwellenland aufsteigen sollte. Prächtige Bilanzen würden darüber hinwegtäuschen, dass nur eine Minderheit der Geschäftsleute davon profitierte. Dass die ausländischen Konzerne wie Kolonialherren einfallen würden, um Hunderttausende Mexikaner als billige Arbeiter für einen Bruchteil der nordamerikanischen Löhne einzustellen. Doch die Wirtschaft würde wachsen, die Industrialisierung mit enormer Geschwindigkeit vorangehen. Eine neue, kaufkräftige Mittelschicht würde sich etablieren. In diesem Konzept war kein Platz für einen Mann wie Ildefonso, seine Frau und sein Baby, die sich von ein paar kleinen Feldern ernährten, auf denen sie Mais, Kaffee und Bohnen zogen.

Im Dorf waren dann Panzerwagen aufgefahren, die den kleinen Platz beherrschten, während die Soldaten in alle Richtungen ausschwärmten, die zwei Straßen entlang und über die hügeligen Wiesen und Felder, auf denen die Hütten und Häuser der Bauern standen. Die Soldaten suchten nach Rebellen vom Zapatistaheer der Nationalen Befreiung. Vergeblich. San Miguel war wie ausgestorben.

Eine Woche lang blieben die Indios in den Lakandonischen Wäldern, die sich hier im Süden von Chiapas dicht und undurchdringlich die Berge hinaufziehen. In San Miguel endete die Staubpiste, dahinter gab es nur noch Pfade durch die Wälder, in denen es tagsüber schwül und heiß, nachts bitterkalt war, in denen sich Klüfte auftaten und steil aufragende Felswände, die das Fortkommen unmöglich machten. Die Bauern aus San Miguel hielten aus, aßen Wurzeln und Blätter, bis die Nachricht kam, dass die Soldaten wieder abgezogen waren. Nun hing eine weiße Fahne vor Ildefonsos Lehmhaus.

Barfuß saß der Kleinbauer vom Tzeltal-Stamm der Maya-Indianer auf der Schwelle und zuckte auf meine Fragen mit den Schultern. Warum hatten die Zapatistas am 1. Januar die Städte von Chiapas besetzt, warum gegen die Armee gekämpft? Warum verhandelte die Regierung in der Kathedrale von San Cristóbal mit Subcomandante Marcos und den anderen maskierten Rebellen, anstatt, wie alle erwartet hatten, die Zapatistas einfach abzuschlachten? Glaubte er, dass sie etwas erreichen würden? Ildefonso schaute sich unsicher um und lächelte. »Ich weiß nicht.« Er stocherte in den schwarzen Bohnen herum, die er auf einer Matte zum Trocknen ausgebreitet hatte. »Wir kümmern uns hier nicht so um Politik.« Sein Bruder Pablo, der aus der Nachbarhütte gekommen war, kratzte sich am Kopf. »Wir wollen in Ruhe unsere Bohnen und unseren Mais ernten. Mehr nicht.«

Die Bauern von San Miguel kümmerten sich sehr wohl um Politik. Ildefonso durfte nichts erzählen, weil das EZLN streng über San Miguel wachte. Vorne am Ortseingang war eine Straßensperre aus Steinen, an der vier Zapatistas in Zivil standen. Vier Männer in T-Shirts und Mützen, einer hatte eine Plastikschale auf dem Kopf. Sie achteten darauf, dass niemand ins Dorf kam, der nicht die Genehmigung des Komitees hatte, und dass vor allem niemand nach rechts in den Wald abbog. Nicht weit von hier waren die Militärlager der Zapatistas, in denen sie den Partisanenkrieg trainierten.

Mich hatten sie durchgelassen, über den Weg ins Dorf gelotst, am kaputten Bus vorbei auf den Platz. Links standen ein paar Obstbäume, an denen Pferde angebunden waren. Auf dem Sportplatz hieb ein Mann auf einen Haufen Bohnenstroh ein. Das löste die Frijoles aus den Hülsen, die er mit dem Stock beiseite fegte. Rechts war die Schule, neben der ein Geländewagen stand. Das Internationale Rote Kreuz hatte hier eine provisorische Krankenstation eingerichtet. Erstes Zugeständnis der mexikanischen Regierung, finanziert von der Rotkreuz-Zentrale in Genf. Unter dem Vordach der Schule suchten ein paar Männer und Frauen in der bunten Tracht der Maya Schutz vor der Mittagssonne. Sie warteten auf den Arzt, auf eine Ration Maismehl oder dass irgend etwas die Trägheit der Nachmittagshitze unterbrach.

Mit den Gringos von der Presse durfte nur Diego reden, ein freundlicher Mann um die Dreißig, der einen schmalen Schnurrbart und ein gelbes Westernhemd trug. Diego führte den einzigen Laden im Dorf, eine fensterlose Holzhütte, in der er Batterien und Kerzen verkaufte, Sardinen aus der Dose, Kekse und manchmal auch Coca-Cola. An diesem Tag waren die Regale fast leer. Hierher in die Zona Blanca, jenen Teil von Chiapas, der von den Rebellen kontrolliert wurde, kam kaum noch ein Wagen durch. Diego war kein Zapatista, aber er sprach das beste Spanisch im Ort. Die meisten Offiziere des EZLN konnten nur Tzeltal, eine von knapp dreißig Maya-Sprachen, die in den Bergen von Mexiko und Guatemala verbreitet sind.

Während der Friedensverhandlungen waren die Zapatistas in Zivil. Man erkannte sie erst auf den zweiten Blick: ein breitschultriger Mann mit Koteletten, der ein helles Hemd und schwarze Stiefel trug, ein rotes Tuch um den Hals gebunden, auf dem Kopf eine dunkelgrüne Mütze. Der zweite Zapatista trug ebenfalls eine Schirmmütze, hatte das rote Tuch des EZLN aus der Hosentasche hängen und sein weißes Hemd in den Bund gesteckt. Hin und wieder wurden sie in den Wald abkommandiert, zum Trainieren, Planen und um die Lager zu sichern. Oder sie tauchten in kleinen Trupps nachts an den Staubstraßen durch den Lakandonischen Wald auf, die schwarzen Skimasken vor dem Gesicht, die zum Symbol für die Zapatistas geworden waren. Mit ihren Flinten hielten sie Busse an, durchsuchten das Gepäck der Reisenden nach Lebensmitteln und Alkohol. Die Lebensmittel forderten sie ein. Den Alkohol schütteten sie aus.

Die beiden Männer schauten streng, als Diego uns davon erzählte, warum die Zapatistas zu den Waffen gegriffen hatten. »Chiapas ist nicht wie Mexiko«, sagte er. »In Mexiko gab es Anfang des Jahrhunderts eine Revolution, eine Landreform, Fortschritt und in den Städten auch Reichtum. Hier leben wir in Armut und viele von uns buchstäblich in der Sklaverei der Großgrundbesitzer.« Dabei lächelte er schüchtern, als würde er uns seine Geschichten aufdrängen. Was war mit dem vielgepriesenen Liberalismus des amtierenden Präsidenten Carlos Salinas de Gortari? Hatte sich da nicht viel gebessert? »Ach was. Viel haben sie uns versprochen, nichts gehalten. Wir zahlen seit fünf Jahren Steuern für Trinkwasser, Strom und Straßen. Nichts davon haben wir hier gesehen.«

Die Regierungspartei PRI hatte unzählige Programme und Projekte für Chiapas initiiert. Der südlichste Staat des Landes ist ungefähr viermal so groß wie El Salvador. Eigentlich keine arme Gegend. Ein Viertel der mexikanischen Ölvorkommen ist hier zu finden, fast die Hälfte aller Erdgasquellen. Chiapas erzeugte fünfzig Prozent der elektrischen Energie für Mexiko, doch gut ein Drittel der Wohnstätten hatte keinen Stromanschluss, über die Hälfte keine Kanalisation oder Trinkwasser. Neunzehn Prozent der arbeitenden Bevölkerung bekamen keinen Lohn für ihre Tätigkeit, vierzig Prozent weniger als den gesetzlichen Mindestlohn und achtzig Prozent weniger als zwei Mindestlöhne, den Betrag, der allgemein als Minimum angesehen wurde, um die nötigsten Lebenshaltungskosten zu decken. Ein Drittel der Bevölkerung litt deswegen an schwerer Unterernährung. Diese Zahlen waren weit unter dem nationalen Durchschnitt, weswegen die Regierung Salinas in den letzten fünf Jahren gut zweihundert Millionen Dollar in die Programme und Projekte investiert hatte. Doch wenn überhaupt mal Geld kam, blieb es meistens bei den kleinen Parteichefs der Gemeinden hängen.

Das Versagen der Aufbaumaßnahmen und die korrupten Beamten der Regierungspartei PRI waren nur ein Grund für den Aufstand der Zapatistas. Die Großgrundbesitzer und ihre bewaffneten Kleinarmeen, die Guardias Blancas, waren es, die den Tzeltal-Indianern besonders zusetzten. »Die Farmer und Viehzüchter von Chiapas haben uns nie das Land gegeben, das uns laut Gesetz zusteht«, fuhr Diego in resigniertem Ton fort. »Sie verpachten uns Parzellen von ihrem schlechtesten Land und verlangen dafür zehn bis fünfzehn Scheffel Tribut. Das ist ungefähr die Hälfte von dem, was so ein Stück Land überhaupt hergibt. Damit wir uns die nötigsten Dinge wie Salz, Macheten oder Kleider leisten können, müssen wir uns als Tagelöhner auf den Fincas verdingen. Dafür bezahlen sie uns fünftausend Pesos am Tag.« Das waren nicht einmal zwei Dollar. In der Kreisstadt Ocosingo konnte man sich dafür zwei Teller Suppe und einen Kaffee kaufen. Ein neues Hemd kostete ungefähr zwanzigtausend, eine Machete mindestens vierzigtausend Pesos.

Konnten sich die Bauern nicht organisieren? Diego seufzte. Wer sich wehrt, wird von den Guardias Blancas eingeschüchtert.

Wenn das nichts nützt, gibt es auch mal Prügel oder eine Kugel in den Kopf. Konnten sie nicht wenigstens versuchen, einen der ihren in die Gemeinderäte zu wählen? Diego lachte auf. »Bis wir hier erfahren, dass wieder gewählt wird, sind die neuen Chefs schon am Regieren. Wir schaffen kaum unsere Behördengänge. Es gibt hier keinen im Ort, der ein Auto hat, und für jeden Kleinkram schickt man uns nach San Cristóbal.«

Der Weg nach San Cristóbal de las Casas dauerte mit dem Geländewagen schon knapp vier Stunden. Bis zum Provinzstädtchen Ocosingo waren es eineinhalb Stunden Fahrt über die Staubpiste. Von dort führte eine Landstraße in Kurven und Serpentinen durch die Berglandschaft. An den Ortseinfahrten von Ocosingo hatte die Armee Straßensperren mit Maschinengewehrnestern und Nagelfallen errichtet. Finster schauten die Soldaten drein. Das Selbstbewusstsein der mexikanischen Militärs hatte in diesem Bürgerkrieg schwer gelitten. Niemand hatte geglaubt, dass es in Mexiko noch eine Rebellengruppe geben könnte, geschweige denn eine, die vier mittlere Kleinstädte einnehmen konnte. Im Frühjahr zuvor hatte die Armee im Lakandonischen Wald zwar ein paar Rebellen aufgestöbert, aber da zu dem Zeitpunkt die Verhandlungen um das North American Free Trade Agreement, NAFTA, auf Hochtouren liefen, kam der Befehl aus Mexico City, die Rebellen in Ruhe zu lassen und den Vorfall geheimzuhalten. Die Probleme von Chiapas, die Armut der Indianer, der Feudalismus der Großgrundbesitzer, die strukturelle Rückständigkeit und die Rebellen passten nicht zum neuen Image von der aufstrebenden Industrienation, das Mexiko seinen nördlichen Handelspartnern vorspielte. Nach dem Abschluss von NAFTA würde man mit den aufmüpfigen Bergbauern schon fertig werden.

Deswegen war die Überraschung groß, als die Zapatistas an dem Tag, als NAFTA in Kraft trat, die Städte Ocosingo, Altamirano, Santa Margarita und San Cristóbal einnahmen. Anders als geplant, gingen in den nächsten Tagen nicht die Bilder der modernen Fabriken und glasverkleideten Einkaufszentren im Norden des Landes um die Welt, sondern Aufnahmen von maskierten Rebellen, die Gemeindebauten zertrümmerten, von Leichen am Straßenrand und Soldaten im Kampf.

»Wir sind die Nachkommen von Pancho Villa und Emiliano Zapata, die nichts haben, absolut nichts, kein Haus, kein Land, keine Arbeit, keine Gesundheit, keine ausreichende Ernährung, weder Bildung noch das Recht, frei und demokratisch unsere Repräsentanten zu wählen«, verkündeten die Rebellen. »Und NAFTA ist das Todesurteil für alle indianischen Völker Mexikos.« Der Freihandelsvertrag limitierte die wirtschaftliche Eigenständigkeit der Mexikanischen Republik. Vor allem die Landwirtschaft würde im Konkurrenzkampf mit den amerikanischen Agrarkonzernen leiden. Für die Indiobauern, die schon vor NAFTA unterhalb des Existenzminimums leben mussten, blieb da kein Platz mehr.

Als ich an die Straßensperre vor der Kaserne von Rancho Nuevo ankam, war es schon dunkel. Die Truppen dort waren äußerst nervös. Am zweiten Tag des Aufstands hatten die Zapatistas Rancho Nuevo angegriffen, obwohl dies die größte Garnison im südlichen Mexiko ist. Seither herrschte unter den Soldaten eine leichte Panik. Ein Kleinbus, voll besetzt mit einer vierköpfigen Familie, hatte sich wenige Tage später der Straßensperre genähert. Der Vater am Steuer verwechselte in der Aufregung die Pedale, drückte aufs Gaspedal, so dass der Wagen einen Satz nach vorne tat. Die Soldaten eröffneten das Feuer und schossen so lange, bis sich im Wagen nichts mehr rührte.

Wochen nach dem offiziellen Waffenstillstand waren die Truppen von Rancho Nuevo immer noch in innerem Alarmzustand. »De dónde? A dónde?« Woher, wohin? Während sie tagsüber den arroganten Ton der Schikane pflegten, klang nachts

Unsicherheit in ihrer Stimme mit. Langsam fuhr ich weiter. Plötzlich im Dunkel ein Soldat am Straßenrand. Er winkte mich mit einem weißen Papierbogen zur Seite. Ich fuhr an den Rand. Keiner der Soldaten kam auf mich zu. »Was ist los?«, rief ich, bekam nur Geschrei zur Antwort. Im Dunkel konnte ich erkennen, wie die Soldaten auf meinen Wagen anlegten. Ich hatte das Handzeichen missverstanden. »Weiter! Weiter!«, rief einer atemlos.

Ein paar Kilometer weiter lag San Cristóbal de las Casas. Ein »Juwel der Kolonialzeit voll herrlicher Kirchen, die verträumten Straßen von Indios bevölkert, die ihre traditionellen Trachten tragen«, wie die Reiseführer schrieben. Eine beklemmende Stimmung herrschte während der Friedensverhandlungen in der Hauptstadt der Touristen, die sonst von hier aus ihre Ausflüge zu den Mayatempeln und Indianerdörfern starteten. Panzer kamen mir entgegen, Lastwagen der Armee mit Soldaten in Kampfausrüstung auf der Ladefläche. In der Altstadt waren die Lokale und Souvenirläden verwaist.

Während der Besetzung hatten die Zapatistas in den Säulengängen der Plaza Marzo Trenta y uno vor den Souvenirläden und Banken ihr Lager aufgeschlagen, sie hatten den Regierungspalast gestürmt, das Mobiliar zerschlagen und die Grundbücher verbrannt, in denen die Ungerechtigkeit der feudalistischen Besitzverhältnisse festgeschrieben stand. Jetzt war der Hauptplatz von Soldaten umstellt, die in einem Meter Abstand entlang der Bürgersteige standen. Dahinter ein zweiter Ring um die Kathedrale – Menschenrechtsaktivisten und Mitglieder des Roten Kreuzes. Neunzehn Abgeordnete der Zapatistas waren nach San Cristóbal zurückgekehrt, um in der Kirche auf Vermittlung von Bischof Samuel Ruiz mit der Regierungsdelegation über einen möglichen Friedensvertrag zu verhandeln.

Die Verhandlungen in der Barockkathedrale liefen gut. Schon am vierten Tag verkündeten die Delegierten, dass man sich auf ein Viertel aller Punkte geeinigt habe. Das Tempo war rasend schnell für Friedensverhandlungen in einem zentralamerikanischen Bürgerkrieg. In El Salvador brauchten die Parteien zehn Jahre, um einen Frieden auszuhandeln. In Guatemala trafen sich Regierung und Guerilla damals seit drei Jahren regelmäßig, ohne dass sie bisher zu irgendeinem Ergebnis gekommen waren.

Jeden Morgen versammelten sich die drei Parteien in aller Frühe, um über die Forderungen zu beraten. Die Zapatistas beanspruchten die Selbstverständlichkeiten, die man ihnen seit Jahrzehnten vorenthalten hatte: Trinkwasser, Straßen, elektrischen Strom und Schulen, ein Ende der Diskriminierung und Respekt für ihre Kultur. Nur in einem Punkt gingen sie weiter: Sie forderten einen landesweiten Demokratisierungsprozess, vor allem eine Wahlreform, da die PRI damals seit fünfundsechzig Jahren mit offenem Wahlbetrug regiert hatte. »Solange es in Mexiko keine echte Demokratie gibt, kann es auch keine Gerechtigkeit in Chiapas geben«, sagten die Zapatistas.

Spät am Abend kamen sie dann in dem riesigen Kirchenschiff zusammen. Vor dem reich verzierten Altar berichteten sie der Presse von den Ergebnissen. Die Zapatistas trugen Anoraks und Gummistiefel. Ihre Gesichter verbargen sie hinter ihren Skimasken, die ihnen etwas Geheimnisvolles, Martialisches gaben. Samuel Ruiz, ein rundlicher Herr mit Brille und grauem Haarkranz, sonst meistens in Pulli und Jeans, trug bei den Konferenzen sein weißes Bischofsgewand. Manuel Camacho Solís, der siebenundvierzigjährige Vertreter der Regierung, wirkte ruhig und besonnen, ein Intellektueller und brillanter Diplomat. Daneben Subcomandante Marcos, der Sprecher der Zapatistas, ein breitschultriger Mann in schwarzen Hosen, schwarzer Jacke, ein rotes Halstuch um den Hals gebunden, zwei Patronengürtel über die Schulter hängen, einen dritten mit Schrotkartuschen quer darüber. Unter seiner schwarzen Maske konnte man einen Vollbart erkennen.

Marcos war der charismatische Volksheld, eine Robin-Hood-Figur, sein maskierter Kopf über der gegürteten Brust längst Popikone. »Tiene Cojones!«, sagten die Männer bewundernd. Der hat Schneid. Und die Frauen gestanden in den Straßeninterviews der Zeitungen und Radios, dass sie Marcos begehrten, dass er das neue Sexsymbol ist, »das die Romantik nach Mexiko zurückgebracht hat«. Auf dem Marktplatz von San Cristóbal verkauften die Indianer jetzt ihre Folklorepüppchen mit schwarzen Gesichtsmasken und kleinen Holzgewehren in den Händen.

Marcos führte die Pressekonferenzen mit Charme und Charisma. »Wir sind keine Terroristen. Wir sind keine Ideologen«, betonte er. Über seine eigene Person schwieg er sich aus. »Ich nehme meine Maske ab, wenn die mexikanische Gesellschaft ihre Maske abnimmt.« Als ihn ein Reporter fragte, ob er katholisch sei, sagte er nur trocken: »Was spielt es für eine Rolle, ob ich Moslem oder Christ bin? Das lenkt nur davon ab, um was es hier geht.«

Nur wenige Bruchstücke seiner Biographie sind bekannt. Sicher ist, dass er einer der wenigen Latinos in dem sonst nur aus Indios bestehenden EZLN war. Dem Dialekt nach kam er aus einer der Provinzen um die Hauptstadt. Er sprach mit heller Stimme und geschliffener Sprachmelodie, eher Intellektueller als Feldherr. Marcos hatte eine akademische Ausbildung, sprach etwas Englisch, Französisch und Italienisch, hatte als Journalist gearbeitet. 1983 war er mit zwölf Kameraden nach Chiapas gekommen, um Entwicklungs- und Aufbauarbeit zu leisten, vor allem aber, um das politische Bewusstsein der Landbevölkerung zu schulen. Schon bald sahen sie den bewaffneten Widerstand als einzigen Ausweg für die Maya von Chiapas und begannen in den Wäldern eine Armee aufzubauen, die dort seit zehn Jahren trainierte. Die Anleitungen zur militärischen Ausbildung bekamen sie aus den Ausbildungspapieren der amerikanischen Marines. Seinen »nom de guerre« lieh sich Marcos von einem Kameraden, der während des Aufbaus des EZLN in den Wäldern starb. Den Titel Subcomandante erklärte er: »Ich bin nur ein Befehlsempfänger der geheimen Komitees.« Marcos pflegte seinen Mythos. »Wenn ich sterbe«, sagte er, »wird ein anderer meine Maske tragen und meine Arbeit verrichten. Marcos wird leben. Für immer.«

In den Industrienationen hatte sich Marcos schon nach den ersten Tagen des Aufstands nicht nur als Held des Widerstands in der Dritten Welt, sondern vor allem als Ikone der neuen Protestbewegung etabliert, die sich während der neunziger Jahre aus der Bewegung radikaler Umweltschützer entwickelte. Seine anonyme Führungsrolle war das perfekte Symbol für eine neue Generation von Aktivisten, die keine Prominenz in den eigenen Reihen duldete, die keine Hierarchien und höchstens einige wenige Stimmführer akzeptierte. Marcos wusste sehr wohl um diesen Symbolismus. Er verkündete sogar: »Marcos ist schwul in San Francisco, schwarz in Südafrika, ein Asiate in Europa, ein Chicano in San Ysidro, ein Anarchist in Spanien, ein Palästinenser in Israel, ein Maya in den Straßen von San Cristóbal, ein Jude in Deutschland, ein Zigeuner in Polen, ein Mohawk in Quebec, ein Pazifist in Bosnien, eine alleinstehende Frau in der U-Bahn abends um zehn, ein Landbewohner ohne Land, ein Gangmitglied in den Slums, ein arbeitsloser Arbeiter, ein unglücklicher Student und selbstverständlich ein Zapatista in den Bergen.«

Selbst die mexikanische Regierung war von Marcos und den Zapatistas beeindruckt. »Dies ist mehr als eine Guerillabewegung«, sagte Juan Enriquez, einer der Unterhändler, die mit Camacho aus der Hauptstadt gekommen waren. »Das sind keine Fanatiker. Das EZLN hat berechtigte Motive.« Ungewohnte Worte von der Regierung eines Drittweltlandes, das mit Rebellen zu kämpfen hatte.

Zwei bärtige Mitglieder der Regierungsdelegation erzählten mir beim späten Bier in einer Bar, dass Marcos eine viel größere Wirkung hatte, als ihm die Regierung und die Medien zugestehen wollten. »Marcos hat den Geist aus der Flasche gelassen«, sagte der Betrunkenere der beiden, der eine Jacke aus indianischem Tuch trug. »In diesem Land stinkt so viel zum Himmel, die Leute haben nur auf einen wie Marcos gewartet.« Die ersten Solidaritätsaktionen waren schon gelaufen. Radikale Stadtguerillas hatten sich mit den Zapatistas solidarisiert und in der Hauptstadt Bomben hochgehen lassen. Eingeborene in Oaxaca, Santa Maria Xadani und San Mateo Matenco waren auf die Barrikaden gegangen. Hunderte von Indianern aus Guerrero waren elf Tage lang quer durch das Land nach Mexico City marschiert und hatten den Hauptplatz der Stadt besetzt. Einige Kleinbauern in Chiapas nahmen die Gelegenheit wahr und okkupierten ein paar Parzellen Land. Vor allem aber hatten die Menschenrechts- und Entwicklungsorganisationen aus dem In- und Ausland begonnen, das Problem Mexiko anzugehen.

Roger Maldonado war einer der Menschenrechtler, die seit dem Aufstand Tag und Nacht auf Achse waren. Der schmale Mann mit dem dunklen Lockenkopf und dem grauen Vollbart arbeitete schon seit zehn Jahren in Chiapas. Bis zum Aufstand war er Leiter der Comision para la Defensa de los Derechos Humanos gewesen, der Menschenrechtskommission. Jetzt koordinierte er die Arbeit der neu gegründeten Organisation CONPAZ, ein Verbund aus elf Gruppen, die sich in den ersten Tagen des Konflikts zusammengeschlossen hatten. In einem Ausbildungszentrum für Krankenpfleger hatten sie ihr Hauptquartier eingerichtet. Noch waren die Räume leer. Ein paar Schreibtische standen herum, Kartons mit Papier, zwei Faxmaschinen, ein Funkgerät. Roger Maldonado hatte sich in einem winzigen Zimmer im hinteren Teil des Gebäudes eingerichtet.

Er bewunderte die Zapatistas für ihre Klarheit und Disziplin. »Sie haben bewusst zivile Menschenleben geschont, nur ein paar Regierungsgebäude zerstört.« Nach zehn Jahren in Chiapas verstand er die Wut und Verzweiflung der Indios. »Die Wurzel aller Menschenrechtsverletzungen ist die Landverteilung«, sagte er. »Ziel des Büros für Landreform, das nach der mexikanischen Revolution gegründet wurde, war es, die ursprünglichen Besitzverhältnisse wiederherzustellen, den ursprünglichen Grundbesitzern, also den Indianern, zu ihrem Recht zu verhelfen. Hier in Chiapas haben wir allerdings immer noch Zustände wie im sechzehnten Jahrhundert. Alles war beim alten.« Er machte eine ratlose Geste. »Seit dem ersten Januar ist hier nichts mehr beim alten.«

Ein triumphierendes Lächeln huschte über sein Gesicht, doch dann bekam er sofort wieder seinen besorgten Blick. »In den ersten Tagen des Konflikts haben wir vor allem versucht, den Ring zu durchbrechen, den sie um San Cristóbal geschlossen haben«, erzählte er. »Die Armee reagierte auf die ersten Angriffe mit erbarmungsloser Härte. Jeder von uns kannte Leute in den Dörfern, in denen gekämpft wurde. Also formierten wir Friedenskarawanen, um gemeinsam durchzukommen. Erst gingen wir nach Corralito, die Gegend am Rand von San Cristóbal, die von der Armee bombardiert wurde.« Seither versuchten sie, zweimal in der Woche einen Konvoi mit Hilfsgütern, Ärzten und Menschenrechtsaktivisten in die Konfliktzonen zu schicken. Mit wechselndem Erfolg. »Die Armee lässt uns oft nicht durch.« Morelia, ein Dorf in der Nähe der umkämpften Stadt Altamirano, war zum Beispiel seit Beginn des Aufstands eingeschlossen. »Versuch, dorthin zu kommen«, bat er mich. »Sie trauen sich nicht, Journalisten aufzuhalten. Wenn die Armee sieht, dass dort ein Journalist auftaucht, lassen sie uns vielleicht endlich durch.«

Kurz vor Ocosingo bog die Straße nach Altamirano ab. Die Berglandschaft wechselte in eine hügelige Hochebene mit Weiden, auf denen Rinder grasten, und frisch gepflügten Feldern. Altamirano war die Hochburg der Finceros und Ganaderos, der Farmer und Viehzüchter, die riesige Ländereien besitzen. »Fragt in Altamirano nicht nach dem Weg«, hatte Maldonado mir geraten. Die Großgrundbesitzer hatten die Losung ausgegeben: »Periodista es Zapatista.« Für sie standen die Journalisten und die Zapatistas in diesem Konflikt auf derselben Seite. Sie hatten kein Verständnis für die Sympathie, die Journalisten den Schwächeren entgegenbrachten. Eine neue Landreform hätte sie die Hälfte ihrer Ländereien gekostet. Und wenn der Waffenstillstand nicht halten sollte, fürchteten die Farmer von Altamirano den Zorn der Zapatistas. »Und seid vorsichtig mit der Armee. Die arbeitet dort traditionell mit den Finceros zusammen und hat die Stadt quasi besetzt.«

Vor dem Ortseingang war die übliche Straßensperre aufgebaut, nur dass hier zusätzlich links und rechts von der Straße zwei Panzer eingegraben waren, die ihre Kanonen auf die wartenden Autos richteten. Dahinter, versetzt, zwei Maschinengewehrnester, dann ein Soldat im Gebüsch, die Hand am Seil der Nagelsperre. Hinter der nächsten Kurve wartete noch einmal ein Panzerwagen. Der Soldat auf dem Geschützturm legte die Hand an den Abzug und verfolgte meinen Wagen mit einer kurzen Bewegung des Maschinengewehrlaufs, bevor er wieder mit leerem Blick in die Kurve starrte. Hinter jeder Straßenecke standen lange Reihen Militärfahrzeuge. Sauberes, stumpfes Olivgrün, High-Tech aus Amerika und Deutschland.

Am Marktplatz rechts, hatte Roger gesagt, vier Blocks, dann begann die Staubpiste nach Morelia. Letzte Straßensperre vor dem Guerillagebiet. »A dónde?« – »Morelia.« Der Offizier starrte mir für Sekunden in die Augen, bevor er seine Gefreiten das Auto untersuchen ließ. Sie schauten unter die Motorhaube, befühlten die Polsterung der Überrollbügel, kramten durch die Taschen. Der Offizier ließ sich Zeit, reichte den Block mit meinen Daten zum Feldtelefon. Palaver mit der Kommandantur. »Si! Autorizada!« Um sechs sollte ich wieder zurück sein, sagte er mürrisch. Aber aufhalten durfte er mich nicht. Seit ein Armeeflugzeug einen Pressebus bombardiert hatte, mussten sie kooperieren. Die Mexikaner wussten, wie das Weltbild umschlägt, wenn Journalisten angegriffen werden. Jugoslawien, Somalia – als die ersten Reporter starben, wurde der Konflikt in den Medien zum Schlachtfest.

Eine Stunde ging es über die Piste, an Wiesen und Feldern vorbei, an einer Ranch, bis zur Anhöhe im Wald. Morelia. Eine Gruppe Männer stand am Ortseingang. Hoffnungsvoll schauten sie, was für ein Wagen sich heute durchgekämpft hatte. Links stand die Kirche, rechts der Gemeindebau und eine verriegelte Bretterbude, in der die Apotheke und der Gemeinschaftsladen untergebracht waren. Nur wenige Menschen waren zu sehen. Links von der Kirche stand unter einem Wellblechdach ein steinerner Backofen. Eine Gruppe Frauen formte aus Teig kleine Fladen, die sie mit Zucker bestreuten. Pan dulce, das süße Brot aus Weißmehl. Kinder sprangen zwischen ihnen herum. Drei Jungs spielten mit einer Schubkarre »Helicóptero« – Hubschraubereinsatz. Mit lautem Brummen drehte einer die Karre im Kreis, die anderen sprangen ab und jagten die anderen Kinder über die Wiese. Das Idyll täuschte. Morelia gehörte zu den Dörfern, denen die Armee während des Aufstands am härtesten zugesetzt hatte.

»Wir haben Angst um unseren Mais«, sagte Francisco Lana Santis, der ein Stückchen weiter vor seinem Haus stand. Der fünfundsechzigjährige Bauer mit dem rotbraunen Furchengesicht arbeitete seit seiner Kindheit mit den anderen auf den Gemeindefeldern. »Seit sechs Wochen waren wir nicht mehr auf dem Acker, weil uns die Soldaten mit ihren Flugzeugen gejagt haben«, erzählte er. »Jetzt ist es schon so spät im Jahr, dass wir nicht wissen, ob der Mais noch aufgeht.« Für sie als Tzeltal-Indianer war das eine apokalyptische Vision. Menschen aus Mais nannten sich die Maya in der Schöpfungsgeschichte ihres heiligen Buches Popol Vuh. Wer Mais vernichtet, versündigt sich an Gott, der Erde und den Menschen. »Gestern war ich zum ersten Mal wieder auf den Feldern«, sagte der Bauer. »Wir haben gesät, aber wir haben nicht einmal mehr genügend Werkzeuge.«

»Die Soldaten haben alles mitgenommen«, sagte Jesús, ein junger Katechist, der vor dem Aufstand mit Roger Maldonado zusammengearbeitet hatte. »Was sie nicht mitgenommen haben, haben sie zerschlagen.«

Fünfzig Familien lebten in Morelia. Niemand zählte die Tzeltal-Indianer pro Kopf. Fünfzig Panzer fuhren hier auf, um halb sieben Uhr früh am siebten Tag des Konflikts. Die Soldaten traten die Türen der Häuser und Hütten ein, zerrten alle auf den Dorfplatz. Die Männer mussten sich mit dem Gesicht nach unten auf den Boden legen, die Frauen, Kinder, Alten und Kranken am Rand hinknien. Bis abends um sechs mussten sie ausharren, während die Soldaten das Dorf durchsuchten, den Laden, die Apotheke und die Krankenstation zertrümmerten. »Sie haben alles geklaut. Werkzeuge, Essen und Geld«, erzählte Jesús.

Achtunddreißig Männer griffen sie sich heraus. Erst schleppten sie sie in die Kirche. Dort brüllten sie die Gefangenen an, dass sie gefälligst sagen sollten, wo sich die Rebellen verstekken. Doch Morelia hatte seine Neutralität bewahrt. Keiner wusste über die Pläne des EZLN Bescheid. Da begannen die Soldaten die Gefangenen mit Nadeln zu stechen, ihren Kopf in einen Wassereimer zu stecken, bis sie ganz blau waren, auf sie einzuprügeln. Drei nahmen sie mit – Severiano und Hermelindo Santis Gómez, zwei Bauern, und Sebastían Santis López, der den Gemeindeladen führte. Wochen später fanden die Bauern von Morelia ihre Knochen im Unterholz.

Warum die drei? Jesús seufzte. »Die Soldaten hatten eine Liste, die sie von den Großgrundbesitzern bekommen haben. Die wollten hier schon lange mal mit uns abrechnen.«

Morelia ist ein Ejido, eine Kooperative mit kommunalem Landbesitz, genauso wie das die Reformer der mexikanischen Revolution geplant hatten. Seit sechzig Jahren bestellten die Bauern von Morelia gemeinsam die Gemeindeäcker. »Allerdings kämpfen wir seit sechzig Jahren um unser Recht«, sagte Jesús. Der Vater des Großgrundbesitzers Don Castellano hatte nach der Revolution die Landvermesser und Beamten bestochen und den Bauern nur einen Bruchteil des Landes gegeben, das ihnen zustand, ein paar Berghänge, zu denen sie zwei Stunden durch den Wald laufen mussten. Doch der Ejido Morelia gab nicht auf. Durch den jahrzehntelangen Kampf war die Gemeinde hervorragend organisiert. Deswegen gab es hier Strom, Trinkwasser, eine Gemeindeapotheke. Und Leute, die wussten, wie man mit dem Papiertiger der PRI-Bürokratie kämpfte. Das hatte ihnen den Hass der Großgrundbesitzer eingebracht. »Dreimal war die Armee seit Ende der siebziger Jahre schon hier, hat versucht, uns einzuschüchtern«, erzählte Jesús. »Und einmal kamen die Guardias Blancas mit der Polizei. Sie haben uns als Kommunisten beschimpft und gedroht, uns alle umzubringen.«

Schon vor dem Aufstand hatten die Farmer in Altamirano Morelia bei ihren Freunden vom Militär als Guerilladorf verleumdet. »Die Armee hat uns hier seit Anfang Januar eingeschlossen«, sagte Jesús. »Niemand kommt durch. Langsam gehen uns die Bestände aus. Zucker, Salz, Kaffee.« Letzte Woche hatten mexikanische Studenten versucht, mit einem Hilfskonvoi Medikamente und Lebensmittel nach Morelia zu bringen. Die Armee ließ sie nicht durch. Genausowenig wie CONPAZ oder das Rote Kreuz. Deswegen schickten die Menschenrechtsorganisationen so oft wie möglich Journalisten nach Morelia. Als menschlichen Schutzschild. »Die Guardias Blancas rüsten auf«, sagte Jesus. »Davor haben wir mehr Angst als vor der Armee.« Er hielt kurz inne, schaute mir ernst in die Augen. »Als erstes wollen sie ein paar Journalisten erschießen und das den Zapatistas in die Schuhe schieben.«

Am nächsten Tag gingen in der Kathedrale von San Cristóbal die Friedensverhandlungen zu Ende. Ein Zapatista verlas noch einmal den Katalog der Forderungen. Camacho antwortete mit dem Angebot der Regierung: Amnestie für die Zapatistas und eine lange Liste von Programmen und Initiativen. »Wir geben die Stärke der Waffen für die Kraft der Worte auf«, beschloss er seine Rede. An die Presse ließ er Erklärungen verteilen, dass »nationale Themen nicht Gegenstand des Friedensvertrages sein können«. Bischof Ruiz sprach mit schwerer Stimme ein Schlusswort. »Dies war die erste Etappe auf dem Weg zum Frieden.«

Zu oft schon hatte die Regierung ihre Versprechen nicht gehalten. In hundertachtzig Tagen wollten sich die Partien noch einmal treffen. Bis dahin sollte die Regierung beweisen, dass sie es ernst meinte. Dann erst sollte ein Friedensvertrag unterzeichnet werden.

Subcomandante Marcos bewies am nächsten Tag noch einmal, wie geschickt er mit den Medien spielen konnte. Er lud die Journalisten ein, mit ihm in den Wald zu kommen, wo er mit den Indiogemeinden über die Friedensangebote der Regierung verhandeln würde. Eine Stunde vor Sonnenaufgang fuhr der erste Konvoi voll besetzt mit Journalisten und Rebellen Richtung Santa Margarita los. Marcos stieg jedoch erst in den zweiten Bus, der nach San Miguel fuhr. Dort verabschiedete sich der Kommandant, verschwand alleine im Wald. Die Presse hatte ihren Dienst als Schutzschild getan, ihn sicher durch die Armeesperren gebracht.

Erst am nächsten Tag lud er ein einziges Fernsehteam ein, die

Mannschaft von 60 Minutes, der wichtigsten Nachrichtensendung des amerikanischen Senders CBS. Der maskierte Marcos führte den Reporter durch ein armes Bergdorf. Auf einer Lichtung präsentierten maskierte Rebellen ihren Waffendrill. In einer Holzhütte mit Lehmboden das Hauptquartier der Zapatistas – ein paar Tische, ein Funkgerät, sonst nichts. »Was, wenn die Regierung ihre Versprechungen nicht einhält?«, fragte der Reporter. Marcos hielt kurz inne. »Dann wird der Krieg weitergehen.«

Heimkehr in die Fremde

Guatemala

Irgend jemand rief: »Die Flüchtlinge kommen!«, die Kinder räumten die Straße, die Zöllner stellten sich in Position, und dann konnte man sie schon sehen: Zehn Schulbusse krochen die Serpentinen hinauf, die Wellblechkarosserien frisch in einheitlichem Weiß lackiert. Kurz vor der Holzschranke des Grenzübergangs La Mesilla fuhren sie an den Straßenrand. Die Hydraulikbremsen rasteten ein, Türen öffneten sich, Menschen drängten ins Freie. Frauen und Mädchen in der bunten Tracht der Quiché-Indianer, Männer und Buben in Anoraks und Gummistiefeln. Die Ausweispapiere in der Faust, ließen sie sich von den mexikanischen Zöllnern über die Straße scheuchen. Neugierig schauten sie sich um. Zehn Jahre waren sie in Mexiko gewesen. In den Flüchtlingslagern tief in den Wäldern entlang der Grenze, in denen sie erst wild kampiert hatten, bis der Krieg schließlich Zehntausende vertrieben hatte und die mexikanische Regierung eine Straße bauen musste, damit die Lastwagen der Hilfswerke Nahrungsmittel, Kleider und Baumaterial bringen konnten.

Jetzt waren es bis in die alte Heimat Guatemala nur noch ein paar Schritte. Die Schranke war schon nach oben geschwenkt. Links und rechts verschwand der Zaun aus Stacheldraht im

Föhrenwald, der sich die steilen Hänge hinaufzog, unterbrochen von Bergweiden, gelb versengt von der Sommersonne. Auf der Nordseite des Zauns, in Mexiko, standen zwei Zollbaracken aus Beton. Hier sollten sie den Ausreisestempel bekommen. Auf der Südseite, in Guatemala, stand eine Zollbaracke aus Ziegeln. Hier sollten sie sich anmelden. Geduldig stellten sie sich in die Schlange, um sich von den UNO-Helfern die Formulare erklären zu lassen, mit denen sie wieder in ihre alte Heimat eingebürgert würden.

Keiner wollte sie haben, aber an diesem Tag ließ sich das niemand anmerken. Die Honoratioren aus Mexiko nicht und die Empfangsdelegation aus Guatemala schon gar nicht. Sie versuchten sogar, ein bisschen Volksfeststimmung aufkommen zu lassen. Eine mexikanische Schulklasse marschierte auf. In Reih und Glied exerzierten die Kinder Formation und Gleichschritt, sangen die Nationalhymne mit Blaskapelle und Trommeln. Der Staatssekretär für Flüchtlingsfragen war höchstpersönlich aus Mexico City angereist. Er trat als erster ans Mikrofon. »Meine lieben Brüder und Schwestern aus Guatemala. Mit offenen Armen haben wir euch in der Not des Krieges aufgenommen. Mit offenen Armen empfängt euch eure Heimat im Frieden.« Tusch, Marsch, Salut, dann übernahm der Flüchtlingskommissar von Guatemala das Wort: »Willkommen in der Heimat. Ihr werdet ein neues Leben beginnen.« Die Flüchtlinge starrten ins Leere. Keiner zeigte eine Regung. Sie waren nicht trotzig, nicht zornig. Nur müde. Außerdem war ihnen kalt.

Zehn lange Jahre hatten sie ausgeharrt, in Hütten, Zelten und Hängematten gehaust, ein bisschen Dschungel gerodet, um Mais und Bohnen anzubauen, im nicht enden wollenden Provisorium gelebt, in der Hoffnung, eines Tages, wenn der Bürgerkrieg einmal vorbei sein würde, nach Guatemala zurückzukehren. Der Bürgerkrieg war zu diesem Zeitpunkt zwar nicht vorbei, aber zurück mussten sie trotzdem. Von der Regierung in der fernen

Hauptstadt Mexikos, die mit den lästigen Vertriebenen nichts anzufangen wusste, hatte es noch nie viel Geld gegeben, die UNO und die Kirchen hatten die Lager am Leben erhalten. Aber dann waren die Budgets gestrichen worden. Einziger Hoffnungsschimmer: Die Regierung von Guatemala hatte sich bereit erklärt, mit der UNO zusammenzuarbeiten, mit der Guerilla zu verhandeln, einen Friedensplan auszuarbeiten. Denn ohne die kommunistische Gefahr waren die lateinamerikanischen Guerillagruppen zu lokalen Ärgernissen verkommen, die keine Militärhilfen mehr erhielten. Jetzt gab es von den Spendernationen nur noch Geld für den Drogenkrieg und vor allem für die Demokratisierung. Und dafür musste die Regierung guten Willen beweisen. Vertriebene wieder anzusiedeln galt da als entscheidender Schritt zu Frieden und Freiheit.

Vor allem der mexikanischen Regierung lag viel daran, dass in dem kleinen Bergstaat an der Südgrenze Mexikos Frieden und Freiheit einkehrten. Nicht sosehr wegen der Flüchtlinge. Die waren in den Lagern gut untergebracht. Vielmehr befürchtete die mexikanische Regierung, der guatemaltekische Bürgerkrieg könnte sich über die Grenze hinweg ausbreiten. Nach Chiapas, jenem verarmten Bundesstaat, in dem die Bevölkerung wie in Guatemala zu achtzig Prozent aus Nachkommen der Maya bestand. Seit einigen Jahren brodelte es dort unten. Intellektuelle aus den Städten hatten damit begonnen, die Bergbauern zu organisieren. Ein Pulverfass, das am Neujahrstag des Jahres 1994 im Aufstand der Zapatistas explodierte.

Doch es gab einen großen Unterschied zu Guatemala. In Mexiko wehrten sich die Landbewohner gegen eine korrupte Regierung, gegen habgierige Großgrundbesitzer, gegen den Neoliberalismus, der aus Mexiko ein Schwellenland gemacht hatte, in dem kein Platz war für die Mikrowirtschaft der Bergbauern. In Guatemala hatte sich der Klassenkonflikt schon Jahre zuvor zur systematischen Verfolgung der Maya ausgeweitet. Seit

1954 führte die Regierung den Krieg gegen ihr eigenes Volk, als der Oberst Carlos Castillo Armas mit Hilfe des CIA die Regierung des Landreformers Jacobo Arbenz stürzte. Bald hatten die regierenden Militärs begriffen, dass der Widerstand in der Kultur der Maya wurzelte, die ihr traditionelles Leben als Bauern weiterführen wollten.

Der Höhepunkt des Massen- und Kulturmords war die Schreckensherrschaft von General Rios Montt. Obwohl er nach seinem Putsch im März 1982 nur bis zum August 1983 regierte, grenzte sein Feldzug gegen die »Wilden«, wie er die Maya nannte, an Völkermord. Und er führte seinen Krieg im Namen Gottes, denn der General war gleichzeitig ein Priester der Iglesia Evangélica El Verbo, der guatemaltekischen Mission der amerikanischen Evangelistenorganisation Gospel Outreach. Als Prediger liebte es Rios Montt, in Bildern zu sprechen. »Die Guerillas sind der Fisch. Das Volk ist der See«, sagte er, um seine Antiguerillataktik zu erklären. »Wenn man den Fisch nicht fangen kann, muss man den See trockenlegen.«

Was wie die frommen Worte eines Heiligen klingen sollte, war die Rationalisierung des wohl brutalsten Bürgerkriegs in der Geschichte Lateinamerikas. Unter Rios Montts Führung zerstörte die guatemaltekische Armee vierhundert Dörfer, sie brachte Zehntausende Zivilisten um, verübte zahllose Verbrechen, von Folter und Vergewaltigung bis zu Plünderung und Diebstahl. Aber Rios Montts Verfolgung der Maya lag eben kein Rassismus zu Grunde, sondern der Versuch, eine Kultur auszurotten.

Nachdem fünfundachtzig Prozent der Guatemalteken Eingeborene waren und fast keiner im Land behaupten konnte, er sei reinblütiger Weißer, definierte sich die herrschende Klasse durch Religion und Kultur. Deswegen hatten die Unterdrückten die Möglichkeit, von der Oberschicht akzeptiert zu werden, wenn sie ihre Traditionen verleugneten, zum Evangelismus konvertierten und westliche Kleidung trugen. Über zwei Millionen Guatemalteken hatten die Evangelisten schon bekehrt – fünfunddreißig Prozent der Bevölkerung. Über zehntausend Kirchen waren über das ganze Land verteilt. Die amerikanische Church of God alleine hatte in den achtziger Jahren durchschnittlich alle fünf Tage eine neue Kirche gebaut. Und als der ehemalige amerikanische Präsidentschaftskandidat und Fernsehprediger Pat Robertson in Guatemala auftrat, sahen sechzig Prozent aller Fernsehhaushalte im Land zu, mehr als bei der Fußballweltmeisterschaft. Die Kämpfe in den Bergen waren vielleicht zum Erliegen gekommen, der Kampf um die Seelen ging weiter.

»Ihr werdet in ein neues Guatemala zurückkehren«, rief der Flüchtlingskommissar freudestrahlend ins Mikrofon. »In ein Guatemala, das an Frieden und Fortschritt arbeitet.« Die Honoratioren und Militärs klatschten beflissen. Die Flüchtlinge schlugen ein bisschen die Hände zusammen und schauten auf den Boden. Sie trauten dem Frieden nicht und dem Fortschritt schon gar nicht. Der Mann in der beigen Hose und dem blauweiß gestreiften Hemd gehörte schließlich zu jener Regierung, die ihnen vor zehn Jahren die Armee in die Berge geschickt hatte. Hochmoderne, schwerbewaffnete Truppen, die die Indianerdörfer niedergebrannt hatten, das Vieh abgestochen, die Feigen korrumpiert, die Mutigen gefoltert, die Frauen vergewaltigt, die Kinder erschlagen. Sie hatten einen Krieg gegen ihr eigenes Volk geführt.

Vor der mexikanischen Zollbaracke stand ein Junge in der Schlange, der bei der Flucht noch ein Kind gewesen sein musste. Freute er sich, wieder in die Heimat zu kommen? Er nickte apathisch. Eigentlich war es nicht einmal ein Nicken. Er bewegte nur kurz das Kinn nach unten. Ich fragte ihn, ob er sich fürchte, nach Guatemala zurückzukehren. Er blickte zur Seite, überhörte die Frage. Neben ihm stand ein älterer Mann mit grauem Bart und hellblauer Regenjacke. »Natürlich haben wir Angst«, sagte er. »Der Krieg dauert nun schon über dreißig Jahre. Und er ist noch nicht zu Ende. Auch wenn das die da vorne jetzt behaupten.«

Der Mann hieß Ramón. Achtundfünfzig Jahre war er alt, Vater von fünf Kindern, ein Indianer vom Stamm der Quiché. Das Dorf, in dem er aufgewachsen war, in dem er seine Familie gegründet, Mais gepflanzt und mit seinem Bruder zwei Pflugochsen gehalten hatte, gab es nicht mehr.

Die Zerstörung hatte ganz langsam begonnen. Eines Morgens waren Soldaten in sein Dorf gekommen und hatten die Menschen aus den Häusern geholt. Sechs der Männer hatten sie abgeführt. Niemand erfuhr jemals, was mit ihnen geschehen war. Von da an waren die Soldaten immer wieder gekommen. Manchmal hatten sie nur Essen und Geld gestohlen. Manchmal nachts jemanden abgeholt. Richtig schlimm wurde es, als der Kommandant der Garnison behauptet hatte, in den Bergen hinter dem Dorf hätten sich Guerillas versteckt. Danach gaben sich die Soldaten nicht einmal mehr die Mühe, ihre Anschläge zu verbergen. Sie brannten die Felder nieder und behaupteten, der Mais sei Proviant für die Rebellen. Dann schleiften sie eines Tages drei Männer an den Dorfrand. Sie mussten sich hinknien, die Leute vom Dorf wurden zusammengerufen, dann schoss ein Offizier einem nach dem anderen in den Kopf. Eine Woche lang durfte sie niemand begraben. »Eine Warnung für alle, die mit der Guerilla kollaborieren«, hatte der Kommandant gesagt.

Als ein Trupp Soldaten schließlich das Nachbardorf niederbrannte, flohen Ramón und seine Familie ins Gebirge. Rund vierzig Menschen hatten sich aus dem Dorf aufgemacht. Ohne Ziel. Ohne Plan. Als sie die Nachricht gehört hatten, war ihnen die Angst nicht mehr wie sonst langsam ins Genick gekrochen. Sie hatte sie regelrecht überfallen. Jeder hatte eilig ein paar Habseligkeiten in Bündel verschnürt. Dann waren sie nach Einbruch der Dunkelheit mit schnellen Schritten in den Wald verschwunden. Mehrere Tage lang liefen sie immer weiter nach Norden. Im Wald lebten sie von Wurzeln und Blättern. Nur selten wagten sie, ein Feuer anzuzünden, um etwas Maisbrei zu kochen oder auf einem heißen Blech ein paar Tortillas zu backen. Der Rauch hätte sie verraten. Für die Armee war Flucht meist Beweis genug, dass jemand zur Guerilla gehörte, und wenn sie ein Flüchtlingslager entdeckte, ließ sie es von einem Flugzeug bombardieren. Wenn Flüchtlinge im Wald einer Patrouille begegneten, schossen die Soldaten meist ohne Warnung. Jeder, der sich im Wald versteckte, so die simple Formel der Militärs, musste ein Guerilla sein. Der einzige Ausweg war die Flucht über die Grenze.

In Mexiko irrten sie tagelang durch die Wälder. Sie verliefen sich in Schluchten, die nirgendwo hinführten, mussten vor Steilhängen kehrtmachen, hatten keine Karte, nur die Sterne als Anhaltspunkt. Bis sie endlich auf ein Flüchtlingslager stießen. Dort bekamen sie ein Zelt, etwas Maismehl und warme Decken. Immer länger wurden die Tage. Es gab nicht viel mehr zu tun, als auf die Lebensmittelzuteilungen zu warten, Wasser zu holen. Später legte Ramón mit ein paar anderen Bauern ein kleines Maisfeld an. Irgendwann traf er sogar ein paar seiner Nachbarn wieder, die sich Monate später hierher gerettet hatten. Sie erzählten, dass die Armee auch sein Dorf niedergebrannt hätte. Die meisten Familien wären schon in den Bergen gewesen, aber es hätte auch Tote gegeben. Soldaten hätten einen der Bauern mitsamt seiner Frau und seinen Kindern ins Haus gesperrt und bei lebendigem Leib verbrannt. Aber Genaues wusste niemand.

Hier in Mexiko waren sie vor den Armeetrupps sicher. Ein Abgesandter des UNO-Flüchtlingskommissariats hatte ihnen erklärt, dass sie unter dem Schutz der internationalen Gemeinschaft stünden. Den meisten war das ziemlich egal gewesen. Sie wollten nur etwas zu essen und möglichst bald wieder nach

Hause. Ramón gehörte zu den wenigen, die sich alles ganz genau erklären ließen. Daheim in Guatemala hatte er mit der Bauernvereinigung gegen die Großgrundbesitzer gekämpft. Nicht mit dem Gewehr und von den Bergen aus, wie ihm ein Offizier einmal vorgeworfen hatte, sondern mit unzähligen Formularen in den Amtsstuben der Kreisstadt. Ramón hatte zum zivilen Widerstand gehört, der in den siebziger Jahren von Vicente Menchú und seiner Tochter Rigoberta begonnen wurde. Vicente Menchú war ums Leben gekommen, als die Bauern die Spanische Botschaft in Guatemala City besetzt hatten und die Armee das Gebäude einfach anzündete, statt es zu räumen, und alle Besetzer verbrennen ließ. Seine Tochter hatte den Kampf dann weitergeführt, sie hatte sogar ein Buch darüber geschrieben und schließlich 1992 den Friedensnobelpreis bekommen.

Hier bei den Flüchtlingen kannten sie »La Rigoberta« alle. Sie war fast wie eine Heilige, und seit sie den Nobelpreis bekommen hatte, mussten sich die Flüchtlinge auch nicht mehr wie Treibgut der Geschichte herumstoßen lassen.

In seinem Lager war Ramón einer der ersten gewesen, die die Flüchtlinge organisierten. Er hatte ein paar Gleichgesinnte um sich geschart, die wie er in den guatemaltekischen Bauernverbänden politische Arbeit gelernt hatten und sich nicht damit abfinden wollten, dass die Flüchtlingsorganisationen und Regierungen irgendwelche Pläne ausarbeiteten. Sie beschlossen, sich zu organisieren, und gründeten die Comisiones Permanentes, die mit den Organisationen verhandelten, mit der mexikanischen und schließlich auch mit der guatemaltekischen Regierung. »Wir wollten garantieren, dass wir sicher zurückkehren, und nicht in ein Kriegsgebiet«, erklärte mir Ramón, der inzwischen schon in greifbare Nähe der Barackentür vorgerückt war. Aber so ganz sicher schien er sich immer noch nicht zu sein. »Meine größte Angst ist, dass sie uns wieder verfolgen, sobald wir uns niedergelassen haben«, sagte er. »Die Armee sagt immer noch, dass wir mit der Guerilla unter einer Decke stecken.« Er zeigte zu der Marimbakapelle, die nun auf der guatemaltekischen Seite Volkslieder spielte. »Dieser freundliche Empfang ist doch nur Theater.«

In der guatemaltekischen Zollbaracke versuchten die Beamten des UNO-Flüchtlingskommissariats, Ordnung in den Flüchtlingsstrom zu bringen. Über zweihundert waren an diesem Morgen angekommen. Die Beamten drückten ihnen Stempel auf die Ausweiskarten, zählten ihnen das Begrüßungsgeld auf den Tresen. Rund hundertfünfzig Dollar pro Familie. Damit sollten sich die Heimkehrer ein Haus bauen, Lebensmittel und Saatgut kaufen. Die Beamten zuckten mit den Schultern. »Besser als nichts«, sagte der junge Spanier in der dunkelbraunen Windjacke, der das Geld auszahlte. »Die Regierung gibt den Flüchtlingen nur, was die internationalen Organisationen zur Verfügung stellen. Aus dem Land selbst kommt nichts.«

»Wenn Flüchtlinge nicht freiwillig zurückkehren, nutzen all die Wiederaufbauprogramme nichts«, erklärte mir einer der UNO-Beobachter, ein junger Franzose namens Jean-Claude, der eine blaue Regenjacke und Khakihosen trug. »Und solange gekämpft und getötet wird, ist es schwer, sie davon zu überzeugen, dass es zu Hause besser ist.«

Die Rückführung der Flüchtlinge aus Guatemala war Teil eines der Programme, die die Internationale Konferenz zur Lage der mittelamerikanischen Flüchtlinge (CIREFCA) entwickelt hatte. Die Zeit drängte. »Sobald eine Flüchtlingskrise aus den Medien verschwindet, versickern auch die Gelder für die Aktion dort«, sagte er. »Das ist ja auch verständlich. Wenn die Bilder von Millionen Flüchtlingen in Ruanda, Afghanistan oder dem Sudan auf CNN zu sehen sind, von denen jeden Tag Tausende sterben, interessiert sich niemand für die Probleme von vierzigtausend Guatemalteken, die schon seit zehn Jahren unterwegs sind und sich leidlich eingerichtet haben.« Im Jargon der NGOs, der Nichtregierungsorganisationen, wurde dieses nachlassende Interesse »Attention Fatigue« genannt, ein Problem, mit dem sich das Flüchtlingskommissariat der UNO andauernd herumschlagen muss. 1951 von der UNO gegründet, um die Ansiedlung von zwei Millionen Flüchtlingen aus dem Zweiten Weltkrieg zu überwachen, war das UNHCR nie als dauernde Einrichtung geplant. Deswegen gab es kein eigenes Budget. Jedes Projekt brauchte neue Spender.

In den letzten zehn Jahren hatte sich die Zahl der Flüchtlinge mehr als verdoppelt. Als nach dem Ende des Kalten Krieges die lokalen Konflikte eskalierten, traten immer größere Gruppen in immer kürzerer Zeit die Flucht in benachbarte Länder an. Weltweit waren es nach letzten Schätzungen zweiundzwanzig Millionen. Hinzu kamen noch geschätzte zwanzig bis fünfundzwanzig Millionen sogenannter »internally displaced persons«, die innerhalb ihrer Heimatländer auf der Flucht waren und dadurch nicht in die Zuständigkeit der internationalen Organisationen fielen.

»Das sind Krisen, die sind nicht so einfach zu lösen wie all die Jahre zuvor«, sagte Jean-Claude. »Ein paar Tausend Flüchtlinge kann man in den USA oder Europa neu ansiedeln. Vier Millionen Flüchtlinge aus dem ehemaligen Jugoslawien oder zweieinhalb Millionen Ruander konnte man unmöglich auf andere Länder verteilen.« Hinzu kommt, dass viele Flüchtlingskatastrophen kaum wahrgenommen werden – die vier Millionen Flüchtlinge aus dem Afghanistankrieg waren über zehn Jahre lang ohne Heimat, bevor die Weltöffentlichkeit im Krieg gegen den Terror begriff, was für ein Drama sich am Hindukusch abspielte. Für das Jahr 2004 zählte das UNHCR über drei Millionen Flüchtlinge aus Afghanistan, 1,6 Millionen aus dem Sudan, über eine Million aus den Kaukasusländern der ehemaligen Sowjetunion, sowie jeweils über eine halbe Million aus Burundi,

Liberia und dem Kongo, die teils im eigenen, teils in Nachbarländern in Lagern hausten. Tendenz weiter steigend. Anfang 2005 war die Zahl der Flüchtlinge weltweit von siebzehn auf über neunzehn Millionen gestiegen. Und das sind längst nicht alle Beispiele. »All diese Flüchtlinge brauchen internationalen Schutz und Hilfe, denn die meisten Länder, in die sich diese Millionen von Vertriebenen geflüchtet haben, kämpfen selbst mit Armut und inneren Unruhen.« Deswegen sind Wiederansiedlungsprogramme die einzige Lösung.

Die Regierung von Guatemala gab sich sichtlich Mühe, ein gutes Bild abzugeben. Einer der Beamten des Innenministeriums, ein untersetzter Herr, der die schwarz gefärbten Strähnen über die Stirnglatze gekämmt hatte und zur braunen Anzughose ein hellgraues Tweedjackett trug, verwies stolz auf das Programm seiner Regierung. Das Durchgangslager Huehuetenango, versprach er, sei eine vorbildliche Einrichtung. Ärzte und Zahnärzte würden dort auf die Flüchtlinge warten. Drei Mahlzeiten am Tag gebe es, Unterricht für die Kinder, Kurse für die Erwachsenen.

Ein Hupen unterbrach uns. Vier Stunden hatten die Zollformalitäten gedauert. Schulbusse aus Guatemala fuhren nun auf, frisch gewaschen und geputzt. Die letzten Flüchtlinge marschierten schweigend unter dem Schlagbaum hindurch in Richtung Heimat. Die Stimmung war etwas beklemmend. Die Marimbakapelle spielte noch einmal die Nationalhymne und ein Volkslied. Kaum jemand schien sich über den historischen Moment wirklich zu freuen. Nur ein betrunkener Mexikaner torkelte durch den Flüchtlingszug. »Viva Mexico!«, grölte er. »Viva Guatemala!«

Auf dem Weg nach Huehuetenango fuhr der Konvoi durch die Schluchten und Täler der Kordilleren. Kaum ein Mensch war auf der Straße zu sehen, nur ein paar Bauern zu Fuß, die Feuerholz, Bretter oder ganze Baumstämme auf dem Rücken transportierten. Nahe der Stadt wurde die Landschaft immer flacher. Am Straßenrand tauchten nun in regelmäßigen Abständen Schützenpanzer auf, die hinter Werbetafeln und Schuppen in Stellung gegangen waren. Ein Minister aus der Hauptstadt wurde im Durchgangslager erwartet, der die Flüchtlinge fürs Fernsehen begrüßen würde, da wollte man nichts riskieren.

Der Konvoi bog in eine Seitenstraße, fuhr an der Mauer einer Kaserne entlang, die in Tarnfarben gestrichen war, ein Kilometer weiter das Lager. Helle freundliche Baracken. Ärzte und Schwestern in weißen Uniformen kamen dem Konvoi entgegen. Die Militärs hielten sich zurück. Nur am Eingang stand ein Geländewagen der Armee.

Kaum angekommen, wurden den Flüchtlingen Betten in den Schlafsälen zugewiesen. Danach wurden sie unter einem Wellblechdach an langen Tischen und Bänken aufgereiht. Freiwillige Helfer brachten große Töpfe mit Reis, Bohnen und Fleisch. Drei Tage würden die Flüchtlinge hier bleiben, sagte einer der Ärzte. Sie würden untersucht, die Kinder geimpft, man werde ihnen die Zähne richten und Schwerkranke fürs erste auf der Krankenstation behalten.

Nach dem Essen verteilten sich die Flüchtlinge übers Gelände. Einige legten sich schlafen, die meisten standen in kleinen Gruppen herum. Manuel, ein junger Mann, der zur schwarzen Arbeiterhose eine bunt bestickte, rote Trachtenjacke trug und etwas abseits eine Zigarette rauchte, schüttelte den Kopf. »Ich fühle mich so hilflos mit meiner Familie hier«, sagte er. Vier Kinder hatte er. Die beiden Jüngeren hatte seine Frau in Mexiko bekommen. Zwei von über zehntausend Kindern, die dort auf der Flucht geboren worden waren.

»Das Leben da drüben hat mich richtig zermürbt«, sagte er. »Man gehört nirgendwohin, hat keinen Platz, an dem man in Frieden leben kann. Das ist für uns besonders schwer. Wir Maya sind mit unserem Land sehr verwurzelt. Nicht umsonst nennt man uns die Maismenschen. Wir brauchen einen Ort, zu dem wir gehören, nicht nur irgendeinen Ort, an dem wir leben können. Und nun kehre ich in ein Lager zurück, das von genau jener Armee betrieben wird, die meine Eltern ermordet, meinen Bruder gefoltert, mein Dorf zerstört und mein Vieh abgestochen hat.« Er ließ sich auch nicht von der Versicherung des Lagerleiters beruhigen, dass die Armee am Lagereingang nur zum Schutz der Flüchtlinge da sei. »Das Flüchtlingskommissariat von Guatemala wird von der Armee dominiert«, sagte Manuel. »Und das Grundstück, auf dem dieses Lager hier steht, gehört zur Kaserne.«

Um die Feinheiten der Wiederansiedlungspolitik können sich Hilfsorganisationen in den seltensten Fällen kümmern. Der Auftrag des UNHCR lautet ganz dezidiert, »Flüchtlingen beizustehen und sie zu schützen«. Als Flüchtling gilt aber nur, wer seine Heimat verlassen hat. Kaum sind die Flüchtlinge im Heimatland angekommen, unterstehen sie wieder ihrer eigenen Regierung, ganz egal, wer die zu dem Zeitpunkt führt. Die Comisiones Permanentes von Guatemala hatten mehr als einmal Beschwerde eingereicht, dass die Armee die Wiederansiedlung kontrolliere und nach taktischen Überlegungen durchführe. So wurden die meisten Heimkehrer aus Mexiko in abgelegenen Landstrichen angesiedelt. Das Land, das sie ursprünglich bewohnt hatten, war in der Zwischenzeit an andere verteilt worden. Meist war es in der Finca eines der Großgrundbesitzer aufgegangen, die bis heute achtzig Prozent des bebaubaren Landes in Guatemala besitzen. Bodenreformen ließen sich in Guatemala nur zögerlich durchsetzen. Regierung und Armee hatten mit den Flüchtlingen auch etwas ganz anderes vor. Sie hatten neue Industriezentren gegründet, in denen sie Maquiladoras errichteten, Manufakturhallen, in denen die Arbeiter für ausländische Firmen Hemden zusammennähten, Pullover strickten oder aus Fertigbauteilen Geräte zusammensetzten. Dafür bekamen sie den Mindestlohn von zwei Dollar pro Tag.

Die Ansiedlung der Maya rund um die neuen Industriezentren war nicht nur eine wirtschaftliche Maßnahme, um einen Billiglohnmarkt für ausländische Firmen zu schaffen. Sie war fester Bestandteil des Krieges gegen die Mayakultur geworden. Die militärische Strategie basierte auf den »Counterinsurgency Tactics«, die die US Army im Vietnamkrieg entwickelt hatte. Und dazu gehörten vor allem drei Elemente: Umsiedlung, Organisation der Bevölkerung in Zivilpatrouillen und das Prinzip der verbrannten Erde. In den abgeschiedenen Ecken des Landes zerstörte die Armee Dörfer, Felder und Vieh, damit der Guerilla die zivile Basis entzogen wurde.

Genau diese Taktik war es, die an die Wurzeln der Mayakultur ging. Die Maya lebten seit Urzeiten in Dorfgemeinschaften, die über weite Landstriche verteilt waren. Die Armee siedelte sie deswegen nicht nur in Militärzonen um, sondern zwang sie, in Modelldörfern zu leben, die nach europäischem Muster gebaut waren.

Ich hatte so ein Modelldorf besucht – Acul, fünfzehn Kilometer von Chajul entfernt, der Kreisstadt des Ixíl-Dreiecks. Früher einmal war Acul ein traditionelles Mayadorf, weit verstreut über die Landschaft. Drei Wochen nach dem Militärputsch von General Rios Montt im Jahr 1982 war die Armee gekommen. Die Soldaten schleppten die Männer des Dorfes zur Kirche und teilten sie in zwei Gruppen. »Die hier fahren zur Hölle, die hier zum Himmel«, sagten sie und sperrten die zur Hölle Verdammten in die Kirche. Die für den Himmel Bestimmten mussten auf dem Friedhof Gräber ausheben. »Sie brachten die Männer aus der Kirche«, erzählte mir einer der Überlebenden. »Die Soldaten stellten sie neben die Gräber. Dann schossen sie ihnen in den Kopf, so dass ihr Hirn meterweit spritzte. Wir mussten dann alles aufputzen.« Dass die Offiziere das Massaker in der Kirche veranstalteten, war eine unmissverständliche Botschaft ans Volk.

Als ich nach Acul kam, schien alles so ruhig und verschlafen wie in jedem beliebigen Bergbauerndorf. Eine ungeteerte Straße führte in den Ort. Links und rechts bogen schnurgerade Schlammpisten ab, an denen Hütten mit Wellblechdächern stehen. Auf dem Hauptplatz war die Zivilpatrouille postiert – ein Wachturm mit einem Brett, auf das mit Pinselstrichen die Buchstaben PAC gemalt waren, Patrulla de Autodefensa Civil. Ein Maya stand dort oben, den hellen Strohhut der Zivilpatrouille auf dem Kopf. Er hatte einen Karabiner am Lederriemen umgehängt und beugte sich über Wollknäuel und Nadeln. »Das ist unser Wirtschaftsprogramm«, erklärte er mir stolz. »Wir strikken hier Pullover für Liz Claiborne.«

Rund um den Dorfplatz standen weitere Patrulleros und strickten, ihre Karabiner griffbereit neben sich. Wofür die Gewehre? »Für den Frieden«, sagte einer, der zum Strohhut Regenjacke und Gummistiefel trug. »Für den Frieden, für Gott und das Volk.« Die Patrulleros waren gläubige Männer der evangelistischen Kirche. Nur wenige Katholiken waren unter ihnen.

In anderen Dörfern hatten mir Einwohner erzählt, dass die Armee darauf achtete, evangelistische Indianer in diesen Dörfern anzusiedeln. Die übernahmen dann meist die Führung der Zivilpatrouillen, die offiziell eigenständige Selbstverteidigungsgruppen gegen die Guerilla waren. Sie erzählten mir auch, dass sich die Patrulleros als kleine Diktatoren aufspielten. Sie benutzten ihre Gewehre vor allem dazu, den Rest des Dorfes zu terrorisieren.

Guatemala ist nicht das einzige Beispiel in der Geschichte Lateinamerikas, dass der Evangelismus als Waffe benutzt wird. In Chile rechtfertigte General Pinochet seinen Putsch, bei dem er 1973 die demokratische Allende-Regierung stürzte, mit einer

Erklärung von Geistlichen der Methodistenkirche: »Die Erhebung der Armee war eine Antwort Gottes auf die Gebete aller Gläubigen, die im Marxismus die mächtigste Form des Bösen und der Finsternis sehen.«

Somoza benutzte evangelistische Predigten, um die Verfolgung der »gottlosen Kommunisten« in Nicaragua zu legitimieren. Genauso die Diktatoren von El Salvador, die zahlreiche katholische Priester und den Erzbischof Romero töten ließen. Doch nirgendwo war der Kreuzzug der Evangelisten so erfolgreich und brutal wie in Guatemala. Hier kämpften die Soldaten nicht nur gegen die Bedrohung des säkularen Sozialismus, sie behaupteten, dass sie die Wilden erobern und zivilisieren müssten.

Die Heimkehrer aus Chiapas zogen an diesem Tag in den Nordwesten des Landes weiter, in die Nähe von Playa Grande, einem Bergdorf und Armeestützpunkt im Bezirk von Alta Verapaz. Hier hatte der Krieg besonders heftig getobt. Deswegen hatte die Armee überall Kasernen und Posten errichtet. Die ideale Gegend, um Flüchtlinge im Auge zu behalten.

Frühmorgens brach der Konvoi am vierten Tag nach seiner Ankunft in Huehuetenango auf. In Cobán, dem letzten größeren Ort auf dem Weg, machte er noch einmal Halt. Polígano 14 hieß sein Zielort. Der bestand aus nicht mehr als einer Lichtung im Wald, normalerweise einen knappen Tagesmarsch von der Landstraße entfernt. Die Armee hatte mit dem Hubschrauber einen Haufen Bretter und Wellblech dorthin geschafft. Damit sollten die Heimkehrer erst einmal ihre Hütten bauen. Saatgut und Lebensmittel, um die Zeit bis zur ersten Ernte zu überbrükken, gab es vom UNHCR. Doch das Wetter war schlecht. Der Marsch dauerte länger als geplant. Der Weg war schlammig, die Alten und Kinder kamen kaum vorwärts. Der kalte Regen sammelte sich in kleinen Sturzbächen und tiefen Pfützen.

Schweigend kämpfte sich der Tross durch den Wald. Als sie nach zwei Tagesreisen ankamen, war die Stimmung gedrückt. Hier oben in den Bergen war es nur kalt und klamm. Die Rodung, die den künftigen Dorfplatz darstellen sollte, versank im Schlamm.

Die Armee hatte auch schon die Parzellen für die Hütten festgelegt. Raulito, ein Freund von Ramón, hatte von einem der Offiziere den Plan bekommen. In schnurgeraden Reihen sollten die Hütten aufgebaut werden. Jede Hütte nach dem gleichen Schema.

Manuel schnaubte verächtlich durch die Nase. »Polígano 14 ist kein Dorf, sondern ein Militärbezirk. Sie haben uns genau dort, wo sie uns haben wollten« – in einem der übersichtlichen Modelldörfer. In den meisten dieser künstlichen Siedlungen hatte die Armee Stacheldrahtsperren und Zivilpatrouillen eingerichtet. »Was für ein Alptraum«, sagte Manuel. »Viele von uns sind geflohen, um dem Einfluss der Armee zu entkommen. Jetzt landen wir im Lager.« Aber das sagte er nur ganz leise. Er wollte den anderen die Hoffnung nicht nehmen, dass es einen Neuanfang gab. Er seufzte. »Vielleicht wird ja alles gut.« Darüber musste er selbst lachen. »Das klingt ganz schön naiv, was?«

Die kleinen Generäle

Gaza

Die Buben am Strand wussten, was sie taten. In flachem Bogen warfen sie die Steine weit über die Brandung ins Meer, wo sie in einer kleinen Schaumkrone verschwanden. Sie suchten sich nicht die flachen Steine aus, die über das Wasser sprangen, sondern die dikken, kantigen Brocken, die weit flogen und hart aufkamen. Das hatten sie auf der Straße gelernt, an der Front der Intifada. Acht Jahre lang waren die Jungs von Gaza Yassir Arafats »kleine Generäle« gewesen, wie er sie in einer Ansprache in Jericho genannt hatte. Sie hatten Steine auf die Armee der Besatzer geworfen, Barrikaden gebaut, und wenn ihnen die Soldaten mit Tränengas und Gummigeschossen nachsetzten, machten die Fernsehteams Aufnahmen davon. Alle Welt kannte die Buben des palästinensischen Aufstands.

Als ich Gaza besuchte, herrschte zwischen der ersten und der zweiten Intifada ein kurzer, trügerischer Frieden. Die kleinen Generäle trugen Jacketts und Krawatten und hatten die Haare ordentlich gescheitelt. Oben im Hotel Philistin feierten die Erwachsenen an diesem Abend Hochzeit, und wenn die Buben ihre Steine auf eine Blechtonne warfen, weil das so schön Lärm machte, bekamen sie eine Ohrfeige, wie alle kleinen Jungs. Deswegen spielten sie lieber am Strand, auch wenn sich der Müll dort in Bergen türmte und das Wasser nach fauligem Fisch roch. Da hatten sie ihre Ruhe.

Nach einer Weile langweilten sich die kleinen Generäle. Sie stopften ihre Fäuste in die Hosentaschen und sahen sich nach neuem Spielzeug um. Bis sie den Verrückten fanden. Einen halbwüchsigen Burschen mit zerrauftem Haar. Er stand breitbeinig da, streckte seinen Arm wie ein Gewehr von sich und machte Schießgeräusche. »Hey«, riefen die Jungs und umzingelten ihn. »Wo steht der Feind?« Der Verrückte machte ein finsteres Gesicht. »Peng«, sagte er und schoss noch einmal aufs Meer. Dann lief er davon.

Nach der ersten Intifada hatte Arafat seine kleinen Generäle schon bald vergessen. Er baute keine Schulen auf, sondern Geheimdienste. Sieben Dienste, die sich gegenseitig bespitzelten. Er verhandelte mit Israel, mit den Amerikanern, den Europäern, aber in Gaza hatte sich das Leben kaum verändert. Schon gar nicht in den Flüchtlings- und Elendsvierteln. Viele hier hassten ihn dafür. Sie hassten Arafat, seine Gefolgsleute aus Tripolis, sie hassten seine moderaten Ansichten, seine weltlichen Verbündeten. Vor allem aber hassten sie seinen Frieden.

Als Kind war auch Fadil einer der kleinen Generäle gewesen, aber dann hatte er sich der Hamas angeschlossen, der fundamentalistischen Organisation, die von Israel als Terrorgruppe verteufelt und von den Palästinensern von Gaza als Volksbewegung verehrt wird. Fadil hatte Geduld mit mir. Er wusste, dass ich wahrscheinlich nicht begreifen würde, warum er glaubte, dass die Hamas mehr für sein Volk getan hatte als Arafat mit seinem Friedensnobelpreis. Und warum er sich jederzeit eine Bombe umgeschnallt und in die Luft gesprengt hätte. »Für Allah zu sterben ist die höchste Form des Glücks«, sagte er und sah mir fest in die Augen. Er wusste, dass ich seinen Wunsch, für Allah zu sterben, nie nachvollziehen könnte. Und trotzdem wollte er ihn mir erklären.

Fadil war zwanzig Jahre alt, Student der islamischen Universität, ein hübscher Junge mit bernsteinfarbenen Augen und geschwungenen Lippen. Abends reiste er als Sänger durch den Gazastreifen. Schuhada hieß seine Gruppe, die Kapelle der Märtyrer. Zehn Burschen. Fünf sangen, die anderen spielten eine Art Revolutionstheater. Ihren Namen fanden sie, als bei einem Konzert vor zwei Jahren israelische Einheiten angriffen und zwei ihrer Mitglieder im Kugelhagel fielen. Da hörten sie auf, Hochzeitslieder zu singen. Seither verbreiteten sie die Botschaft der Fundamentalisten-Bewegung Hamas – islamisches Dogma und Aufruf zum Heiligen Krieg.

Fadil hatte früh gelernt, was Krieg bedeutet. Mit zwölf Jahren stand er in den vorderen Reihen der Intifada, warf Steine auf israelische Soldaten und errichtete Barrikaden. Bis zu jenem Nachmittag, als er mit seinem Freund Musa auszog, den Tod eines Nachbarn zu rächen. Gut hundert Burschen und Jungs waren zusammengekommen, zogen zu einem Posten der Armee, warfen Steine und Flaschen. Dann schossen die Soldaten nicht mehr in die Luft, sondern in die Menge.

Musa wurde in den Hals getroffen. Fadil schleppte ihn in einen Garten, lief wieder nach draußen. Fadil wurde selbst von einer Kugel getroffen. Im Krankenhaus erzählten sie ihm, Musa sei tot. »Da wusste ich nicht mehr weiter. Der Schmerz hat mich zerrissen«, erinnerte er sich. Ein Jahr lang traute sich Fadil nicht mehr auf die Barrikaden. Dann traf er in der Moschee einen Rekruteur der Hamas. Der hatte alle Antworten, erzählte ihm vom Heldentod, von den Ehren der Märtyrer im Himmel. »Da stand für mich fest, ich kann Musa nur rächen, wenn auch ich im Kampf sterbe.«

Die Ehre wurde ihm allerdings verwehrt. Fadil sollte nicht kämpfen. Fadil sollte singen. Draußen vor der Bühne wartete sein Publikum. Gut fünfhundert Männer, Burschen und Jungs. Strenge Gesichter, die Älteren trugen Vollbart. Sie alle gehörten zur Hamas. Ursprünglich war die Hamas eine Splittergruppe der fundamentalistischen Moslembrüder gewesen, die in Ägypten, im Sudan und einem Dutzend anderer arabischer Länder operierten. Der israelische Geheimdienst hatte sie zu Beginn der Intifada als Gegenkraft zur PLO unterstützt. Das Experiment ging nach hinten los – bald schon war die Hamas eine gnadenlose Front gegen Israel. Sie kämpfte mit gezieltem Terror, mit Autobomben und Selbstmordattacken.

Hier im Scheich-Raduan-Viertel waren die Islamisten in der Mehrheit, ein Machtblock gegen den Frieden mit Israel, die PLO und die weltlichen Sünden, geboren aus der Intifada, gewachsen im Verrat Arafats, der das Volk, den Koran und Allah an die Israelis verkauft hatte. So dachten jedenfalls die Männer der Hamas. Solange die israelische Armee immer noch die Verbindungsstraßen von Gaza kontrollierte, solange die bewaffneten jüdischen Siedler fast die Hälfte des Gazastreifens besetzten und die Grenzen nach außen geschlossen waren, wollten sie keinen Frieden mit Israel. Für sie hatte der Heilige Krieg erst richtig begonnen.

Seit dem Ende der Intifada kämpften sie nicht mehr mit Steinen und Messern. In den Armenvierteln von Gaza errichteten sie einen Gottesstaat. Sie führten die Massen auf den Pfad des Koran, speisten die Armen, pflegten die Kranken, bauten Moscheen und Schulen. Sie hatten viel Geld. Geld aus dem Iran, aus Saudi-Arabien, aus der Diaspora in Amerika und Europa.

Und deswegen hatte niemand mehr Strukturen in Gaza geschaffen als die Hamas. Die Israelis wollten sich nicht engagieren. Die PLO war außerstande dazu. Und damit nahmen sie Arafat die Chance, das Volk für sich zu gewinnen. Sie erzogen eine ganze Generation für den Heiligen Krieg. In Trainingscamps für die Jugend wurden die Allerbesten dazu auserkoren, in der Esse-din-el-Kassam-Brigade zu kämpfen, der Attentäter-Truppe der Hamas. Nur den Brigadisten wurde die höchste Ehre zuteil – für Allah zu töten. Und zu sterben.

Im Moment saßen die Söhne der Hamas ganz still auf ihren Stühlen. Frauen und Mädchen spähten aus den Fenstern, denn sie durften keine fremden Männer sehen und deswegen auch nicht mitfeiern. Die Bühne war mitten auf der Straße aufgebaut, zwischen dreistöckigen Baracken aus rohen Ziegeln und Beton, wie man sie überall in Gaza sah. Der Abend begann – ein Imam las einige Suren aus dem Koran, danach hielt ein Aktivist der Hamas eine Rede. Beide verfluchten das Volk der Juden. Bei den Fundamentalisten von Gaza gehörte das zum üblichen Festprogramm, so wie heute abend bei der Hochzeit von Yussuf, dem Gemüsehändler. Geduldig wartete die Menge auf den Höhepunkt – den Auftritt der Schuhada.

Fadil und die neun anderen der Schuhada rollten in einem Rohbau neben der Bühne ihre Gebetsteppiche aus. Abu Hamsr, der die Theaterstücke der Gruppe schrieb, führte das Gebet. »Allah'u akbar.« Gott ist groß. Kniefall, Verbeugung, das Gebetsritual, dann stiegen die Sänger auf die Bühne. Fünf Männer im Studentenalter, kurze Haare, schwarze Hosen. Fadil trug ein Palästinensertuch um den Hals. Hinter ihnen waren Transparente aufgespannt, die maskierte Figuren mit Maschinenpistolen zeigten, Explosionen und Karikaturen von ängstlichen Israelis.

Den Blick geradeaus, begannen die fünf ihren Gesang. Sie priesen die Namen der toten Attentäter von Gaza: »Imad Aqel,

Sallah Jadallah – vorwärts, Helden der Kassam-Brigade!« Die Menge jubelte, sprang auf. Halbstarke skandierten: »Vorwärts!« Kleine Jungs warfen ihre Arme in die Luft, den rechten Zeigefinger in den Himmel gereckt, das Handzeichen der Hamas, das bedeutet: »Es gibt nur einen Gott, Allah den Allmächtigen.« Fadil ließ seine Stimme zittern, wie ein Muezzin beim Ruf zum Gebet. »Wir werden dieses Land nie verlassen. Rache ist unsere Mission.« Dann fielen die Sänger wieder in den Refrain: »Vorwärts, Helden der Kassam-Brigade!« Jedesmal wenn das Wort »Kassam« ertönte, ging ein Grölen durch die Menge. Kein Jubel, sondern Kriegsgeheul.

Die Musik war spartanisch. Fünf Sänger im Einklang, dazu ein blecherner Schlagzeugcomputer. »Der Koran erlaubt keine Instrumente«, hatte mir Nabeel vorher erklärt, der auf der Bühne gleich neben Fadil stand. »Bis wir in Gaza einen islamischen Staat haben, in dem die Korangelehrten Recht sprechen, können wir nicht selbst entscheiden, ob wir Instrumente spielen dürfen.« Aber nicht um die Musik ging es, sondern um die Botschaft. Die fünf sangen von den Helden des Heiligen Kriegs, von den Märtyrern der Hamas, vom reinen Glauben und dem Kampf um Palästina.

Jedem der Hamas-Helden hatten sie ein Lied geschrieben. Dem Scheich Achmed Jassin, der die Hamas gegründet hatte und lange Jahre aus dem Gefängnis führte, und der im März 2002 von israelischen Streitkräften durch einem Raktenangriff getötet werden sollte. Dem flüchtigen »Ingenieur« Yehiah Aiash, der den Selbstmordbombern die Pakete umschnallte. Imad Aqel, dem toten Chef der Essedin-el-Kassam-Brigade, dessen Bild in der ganzen Stadt hing. Sallah Jadallah, dem Leiter der Wachsman-Entführung.

Im Gazastreifen waren die Märtyrer nicht nur die Helden des fundamentalistischen Kampfs. Sie waren gleichzeitig Popstars, Ikonen und Heilige. Nirgendwo auf der Welt hatte Popkultur so wenig Bedeutung wie hier bei der Hochzeit des Gemüsehändlers. Schließlich hörten nicht einmal die weltlichen Jungs von der PLO westliche Musik. Pop stand für den Feind Amerika und den Teufel Israel. Die Imame predigten gegen Kino, Tanz und Theater. Und doch fand man alle Elemente der Popkultur im Märtyrerkult. Kleine Jungs liefen durchs Publikum, verkauften Porträts der Attentäter auf T-Shirts, Schlüsselanhängern und Postkarten. Für die meisten Kinder und Jugendlichen waren sie Traumfiguren und Vorbilder. Das hörten sie auf der Straße, das predigte der Imam in der Moschee, und alle kannten sie die Lieder der Schuhada.

Nabeel kündigte das nächste Lied an: »Dies ist ein Geschenk für unseren Märtyrer Sallah Jadallah.« Dabei deutete er hinter sich, auf das größte der Transparente, auf dem ein schmaler Mann im Pullunder abgebildet war. »Sallah ist die Blume, die Rose, der beste aller Männer«, sangen Schuhada. »Sallah, du hast dein Leben dem Paradies Allahs geopfert.« Jetzt reckten fast alle im Publikum die Rechte mit dem aufgerichteten Zeigefinger in die Luft.

Zwei Burschen im Publikum starrten schweigend auf die Bühne. Sallah Jadallah war ihr Bruder. »Wir sind stolz auf Sallah«, sagte der Jüngere, ein fünfzehnjähriger Knabe mit schwarzen Locken, der einen blauen Trainingsanzug trug. »Er ist ein Held. Allah wird ihn ehren.« Ein paar Männer traten an die Brüder heran, schüttelten ihnen ernst die Hand. Der Stolz gebührte auch ihnen.

Am nächsten Tag sah ich die Buben wieder. Sie wohnten mitten in Scheich Raduan, eigentlich ein bürgerliches Viertel, das die Jahre der Isolation jedoch in einen Slum verwandelt hatten. Die Straßen waren staubige Pisten, die Häuser unverputzt, und vom nahen Kloakensee wehten stinkende Schwaden herüber. Brütend heiß war es. Die wenigen Menschen drückten sich unter die

Schatten der Vordächer. Die Jungs führten mich zu ihrem Haus, einem schmucklosen zweistöckigen Bau, auf dem die altmoslemische Kriegsflagge wehte.

Auf der anderen Straßenseite hatten die verschiedenen islamischen Organisationen die Mauer einer Schule als Kondolenzbuch benutzt. »Hamas gratuliert der Familie des Märtyrers und schwört ewige Rache«, war da hingesprüht. »Der Islamische Dschihad trauert um die Entführer, die Helden der Kassam.« Ein buntes Graffito zeigte den maskierten Sallah Jadallah, wie er den Ausweis des entführten Wachsman hochhielt, ein Bild aus dem Video, das auf der ganzen Welt im Fernsehen gezeigt worden war. Daneben ein Zeugnis der Rache: »Die Kassam-Brigade bekennt sich zum Überfall in Ramallah, bei dem zwei Soldaten getötet wurden.«

Ihr Vater gewährte mir Audienz. Scheich Jadallah empfing mich im Besuchszimmer. Wuchtige Polstersessel standen um einen Teetisch. Der fünfzehnjährige Sohn servierte Mokka auf einem Silbertablett. Normalerweise empfing Scheich Jadallah hier Ratsuchende. Als Imam der Weißen Moschee und Mitbegründer der Hamas galt er als spiritueller Führer. Seit ihn die Israelis mit über vierhundert anderen Aktivisten der Hamas in die Berge des Libanon deportiert hatten, wo sie ein Jahr lang in Zelten lebten, als Held. Sein Wort galt.

»O ja, ich vermisse meinen Sohn aufs Schmerzlichste«, sagte der Sechsundfünfzigjährige, der trotz der Hitze einen schweren grauen Kaftan trug und die Kafiah, das palästinensische Kopftuch. Mit langsamen Bewegungen nahm er eine Tasse vom Tablett und schlürfte den dicken braunen Kaffee. »Doch der Schmerz ist nicht so groß wie der Stolz.« Auf den Tod seines Sohnes? Scheich Jadallah lächelte. »Der Märtyrertod ist das Größte, was ein Moslem seinem Gott schenken kann.« Hatte er seine Söhne zu Märtyrern erzogen? Er wiegte seinen Kopf hin und her. »Ein Märtyrer zu werden ist Wunsch jeden

Moslems. Dieser Wunsch ist fester Bestandteil unseres Glaubens.«

Scheich Jadallah erklärte sich viel Leid mit Martyrium. Sein eigener Vater war 1948 bei der Vertreibung getötet worden. Sein Onkel, seine Brüder und Freunde waren in den Kriegen und während der Besatzung gestorben. Das machte seine Botschaft so wirkungsvoll. Siebzig Prozent der Gazawis waren Flüchtlinge. Sie hatten nichts, nur den Glauben an den Lohn im Paradies.

Die Geschichte seines Sohnes Sallah begann wie die der meisten Hamas-Aktivisten während der Intifada. Wie alle Jungs in der Nachbarschaft attackierten Sallah und sein älterer Bruder Khaled die Armee mit Steinen und Flaschen. Bis zu jenem Abend, an dem die Soldaten zurückschossen. Khaled wurde getroffen, die Ambulanz kam nicht durch, und er verblutete in Sallahs Armen. Der damals Siebzehnjährige schwor Rache.

Nach außen hin begann er ein bürgerliches Leben. Er ging zur Moschee und zur Schule, fing eine Lehre als Röntgentechniker an. Doch nachts ging er für die Hamas auf die Straße. Erst leitete er eine Gruppe Sprüher und Kleber, die die Mauern der Stadt mit Hamas-Slogans überzogen. Dann schmuggelte er Kämpfer in die Westbank-Gebiete bei Jerusalem, fälschte Papiere und organisierte konspirative Apartments.

Die Armee bekam Wind von dem jungen Aktivisten. Sallah wurde verhaftet. Beim Verhör drehte er durch. Er sprang auf den Tisch und begann wie wild zu tanzen. Die Soldaten schlugen auf ihn ein, sperrten ihn in Dunkelhaft. Doch jedesmal, wenn sie ihn zum Verhör schleppten, führte er seinen Veitstanz auf.

Sallah blieb seiner Rolle treu. Vor Gericht führte er sie so überzeugend vor, dass seine Mutter in Tränen ausbrach. Nach der Verhandlung sperrte ihn die Armee ins Irrenhaus. Dort perfektionierte er seine Rolle, lief nackt und schreiend über den Hof, kippte sich seine Essensrationen über den Kopf, redete wirres Zeug. Zwei Jahre blieb Sallah in der Anstalt. Zwei Jahre spielte er verrückt. Ein Beweis für absolute Disziplin. Als er entlassen wurde, ernannte ihn Kassam-Chef Imad Aqel zum Kommandanten der Einheit für besondere Aufgaben. Sallah kommandierte von nun an den harten Kern für die besonders heiklen Aktionen.

Sallah leitete die Entführungen von israelischen Soldaten. Am Wochenende, wenn viele Soldaten per Anhalter nach Hause wollten, gabelten Hamas-Trupps ihre Opfer auf. Einmal zog er mit zwei Brigadisten nach Jerusalem. In der Altstadt eröffnete er mit zwei Kumpanen das Feuer auf die Leibwache von Ariel Scharon. Der Anschlag schlug fehl, Sallah entkam.

Zu Hause wusste niemand von seinen Aktionen, weder seine Familie noch seine Freunde. Für sie war er der schüchterne Jüngling. Er ergatterte sogar einen Job als Tontechniker für ausländische Fernsehteams, die seine stille Art so mochten. Nicht einmal seine Mitstreiter kannten ihn. Die Essedin-el-Kassam-Brigade funktionierte nach dem Zellenprinzip. Wenn Sallah eine Gruppe traf, kam er maskiert und gab seine Befehle. Bis zu jenem Tag, als die Israelis einen seiner direkten Gefolgsleute schnappten. Der Gefangene packte aus. Sallah stand auf der Fahndungsliste. Einmal kam er noch nach Hause, küsste Vater und Mutter und verschwand.

Vier Wochen später lief das Erpresservideo mit dem entführten israelischen Offizier Naschon Wachsman im Fernsehen. Sallah und zwei Brigadisten hatten den Anhalter an einer Landstraße aufgegabelt. Kaum saß er im Auto, eröffneten sie ihm: »Du bist Gefangener der Hamas.« Vor einer Videokamera musste der neunzehnjährige Soldat die Forderungen seiner Entführer vortragen. Sallahs Familie war wie gelähmt. Der Maskierte neben dem Entführten war Sallah. »Was hat die Regierung Rabins zu tun?«, fragte er Wachsman. »Bist du in Ordnung? Was sind unsere Forderungen?« Seine Stimme, seine Kleidung – es gab keinen Zweifel, dass es Sallah war.

Wenige Tage später war die Entführung vorbei. Eine Elitetruppe der israelischen Armee hatte das Versteck in der Westbank gefunden und mit Panzerfäusten angegriffen. Wachsman war tot, keiner der drei Entführer überlebte. Am nächsten Tag kam die Essedin-el-Kassam-Brigade zum Haus der Jadallahs. Zwanzig Guerilleros, unmaskiert, mit Kalaschnikows in den Fäusten. Minutenlang feuerten sie ihre Waffen in die Luft. Ehrensalut für den Märtyrer. Ganz Gaza war in Aufruhr. In allen Moscheen wurde sein Name gepriesen. Gaza hatte einen neuen Helden.

Die wahre Stärke der Hamas beruhte jedoch nicht auf dem Mythos vom Heiligen Krieg. Hamas sei keine Terrororganisation, sagte Scheich Jadallah, sondern eine Volksbewegung, die alle Bereiche der Gesellschaft erfasste. Das machte es auch so schwierig für Arafat, dem Treiben der Hamas ein Ende zu bereiten. Die Organisation verfügte über ein Jahresbudget von geschätzten sechzig bis siebzig Millionen Dollar. Das entspricht schon dem Haushalt eines Kleinstaats wie der Karibikinsel Dominica. Ein Großteil davon waren Gelder aus Saudi-Arabien, dem Iran und von Exilanten in den USA und Großbritannien. Fünfundneunzig Prozent der Gelder verwendeten die Scheichs für die Sozialarbeit von Organisationen wie der Islamischen Gesellschaft.

Das Zentrum der Islamischen Gesellschaft stand am Rande eines Brachfelds, ein dreistöckiger Bau mit großem Hof und Vorgarten. Scheich al-Baher leitete das Zentrum, einer der Chefstrategen der Hamas. Ein strenger, humorloser Geistlicher, der zu Ruhm gelangt war, als er mit vierhundertfünfzig anderen Würdenträgern und Aktivisten der Hamas von den Israelis in den Libanon abgeschoben wurde und dort ein Jahr lang in den Bergen hauste. Die Islamische Gesellschaft war nichts anderes als der Sozialdienst der Fundamentalisten. Sie profitierten direkt von der Frustration der Bevölkerung. Überall dort, wo Arafats Regierung und die Hilfsorganisationen versagten, stießen die Organisationen der Hamas in die Lücken der Zivilgesellschaft und errichteten ihren Gottesstaat. Sie bauten Schulen, Moscheen und Krankenhäuser, organisierten Lebensmittel und Medikamente. Eine Taktik, die islamischen Fundamentalisten in Ländern wie Ägypten, Sudan und Algerien zu millionenstarken Anhängerscharen verholfen hatte.

Ein Kleinbus fuhr vor. Kinder stolperten heraus, keines älter als sechs Jahre. Sie trugen Uniformen der Koranschule. Brav stellten sie sich auf dem Schulhof in Zweierreihen auf. Die Lehrerinnen, bis auf die Augen verschleiert, achteten darauf, dass jeder seinen Platz fand. Dann stieg ein Junge, nicht älter als acht, auf ein Podest. »Allah'u akbar!« rief er aus vollem Hals. Dann rezitierte er den Ruf zum Gebet, strengte sich so an, dass sein kleiner Körper sich vornüberkrümmte. Die Kinderschar wiederholte die Koranverse im Chor. Danach skandierten vier Buben Hamas-Ideologie: »Gib mir die Flagge Palästinas, damit ich sie vor meinem Hause zeigen kann.« Begeistert brüllten die Kinder die Parolen. »Wenn du mich betrügst und mein Blut vergießt, wird mir ein Kniefall vor Gott den Sieg bringen.« »Wenn du mich nach meinem Ausweis fragst – ich bin Palästinenser.«

Überall im Gazastreifen gab es solche Kindergärten und Schulen, in denen die Kinder die Grundsätze des moslemischen Lebens lernten und die Botschaften der Hamas. Im Sommer durften sie dann ins Trainingslager. Dort wurden sie von klein auf in Kampftechniken gedrillt. Die Besten von ihnen sollten einmal die Ehre haben, für Allah zu kämpfen. Die anderen würden helfen, den Gottesstaat zu errichten.

Abu und Mohammed, zwei junge Männer der Islamischen Gesellschaft, packten vor dem Schulgebäude den Kofferraum eines Peugeot voller Tüten mit Nahrungsmitteln. »Wir kämpfen für das Volk. Das ist genauso wichtig wie der Kampf für Palästina«, sagten sie.

Gemeinsam fuhren wir nach Schati. Schati war ein Elendsviertel, das aus roh zusammengemauerten Baracken und verwinkelten Gassen bestand. Bis zu zwanzig Menschen lebten in diesen Baracken, die meist nur zwei, drei Räume hatten. Eine Frau in der Tracht der Beduinen jammerte: »Mein Mann ist krank und kann nicht arbeiten. Wir haben neun Kinder durchzufüttern. Und kein Mensch hilft uns.« Seit zehn Jahren lebte sie schon im Camp. Ein Ausweg war nicht in Sicht. »Die einzigen, die sich um uns kümmern, sind die Männer der Islamischen Gesellschaft«, sagte sie. »Ohne die wären wir längst verhungert.«

Scheich al-Baher wusste genau, dass die Sozialarbeit den Einfluss der Hamas in Gaza mehr festigte als jeder Märtyrertod. Und darum ging es letztendlich: um Macht. Um absolute Macht. So wollten es die Geldgeber aus Teheran und Texas. Sie hätten auch den politischen Kampf unterstützt. Doch Kandidaten der Islamisten, die sich an den Parlamentswahlen beteiligen wollten, durften dies nicht im Namen der Hamas. Denn die Autonomieregierung wusste, was passieren kann, wenn eine mächtige fundamentalistische Volksbewegung an Wahlen teilnimmt. Das war eine der Fußangeln der Demokratie – wenn das Volk die Demokratie abschaffen will, dann richtet sich die Freiheit gegen sich selbst. Das hatte sich in Algerien nur zu deutlich gezeigt.

Scheich al-Baher sah keinen Weg, mit Arafat zu koalieren. »Wir sind bereit, auf den Gebieten der Wohlfahrt und Erziehung mitzuarbeiten. Doch da wir das Abkommen von Oslo nicht anerkennen können, werden wir mit der Autonomieregierung nicht koalieren.« Dann würde der Kampf der Hamas ewig weitergehen? »So steht es im Koran geschrieben.«

Ich sah Scheich Jadallah und Scheich al-Baher am folgenden Freitag wieder. Am Tag des Gebets. Auf dem Platz vor der Philistin-Moschee drängten sich die Betenden, weil der Saal überfüllt war. Acht-, neunjährige Knaben liefen durch die Menge, verkaufen Märtyrerandenken. Scheich Jadallah hatte sich angeboten, mich mitzunehmen. Das Innere der Moschee war kühl und sauber. Kein Stäubchen schien sich hier hinein zu verirren. An den Säulen der Moschee klebten Flugblätter mit Sallahs Gesicht neben anderen, die Imad Aqel zeigten. Scheich Jadallahs Begleiter, ein junger Hamas-Aktivist, zeigte mir, wie ich Hände und Füße zu waschen hatte, welche der Verbeugungen und Gesten zum Gebet gehörten. Bald schon umstanden uns Neugierige, hoch erfreut, dass der Scheich hier vielleicht einen Ungläubigen bekehren würde.

Nach dem Gebet sammelten sich die Gläubigen auf dem Platz vor der Moschee. Händler mit Eselskarren verkauften gebackene Teigtaschen, Pfefferminztee und amerikanische Socken. Ein Bekannter hatte für mich die Verabredung arrangiert, wegen der ich in Wahrheit gekommen war. Ich sollte einen Mann treffen, dessen Namen ich nicht wissen durfte und dessen Gesicht ich zu vergessen hatte. Alles, was ich wusste, war, dass er zum Kommandostab der Essedin-el-Kassam-Brigade gehörte. Schon bald, wurde mir gesagt, würde die Schuhada von seinen Heldentaten singen.

Der Brigadist war ein klobiger Mann mit schweren, runden Händen. Er trug einen sauber geschnittenen Vollbart, ein rosa kariertes Hemd und dunkle Hosen. Er sah mich kaum an, verhandelte mit meinem Kontaktmann. In einer halben Stunde sollte ich mich bei ihm einfinden.

Wir fuhren quer durch die Stadt, bis wir eine schmale Gasse erreichten. Eins der unverputzten Häuser war das Ziel. Erster Stock. Der Brigadist öffnete selbst. Er führte mich ins Besuchszimmer. Polsterstühle, das Porträt von Imad Aqel an der Wand. Er servierte Tee. Schweißperlen standen auf seiner Stirn, und seine Augen wanderten unruhig umher. Das Leben im Untergrund hatte ihn nervös gemacht.

»Was ist das wahre Ziel der Hamas und der Kassam-Brigade?«, fragte ich ihn. Der Brigadist blickte mir tief in die Augen. »Unser erstes Ziel ist es, Allah zu gehorchen. Unser zweites, die Israelis vom Jordan bis zum Mittelmeer aus Palästina zu vertreiben.«

»Aber ist der Friedensvertrag nicht ein erster Schritt zum Frieden?«

»Das war ein Kompromiss der Mächtigen. Es kann nur Frieden geben, wenn die Juden bereit sind, in einem Staat Gottes zu leben.«

»Gibt es keinen Weg ohne Gewalt?«

»Der Prophet hat gesagt, der Heilige Krieg wird ewig andauern. Hier und im Jenseits.«

»Was treibt euch in den Märtyrertod?«

»Wenn ein Mann zu religiöser Reife findet, weiß er, dass es nur zwei Wege gibt – den Sieg oder den ruhmreichen Tod. Der Märtyrertod ist die höchste Form der religiösen Erfüllung.«

»Die Selbstmordattacke als spirituelle Erfahrung?«

Er nickte und lächelte. Er glaubte, ich hätte verstanden, hätte den göttlichen Funken im mörderischen Wahn erkannt.

»Wie wollen Sie die israelische Armee allein mit Attentaten vertreiben?«

»Unsere Operationen sind darauf ausgerichtet, Angst und Schrecken zu verbreiten.«

»Aber wie wählen Sie Ihre Ziele? Wenn es ein Krieg ist, warum Zivilisten?«

»Für die Mudschaheddin gilt: Jeder Jude ist ein Ziel.«

Zwei Tage nach meinem Interview erschossen Mitglieder der Essedin-el-Kassam-Brigade zwei israelische Siedler in Hebron.

Wenige Tage später fanden die Polizisten zwei Selbstmordbomber in Beersheva – Riyad Sabri und Wissam Rabbah, vor dessen Haus Imad Aqel starb. Ihr Lastwagen war mit zweihundertsechzig Kilogramm TNT präpariert. Genug Sprengstoff, um einen ganzen Häuserblock zu sprengen. Am selben Abend sangen die Schuhada auf einer Hochzeit in Gaza: »Palästina wird frei sein. Unser Blut seinen Boden tränken. Dschihad ist der Weg, Allah unser Ziel.« Die Popstars einer verlorenen Generation.

Mörderkinder

Ruanda

»Gib mir deine Schuhe!« Der Anführer der Küchenkolonne im Umschulungslager von Gitagata, angeklagt wegen Verbrechens gegen die Menschlichkeit während des ruandischen Völkermords, war ein hochgewachsener, muskulöser Knabe von sechzehn Jahren, der einen Strohhut und eine ehemals blaue Windjacke trug. Er baute sich vor mir auf und stemmte die Fäuste in die Hüften. Ich schüttelte den Kopf. Er zeigte auf seine nackten Füße, auf meine Stiefel, rief den Jungs, die ihn umringten, etwas auf Ki-Ruanda zu, die brachen in Gelächter aus, dann versuchte er es noch einmal. »Deine Schuhe.« Nein. »Deine Hose.« Nein. »Dein Hemd.« Das Gelächter überschlug sich. »Deine Tasche, deine Sonnenbrille, deinen Stift.« Gut. Meinen Stift. Stille. Er nahm den Kugelschreiber, betrachtete ihn für einen Moment, dann löste sich seine trotzige Miene, ein Lächeln strahlte über sein Gesicht und er stammelte: »Danke vielmals, Monsieur. Schönen Dank.«

Seinen Namen wollte er allerdings nicht verraten. Tat so, als verstehe er nicht. Es sei ein großes Missverständnis, dass er hier sei, sagte er. Hier im »Zentrum für Umschulung und Produktion Gitagata«, dem Lager für minderjährige Kriegsverbrecher, für Kinder, die Teil jener Kampagne waren, während der eine

Machtclique des Bauernvolks der Hutu vom 14. April bis zum Juli 1994 im winzigen Bergland Ruanda fast eine Million Mitglieder des Viehzüchtervolks der Tutsi ermorden ließ. Ein Stammeskonflikt, wie es in den Medien der Wohlstandsländer hieß. Und doch war der Völkermord an den Tutsi weit im voraus geplant gewesen.

Der Küchenchef hatte erst zwei Jahre im Gefängnis gesessen. Nun war er schon eineinhalb Jahre hier, dabei, so jammerte er, habe er gar nichts getan. Die meisten im Lager seien unschuldig. Alle hätten im Gefängnis gesessen, angeklagt, bei den Massakern mitgemacht zu haben. Wer beweisen konnte, damals keine vierzehn Jahre alt gewesen zu sein, durfte zur Umerziehung nach Gitagata. Wer sich dort rehabilitierte, durfte nach Hause. Wenn es noch ein Zuhause gab.

Der Direktor des Lagers hatte mich gewarnt. Casimir Karasira, ein melancholischer Mann von sechsunddreißig Jahren, der Anfang der neunziger Jahre im Gefängnis saß, weil er staatsfeindliche Romane und Theaterstücke geschrieben hatte. »Viele haben die Wahrheit noch nicht akzeptiert«, sagte er. »Sie glauben oft selbst an ihre Unschuld. Aber täuschen Sie sich nicht. Von den über zweihundert Jungen im Lager sind nur fünf wegen anderer Straftaten hier.« Alle anderen waren »Génocidaires«. Alle anderen hatten getötet.

Zweihundertelf Jungen waren in Gitagata untergebracht. Die Ältesten waren neunzehn Jahre alt, waren während der Massaker also dreizehn. Der Jüngste war zwölf, damals sieben. Sein Name war Alphonse. Heute morgen hatte ich ihn in der Lehrwerkstatt getroffen, wo er an einer Werkbank stand und an einem Fensterrahmen herumhobelte. Ein schmächtiger Knabe, dessen dünne Beinchen aus einer Turnhose stakten. Mit seinem hübschen Lausbubengesicht sah er nicht viel älter aus als neun oder zehn.

Aus Gikongoro sei er, sagte er. Dort sei er auch sieben Monate im Gefängnis gewesen. »Das war schlimm. Viel zu viele Leute zusammen in einem Raum, und alle waren krank, und es war so heiß. Hier ist es gut. Hier kann ich sogar spazierengehen.«

Warum er denn im Gefängnis war, wollte ich wissen. Er sah zu Boden. »Mein Cousin hat einen Tutsi umgebracht. Der hat ihm das Radio geklaut und dann ist er eine Woche später hingegangen und hat ihn erschlagen, und dann haben sie meinen Cousin und mich und noch einen Cousin verhaftet. Und weil der Staatsanwalt gesagt hat, dass ich zuwenig in der Schule war, haben sie mich hierher gebracht, damit ich etwas lerne.« Das war alles? Er nickte. Und was wird er machen, wenn er entlassen wird? »Schreiner werden.« Daheim bei seinen Eltern? Er zögerte. »Die sind im Gefängnis.«

Als ich Direktor Karasira von der Geschichte erzählte, sah er mich mitleidig an. »Das hat er Ihnen gesagt?« Er seufzte. »Das mit dem Cousin stimmt. Aber niemand hat ein Radio gestohlen. Kein Tutsi hätte damals gewagt, auch nur eine Bohne zu klauen.« Nein, der Tutsi, ein Nachbar, sei zu Alphonses Cousin gekommen und habe ihn angefleht, ihn vor den Milizen zu verstecken. Der habe den Verängstigten daraufhin mit einer Keule zusammengeknüppelt, bis er halb tot am Boden lag. Dann hätte er Alphonse die Keule gegeben, und der habe den Mann dann endgültig totgeschlagen. »Deswegen ist er hier. Und solange er das nicht einsieht, wird er auch weiter hier bleiben.«

Der Küchenchef spürte mein Misstrauen, als ich ihn ausfragte. Er redete schnell, machte immer wieder Pausen zwischen den Sätzen, als ob er sich nicht sicher war, ob ich das alles begriff. Die Tatsache, dass ihn die Lagerleitung zum Küchenchef gemacht hatte, war doch schon Beweis genug, dass er ein guter Junge war. Oder? Das war doch eine veranwortungsvolle Position, weil er nicht nur dafür sorgen musste, dass zweimal am Tag etwas gekocht wurde, sondern auch dafür, dass sich die Jungs bei der Essensausgabe manierlich anstellten und nicht drängelten. Ich würde schon sehen.

Seine Gehilfen schleppten die meterhohen Eisenkessel von den Feuerstellen in der Wellblechbaracke auf den plattgestampften Vorplatz, auf dem sich schon eine Schlange gebildet hatte. Ein Häuflein Burschen und Knaben in löchrigen Turnhosen, T-Shirts und Hemden. Manche trugen Plastiksandalen, die meisten waren barfuß.

Der Küchenchef guckte zornig, brüllte, rannte mit der Schöpfkelle die Schlange entlang und schlug die Wartenden in Position. Von den erwachsenen Aufsehern im Lager war keiner zu sehen. Zwei Jungs, die Baretts mit selbstgestickten »Securité«-Abzeichen trugen, halfen mit Rohrstöcken nach, bis die Hungrigen in einer schnurgeraden Reihe dastanden. Dann erst durften sie sich ihre Plastik- und Blechnäpfe füllen lassen. Dicke Klumpen Maispaste, dazu ein paar Kellen voll gelbem Erbsenbrei. Der gleiche Speiseplan wie gestern und vorgestern, wie morgen und übermorgen. Wie jeden Tag, bis die nächste Lieferung aus dem Lagerhaus des World Food Program ankommen würde. Dann gab es vielleicht Reis oder Bohnen. Manchmal blieb die Lieferung aber auch ganz aus, obwohl es nicht weit war bis Kigali.

Auf der Landstraße Richtung Burundi hatte es von der Hauptstadt bis in das trostlose Missionsstädtchen Nyamata eine gute Stunde gedauert, dann rechts in den Busch und noch mal eine halbe Stunde bis Gitagata. Bis zum Lager führte die Piste an verlassenen Tutsi-Dörfern vorbei. Ausgehöhlte Ruinen versteckten sich hinter dem Gestrüpp, bröckelnde Lehmmauern mit Brandmalen, Einschuss- und Granatlöchern, ganz ähnlich wie in Bosnien – Spuren ethnischer Säuberungsmassaker.

Das Umschulungszentrum stand auf einer Lichtung im Busch, von der aus man auf ein Panorama aus grünen Hügelketten, Wäldern, Wiesen, einem See und einem gebirgigen Horizont blickte. Eine liebliche Landschaft, fast wie in der Toskana, wie in Südfrankreich oder in den Südstaaten Amerikas. Das Zentrum selbst bestand aus einer Ansammlung von Baracken, die von Zäunen aus Maschendraht und Lehmboden umgeben waren. Obwohl es keinen Stacheldraht gab, keine Wachtürme und keine Patrouillen, herrschte triste Lagerstimmung in Gitagata.

Vor den Wohnbaracken lungerten ein paar Jungs herum und stocherten mit Stöcken im Staub. Einer hatte ein kleines Radio. Er wippte mit den Schultern zu einem Gassenhauer aus dem Kongo. Eigentlich mochte er lieber Céline Dion oder Phil Collins, sagte er, aber das spielten sie nur selten. Dann wippte er weiter. Was er sonst so tat hier? »Warten.« Warten, dass die Tage vorüber waren. Warten, dass die Sonne aufging. Warten, dass die Sonne unterging. Warten, bis seine Gruppe mit dem Essen an der Reihe war.

Die anderen kamen mit ihren Näpfen und Schalen von der Küche und verzogen sich in die Schlafsäle. Düstere Räume mit vergitterten Fenstern und schweren Zellentüren. In jedem standen dicht an dicht zehn bis fünfzehn Stockbetten mit Strohsäcken und groben Decken auf den Eisenrosten. Im ersten Schlafsaal hockten die Jungs schon auf dem Boden und löffelten ihr Mittagessen. Einer war krank und hatte sein Bett mit Plastikfolien abgehängt. Er zitterte, starrte apathisch aus seiner kleinen Höhle, atmete schwer. Ein dumpfer Gestank hing in der Luft.

Direktor Karasira saß vor der Bürobaracke auf einem Klappstuhl und aß ebenfalls zu Mittag: zwei Flaschen Coca-Cola und eine Packung Salzkekse. Eine richtige Mahlzeit würde er heute abend bei seiner Familie daheim in Nyamata bekommen. Er machte ja gar keinen Hehl daraus, dass die Zustände ziemlich finster waren im Lager. Kein Strom, kein fließend Wasser, die Jungs hatten zwar immer etwas zu essen, aber wenn die Lieferungen aus Kigali nicht kamen, mussten sie eben die Bohnen und das Sorghum von den Feldern des Zentrums ernten. Manchmal gab es sogar Bananen, aber Fleisch hatte von denen keiner mehr gesehen in den letzten zwei, drei Jahren.

Eigentlich wurde das Lager von der UNICEF finanziert. Es

gab auch Gelder von Terre des Hommes, Save The Children und Docteurs Sans Frontières. Was die Organisationen direkt lieferten, kam pünktlich an. Aber nachdem das Projekt politisch so brisant war, hatte das Sozialministerium die Leitung übernommen, und weil eigentlich alle Ministerien in Kigali hoffnungslos damit überfordert waren, das Land wiederaufzubauen, dauerte jeder Vorgang eben etwas länger.

Der Direktor wollte niemandem die Schuld geben. »Aber wenn ich in Kigali etwas bestelle, dauert es Wochen, bis es hier ankommt.« Das einzige Transportmittel im Lager war ein Geländemotorrad, dessen Getriebe beim Schalten laut knirschte. »Wird einer der Jungs so krank, dass wir ihn in der Krankenstation nicht mehr behandeln können, müssen ihn die anderen auf einer Trage bis in die Stadt bringen. Und Versorgungsmittel können wir schon gar nicht transportieren.« Es fehlte an Schuhen, Seife, Stiften und Papier für die Schule und die Lehrwerkstätten, Batterien für die Radios. »Und irgend etwas, mit dem wir die Kinder beschäftigen können.« Er zuckte mit den Schultern. »Um sechs ist es hier dunkel. Und weil es keinen Strom gibt, sind die Abende ziemlich traurig. Wenn wir wenigstens ein Videogerät hätten oder einen Kassettenrekorder. Ich habe jetzt schon Arbeit für die Jungs organisiert. Damit können wir ein bisschen Geld dazuverdienen. Für das Nötigste.«

Dabei war man im Ministerium in Kigali sogar stolz auf das Projekt. Der Herr Minister hatte sich extra zwanzig Minuten Zeit genommen, um mir persönlich von Gitagata vorzuschwärmen, symbolisierte es doch den Versöhnungsprozess wie keine andere Einrichtung.

Casimir Karasira und die einundzwanzig Betreuer, ehemalige Lehrer und Professoren, waren allesamt Opfer der Rassenhetze, die dem Völkermord vorausgegangen war. Sie wurden Inyenzi geschimpft, Ungeziefer. Sie wurden gefeuert, belästigt, verfolgt und verhaftet, denn als Tutsi und liberale Intellektuelle gehörten sie zu gleich zwei Bevölkerungsgruppen, deren sich die Hutu-Machtclique um Oberst Théoneste Bagosora dann mit Hilfe der aufgestachelten Mordbanden entledigen wollte. Nur die in die Nachbarländer flohen, überlebten.

In ihrer Obhut waren nun seit vier Jahren Kinder: Hutus, deren eigene Familien sie zum Töten gezwungen hatten oder die von den Milizen mitgeschleift worden waren und sich dann entscheiden mussten, entweder selbst zu sterben oder die Kinder der Tutsi zu erschlagen. Mörder und Opfer in einem, perfide Speerspitze eines ausgeklügelten Konzepts, das die gesamte Bevölkerung Ruandas auf Generationen hin zu Komplizen der Génocidaires machen sollte. »Laut Gesetz können sie nicht schuldig sein«, sagte Karasira. Trotzdem wollte er die Geschichten der einzelnen eigentlich lieber nicht wissen. Es gehörte enorme Größe dazu, ihnen zu verzeihen. Ohne Einzelheiten fiel das leichter.

»Wenn wir es schaffen, diese Kinder wieder in die Gesellschaft einzugliedern, haben wir viel erreicht«, sagte Karasira. Dazu brachten sie ihnen Lesen und Schreiben bei, ein Handwerk, Schreinern, Mauern oder Schneidern. Und sie hatten ein Umerziehungsprogramm entwickelt, damit die Jungen hier verstehen, was sie getan hatten und wie sie damit umgehen sollten.

Jeden Nachmittag fand unter dem Baum hinter der Küchenbaracke die sogenannte Séance statt, die Gruppentherapie. Dann wurde über Politik gesprochen, über die Geschichte Ruandas, über Menschenrechte und Versöhnung. Danach teilte sich die Schar in Einzelgruppen oder die Betreuer redeten mit den Jungen alleine. Das war meist die einzige Möglichkeit, mit ihnen über ihre eigene Vergangenheit zu reden. Vor den anderen wollten sie nichts zugeben. Ich könnte versuchen, mit zwei der Jungs zu reden, die schon etwas weiter waren, sagte Karasira.

Am Rande des Fußballfelds saßen wir auf Holzstühlen unter

einem Baum. Pascale Rugasar und Eliazar Mataratara, zwei schlanke Herren Anfang Dreißig, die Sportjacketts und ernste Mienen trugen, beaufsichtigten die Gespräche.

Karahamweto war der erste, der bereit war zu erzählen. Ein grimmiger Ausdruck hatte sich in sein Gesicht eingegraben, seine ernsten Augen blickten unsicher umher. »Wir hatten einen Nachbarn, Baramba, einen Tutsi«, begann er. »Der hatte schon lange Streit mit einem anderen Nachbarn, Kareki, einem Hutu. Es ging um irgendein Stück Land. Als dann im April die Massaker anfingen, hat Kareki seine Freunde versammelt und gesagt, dass sie Barambas Kuh töten und aufessen würden. Eines Nachts sind sie also hin und haben die Kuh auf der Weide geschlachtet. Baramba kam und wollte wissen, was los sei. Da haben sie ihn mit Macheten angegriffen. Sie sind in sein Haus und haben seine ganze Familie umgebracht und dann in der Latrine verscharrt. Und weil ich alles gesehen habe, wurde ich später verhaftet.« Er verstummte. Pascale Rugasar sah ihn streng an. »Warum erzählst du nicht, warum du wirklich im Gefängnis warst?« Karahamweto wandte den Kopf zur Seite, er hielt den Blick über die Schulter gerichtet, als er fortfuhr.

»Die Miliz kam in unser Dorf. Die Interahamwe. Die haben mich mitgenommen, und ich musste zusehen, wie sie durch die Häuser ziehen und Leute umbringen. Wir sind dann in ein kleines Haus am Dorfrand, da war eine Frau alleine mit ihrem Baby. Sie haben die Frau zu Tode geprügelt, und dann haben sie mir eine Keule gegeben. Ich wollte nicht, aber sie haben gesagt, wenn ich es nicht tue, bringen sie mich um. Da habe ich das Baby erschlagen.«

Die beiden Encadreurs nickten, dann begleitete ihn Eliazar Mataratara zurück zu den anderen. »Es ist nicht leicht für sie, ihre Schuld einzusehen«, sagte Pascale Rugasar. »Wenn sie aus dem Gefängnis hierher kommen, sind sie meistens vollkommen verstockt. Einer der Jungen hat seit drei Monaten kein einziges

Wort gesprochen. Aber dazu sind wir da. Dass sie begreifen, was passiert ist.«

Rwigema, ein Achtzehnjähriger mit großen, hellen Augen, galt für die Betreuer als einer der wenigen leichten Fälle. Er konnte von Anfang an zu seiner Tat stehen. Bedächtig erzählte er: »Ich kam eines Abends heim, da war ein großer Auflauf vor dem Haus des Verwaltungsbeamten, der bei uns in der Straße wohnte. Kamana, ein Tutsi aus dem Norden, hatte versucht, sich mit seiner Familie bei Freunden zu verstecken. Der Beamte hat daraufhin das halbe Dorf zusammengerufen. Sie haben die Familie aus dem Versteck geholt und sie mit Macheten erschlagen. Dann haben sie sie in die Latrine hinter dem Haus geworfen. Erst haben sie gedacht, alle seien tot, aber die Frau hat noch gelebt. Da hat der Beamte zwei Freunden und mir gesagt, wir sollten sie begraben. Ich wollte eigentlich nicht, aber dann hat er uns Geld gegeben, und wir haben mit Feldhacken Erde über sie geschaufelt. Erst viel später, im Juli 1997, haben sie mich als Zeugen dazu verhört. Da habe ich dann alles gestanden.« Wollte er wieder zurückgehen in sein Heimatdorf? »Ganz sicher.« Und wie würden seine Nachbarn darauf reagieren, dass er wiederkommt? Unsicher warf er einen Seitenblick auf die Encadreurs. »Ich werde um Vergebung bitten, und alles wird gut werden.«

Die Gruppentherapie dauerte an diesem Tag nicht lange. Die Jungs setzten sich in Gruppen unter den Baum, die Burschen mit den Securité-Baretts ließen durchzählen, dann verkündete Casimir Karasira, dass sie heute den Nachmittag mit Arbeit verbringen müssten. Ein paar Kilometer weiter baute World Vision ein Flüchtlingsdorf, für das die Jungs aus Gitagata Lehmziegel backen sollten. Das musste fertig werden.

Gemeinsam wanderten sie zur Baustelle, eine Wiese, auf der schon lange Reihen Lehmziegel zum Trocknen in der Sonne lagen. Lachend und plappernd teilten sie sich in Gruppen. Sie hackten in den Gruben die Erde auf, mischten Wasser und Stroh dazu, stampften alles zu Brei, den sie in Holzformen schaufelten. Die Jungs von der Securité standen daneben und betrachteten die Arbeit.

Casimir Karasira schob seinen Hut in den Nacken. Er träumte davon, wieder zu schreiben, sagte er. Aber er wusste, dass seine Arbeit hier erst einmal wichtiger war. Wenigstens im Moment. Vierhundertfünfzig Jungs hätten sie schon nach Hause schicken können. Kein einziger sei danach in Schwierigkeiten gekommen. Und dann lächelte er zum ersten Mal. Für eine knappe Sekunde.

Als wir nach den Tagen im Lager in die Hauptstadt zurückkehrten, bekam Jean-Pierre, mein Übersetzer, mit, dass ich mir noch nicht ganz im klaren war, wie ich die Geschichte schreiben würde. Zu rätselhaft sei der Völkermord, zu abstrakt. »Zu abstrakt?« Für Jean-Pierre als Tutsi waren die Massaker ganz real, obwohl er damals im Kongo lebte. Er hatte seine Eltern und Geschwister verloren, kannte keinen Tutsi, der nicht davon betroffen war. »Ich zeige dir das Mahnmal in Gikongoro. Dann wirst du eine Ahnung davon bekommen, was hier passiert ist.«

Die Fahrt dauerte drei Stunden, führte durch idyllische Berglandschaften und Alleen. Gikongoro, der Heimatort von Alphonse, war ein kleines Städtchen mit braunen Lehmhäusern und einer schmucken Hauptstraße, über der die Kirche thronte. Wir hielten nicht an, sondern fuhren weiter, eine Hügelkette hinunter zu einer Gruppe hellgrauer Neubauten, die schon von weitem zu sehen war: die École Technique Murambi, Schauplatz eines der größten Massenmorde in der Geschichte Afrikas. Laut Human Rights Watch schwankten die Zahlen zwischen zwanzig- und siebzigtausend Toten. Aber ganz genau konnte mir niemand sagen, wie viele hier zwischen dem 21. und dem 23. April 1994 ermordet wurden.

Vor dem Hauptgebäude kamen wir zum Stehen. Ein paar Bauarbeiter kletterten über Gerüste. Die Schule sollte wiederaufgebaut werden. Die flachen Bungalowreihen dahinter sollten allerdings weiterhin als Mahnmal dienen. Ein schmaler Mann mit hohlen Augen kam durch den Regen den Hügel hinaufgeradelt, Emmanuel Murangira, der Wächter des Mahnmals. Er wollte uns durch die Bungalows führen.

Nachdem es kein Geld gab für ein künstlerisches Mahnmal, behalf sich die ruandische Regierung mit drastischen Mitteln. Zum zweiten Jahrestag des Beginns der Massaker am 14. April 1996 ließ sie fünftausend Leichen aus dem Massengrab bei der Schule exhumieren und in den ehemaligen Klassenzimmern aufreihen. Bizarre Körper, mit Kalk und Insektenmittel notdürftig mumifiziert. Da sie damals begraben wurden, nachdem die Leichenstarre schon eingesetzt hatte, sind sie immer noch in den verkrampften Stellungen, in denen sie ermordet wurden.

Monsieur Murangira sperrte das erste Klassenzimmer auf. Männer, Frauen, Kinder. Magere Gerippe, über die sich die weißgekalkte Haut zog. Gesichter, im Schrei erstarrt. Viele hatten die Arme um den Kopf gelegt im vergeblichen Versuch, die Schläge der Macheten abzuwehren. Die Körper der Kleinkinder ausgebreitet, alle viere von sich. Die hätten die Milizionäre einfach an den Beinen gepackt und an den Mauern zerschmettert, sagte unser Begleiter.

Langsam schritten wir die Klassenzimmer ab. Dreiundsiebzig solcher Räume gab es. Leichengeruch schlug uns entgegen, erst kaum bemerkbar, dann schien er überall zu sein. In den Zimmern, in der Luft, in den Nasenschleimhäuten, im Rachen. Ich unterdrückte den würgenden Brechreiz, wollte keine Schwäche zeigen vor Monsieur Murangira, der mit stoischer Miene ein Klassenzimmer nach dem anderen aufsperrte. Doch auch ihm schien der Geruch zuzusetzen. Dankbar nahm er eine Zigarette an, ließ den Rauch durch die Nase kräuseln. Das half.

Er sprach kaum Französisch, deswegen erläuterte er im Telegrammstil. »Fünfundzwanzigtausend tot. Vier haben überlebt.« Emmanuel Murangira war einer der vier. Er stockte. Jean-Pierre übersetzte den Rest.

Erst hätten sich die Flüchtlinge bei der Kirche in Gikongoro versteckt. Der Bischof habe sie fortgeschickt, sie angewiesen, sich hier in der Schule zu sammeln. Fünf Tage später seien die Busse mit den Milizen gekommen. Hunderte von jungen Burschen mit Granaten und Macheten. Soldaten der Präsidentengarde mit Gewehren. Sie hätten die Schule eingekesselt, in die Menge geschossen, mit den Buschmessern auf sie eingeschlagen. So lange, bis sich keiner mehr rührte. Dann hätten sie den Toten die Kleider vom Leib gezogen und sie eingesammelt. Zwei Tage und zwei Nächte habe es gedauert.

Er selbst sei damals von einer Kugel in den Kopf getroffen worden. Er zeigte auf seine kahle Stirn, in der noch immer der Einschuss zu sehen war. Er habe unter den Toten gelegen, hätte sich tot gestellt, auf die Nacht gewartet und davongeschlichen. Bis nach Burundi sei er gelaufen. Dort hätten sie ihm im Flüchtlingslager die Kugel aus dem Kopf geholt. Und jetzt war er eben wieder hier. Habe von der Regierung den Job bekommen, auf die Gedenkstätte aufzupassen und die Besucher herumzuführen. Seit drei Monaten habe er allerdings keinen Lohn mehr erhalten. Die zwei anderen Aufseher seien schon abgehauen. Aber er, er konnte nicht anders. Er hatte alles hier verloren. Es war seine Pflicht, zu bleiben.

Wir kamen ans hinterste Gebäude auf dem Gelände, ein Bungalow mit drei Räumen. Er sperrte die Tür auf. Hier lagen die Leichen nicht geordnet, sondern wild auf einem Haufen, Kleiderfetzen und Haarbüschel dazwischen. Ganz langsam betrat er den Raum, als wollte er kein Stäubchen stören. Er drehte sich um, sah mir starr in die Augen und zeigte auf die Knäuel und Gebeine. Seine Stimme war kaum noch hörbar. »Hier liegt meine Frau. Meine zwei Töchter. Und mein Sohn.«

Wir traten zurück ins Freie. Mir fiel keine Frage mehr ein. Ob ich begriff, dass das hier kein wildes Schlachten gewesen sei, sondern ein perfekt geplantes Massaker. Eine Mordkampagne, zu der die gesamte Hutubevölkerung rekrutiert wurde. Fast eine Million Tote in drei Monaten, das seien zehntausend pro Tag. Wieder sah er mich an. In Deutschland habe es doch auch einen Völkermord gegeben, fragte er. Wer da wen umgebracht hatte? Die Deutschen die Juden. Wie viele Juden? Sechs Millionen. In welcher Zeit? In sieben Jahren. Er schwieg, dachte nach, wollte etwas sagen. Dann überlegte er es sich anders. Das Grauen ließ sich nicht relativieren. Der Schmerz schon gar nicht. Er verriegelte die Tür hinter uns und deutete auf meine Tasche. »Une cigarette?«

Eine Freiheit namens Tod

Kuba

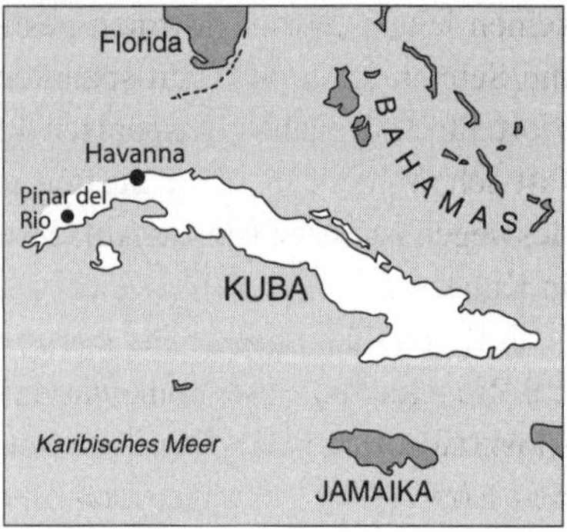

Vor einiger Zeit hatte Papo beschlossen zu sterben. Der Tod hatte ihn schon fast weggefressen. Vierundzwanzig Jahre war er alt, ein Meter neunzig groß und nur noch fünfzig Kilo schwer. Langsam schlurfte er über den staubigen Weg, ließ seinen Körper in einen Sessel vor der Hütte fallen, musterte mich müde. Er trug Shorts und Badeschuhe, sein Brustkorb und seine Arme waren mit Tätowierungen überzogen, und sein halblanges, schwarzes Kraushaar hatte er unter eine orangefarbene Baseballkappe gestopft. Neben ihm saß seine Freundin Niurka. Sein Bruder Enrique brachte Gläser mit Eiswasser.

Papo ließ sich erzählen, wer ich war, woher ich gekommen war, was ich wollte, er nahm einen tiefen Schluck aus seinem Glas mit Eiswasser, und dann erwachte er zum Leben. Mein Besuch war ihm wichtig. Papo lebte nur noch, weil er seine Geschichte erzählen musste. Und viel zu selten hörte ihm jemand zu. Er beugte sich vor, schaute mir in die Augen, begann fast flüsternd zu sprechen. »Mein Tod ist ein Signal«, sagte er. »Ein Protest gegen das Elend in Kuba.« Er sprach eindringlich, beschwörend, denn er wusste, dass seine Geschichte unglaublich ist.

Papo hatte sich mit Aids infiziert. Um zu sterben. Vor fünf

Jahren hatte er einen aidskranken Freund in Havanna besucht, eine Kanüle mit dessen infiziertem Blut aufgezogen und sich die ganze Ladung in die Vene gespritzt. »La Sida ist für uns die letzte Form des Protests«, sagte er. Wenn er sprach und dabei mit seinen langen, dünnen Armen gestikulierte, sah man, wie sich die Sehnen unter der Haut spannten. La Sida ist das spanische Wort für Aids, und auf spanisch klang Papos Todessehnsucht fast schon poetisch. »Wir durften nicht leben, wie wir wollten, deswegen ist unser Tod ein Aufschrei gegen die Ungerechtigkeit in Kuba.«

Seit vier Jahren lebte Papo im Sanatorio del Sida von Pinar del Rio, einem der vierzehn Quarantänelager, in die in Kuba alle Aidskranken und HIV-Positiven interniert wurden. Er schüttelte den Kopf. »Wir glaubten, dass uns die Krankheit Freiheit verschafft. Stattdessen sind wir jetzt Gefangene der Regierung.«

Im Sanatorio schrieb Papo Rocksongs über sein Sterben, die er auf einer schrottreifen Elektrogitarre spielte. Zornige Verse vom ungerechten Leben im karibischen Sozialismus und vom traurigen Schicksal der »Roquéros« und »Frikis«, der Rocker und Hippies von Kuba. Sonst gab es nicht viel zu tun im Lager. Essen, trinken, Medikamente schlucken, auf den Tod warten. Samstags hatte Papo Freigang, weil er als »vertrauenswürdig« galt. Deswegen konnten wir uns treffen, denn im Lager waren Ausländer streng verboten.

Er fuhr mit seiner Freundin Niurka und seinem Bruder Enrique aufs Land, zu Niurkas Eltern, die neben der Landstraße nach Guane in einer Holzhütte lebten, die mit Palmstroh gedeckt war und auf einem Boden aus festgetretenem Lehm stand. Wir hatten uns hier getroffen, weil die Regierung Papos Geschichte unter allen Umständen geheimhalten will. Aber die ganze Welt sollte hören, dass Luis Enrique »Papo« Delgado die Durchhalteparole des Máximo Lider Fidel Castro »Sozialismus oder Tod« wörtlich genommen hatte. Der Tod als endgültiger Schritt in die

Freiheit. Aids als Fluchthelfer. Nicht ganz einfach, das alles jemandem wie mir begreiflich zu machen, der nach einer vernünftigen Erklärung suchte. Verzweiflung und Leidenschaft haben mit Vernunft nichts zu tun.

Papo war nicht der einzige, der sich verseuchtes Blut gespritzt hatte. Über zweihundert kubanische Jugendliche hatten innerhalb von gut fünf Jahren den Entschluss gefällt, freiwillig an Aids zu sterben. Achtzig waren es in Pinar del Rio, hundert in Havanna, dreißig in Las Villas, keiner wusste, wie viele in den übrigen elf Lagern waren. Die meisten von ihnen waren schon gestorben. Still und heimlich, denn die Revolution duldete keine Abtrünnigen. Als die Ärzte 1990 in den Aidslagern die ersten Jugendlichen entdeckten, die sich selbst infiziert hatten, erließ die Regierung ein Gesetz, das die Selbstinfektion mit Aids mit acht Jahren Gefängnis bestrafte. Ein Todesurteil – nach einer direkten Infizierung mit verseuchtem Blut verläuft die Krankheit so schnell, dass die wenigsten länger als zwei oder drei Jahre überlebten.

Papo hatte schon oft genug gesehen, wie schnell die Krankheit verlaufen kann. Von den achtzig Selbstinfizierten aus Pinar del Rio lebten noch dreißig. »Die, die sich von der Angst überwältigen ließen, sind als erste gestorben«, sagte Papo. »Die, die wie ich weiter an unsere Vision von der Freiheit und vom Tod als Protest glauben, überleben.« Ich fragte, ob ihn dieselbe Verzweiflung am Leben erhielt, die ihn dazu getrieben hatte, sterben zu wollen. Papo nickte.

»Vor vier, fünf Jahren war es besonders schlimm für uns Roquéros«, fuhr er fort. »Militärdienst, Zwangsarbeit, Armut und Repressionen. Die Repressionen sind am schlimmsten.« Die Roquéros, die Heavy Metal hörten, lange Haare trugen und mit der sozialistischen Realität nichts zu schaffen haben wollten, galten als asozial und konterrevolutionär. In den letzten Jahren hatte die Regierung mehrere Programme zur Förderung der

Rockkultur initiiert, um die Jugendlichen auf ihre Seite zurückzubringen. Aber damals, als die ersten Roquéros auftauchten, wurden sie regelrecht gejagt.

Jeden Tag kassierten sie Prügel. Die Regierung hatte 1989 die Brigadas Especiales aufgebaut, Spezialeinheiten der Polizei, die für Aufstände und Volksunruhen ausgebildet waren. Nach dem Zusammenbruch der Sowjetunion war den Apparatschiks des kubanischen Politbüros schnell klar geworden, was folgen würde, ohne die russischen Subventionen, mit den jämmerlichen Weltmarktpreisen für kubanische Exportprodukte wie Zucker, Kaffee und Tabak. Hungerrevolten befürchteten sie und verkündeten die »Periodo Especial«, die »besondere Zeit«, die Rationierungen, Stromausfälle und Engpässe brachte, Gesetze gegen den Schwarzmarkt und Durchhalteparolen, so zynisch wie die Diktatur.

Aber es gab keine Hungerrevolten. Obwohl alle Hunger hatten. »Den Brigadas war es langweilig«, erinnerte sich Papo. »Also suchten sie sich ein einfaches Opfer. Uns. Die Roquéros.« Die Repressalien begannen ganz harmlos. Alltägliche Schikanen, Ausweiskontrollen, kurze Verhöre am Straßenrand. Dann bezogen die ersten Roquéros Prügel. »Es reichte, lange Haare zu haben. Sie haben uns mitten auf der Straße angehalten, uns mit ihren Schlagstöcken verdroschen. Manchmal haben sie uns festgehalten und uns die Haare abgeschnitten.«

Die Roquéros wurden immer verzweifelter. »Wir wollten nur unser eigenes Leben leben, in einer Welt abseits der sozialistischen Realität. Wir wollten die Freiheit, die uns die Rockmusik versprach.« Er drehte seinen Oberkörper nach vorne, damit ich die Tätowierung auf seiner Schulter sehen konnte. »Woodstock '69« stand da in schiefen Lettern. Daneben zog sich ein gelbroter Blitz den Oberarm hinunter. »Wir hatten unsere eigene Welt gefunden. Aber sie haben uns nicht gelassen.«

Im kubanischen Gesellschaftsbild war kein Platz für rebellische Jugendliche. Papo wurde nicht zur Hochschule zugelassen. Danach hatte er trübe Aussichten. Drei Jahre Wehrpflicht, damals noch mit der Aussicht, in Angola von südafrikanischen Elitesoldaten massakriert zu werden. Nach dem Wehrdienst irgendein Knochenbrecherjob in einer Kooperative. Wer sich drückte, bekam vier Jahre Gefängnis. Wer arbeitete, musste Angst haben zu verhungern. »Mein Bruder verdient als Bauarbeiter hundertzwanzig Pesos im Monat«, sagte Papo. »Damit kann er sich eine Woche lang vor dem Verhungern retten. Ein Arzt verdient in Havanna dreihundert Pesos im Monat.« Mit der Rationskarte konnte er sich dafür in den Regierungsläden Reis und Bohnen kaufen, die für ein bis zwei Wochen reichten. Auf dem Schwarzmarkt war sein Gehalt drei Dollar wert. Eine Dose Frühstücksschinken kostete sechs. Und es war noch gar nicht so lange her, dass auf den Besitz von Devisen schwere Gefängnisstrafen standen.

Mit den Roquéros zog Papo von Stadt zu Stadt. »Wir wollten unsere Vision vom freien Leben verbreiten, uns Raum für eine Alternative zum sozialistisch geregelten Lebenslauf schaffen.« In den anderen Städten wurden die Roquéros oft von der Polizei erwartet, die sie verprügelte, ihnen ihre T-Shirts, Kruzifixe und Ohrringe abnahm, sie ins Gefängnis steckte und mit dem nächsten Bus zurückschickte. Es war nach einem Rockfestival in Santa Clara, als Papo auf dem Rückweg seinen Freund Juan Miguel Garcia im Lager von Los Cocos bei Havanna besuchte. »Ich hatte von anderen Roquéros gehört, die sich den Virus gespritzt hatten. In meiner Verzweiflung habe ich meinen Freund gebeten, mir etwas von seinem Blut abzuzapfen.« Im Krankenzimmer von Juan Miguel zogen sie eine Kanüle voll, ein Freund aus dem Lager setzte Papo die Spritze in die Armbeuge.

Wusste Papo, auf was er sich einließ? »Natürlich. Aber irgendwie haben wir uns das damals auch anders vorgestellt.« Er zuckte mit den Schultern. »Wir hatten gehofft, dass sich die

Gesetze ändern und wir als Kranke frei sind. Dass sie vielleicht ein Medikament finden, um uns zu heilen. Stattdessen sind wir in den Sanatorios Gefangene. Und dort werden wir auch sterben.« Gleich nach dem HIV-positiv-Befund wurde er eingewiesen. Andere Roquéros folgten ihm nach. Wenige Monate später auch seine Freundin Niurka, die sich bei ihm angesteckt hatte.

Im Lager behielten die Roquéros es zunächst für sich, wie sie sich den Virus geholt hatten, weil sie befürchteten, dass sie sonst ins Gefängnis gesteckt würden. Doch die Ärzte wurden schnell misstrauisch. So viele Freunde, die alle auf einmal den Virus bekommen hatten, alle mit dem gleichen untypisch schnellen Krankheitsverlauf. »Sie wussten Bescheid. Aber sie wollten bis heute nicht darüber reden.«

Ob er seine Verzweiflungstat bereue? Papo schaute ins Leere. »Irgendwie ist das alles wie ein Alptraum.« Ein tiefer Seufzer entfuhr ihm. »Sicherlich bereue ich es, dass ich nie eine Familie haben werde. Und es tut mir weh, dass ich meine Freundin angesteckt habe.« Abwehrend schüttelte er den Kopf. »Aber ich habe nun mal eine Entscheidung getroffen. Und ich wusste, was auf mich zukommt.«

Niurka wippte neben ihm auf ihrem Stuhl hin und her. Schüchtern legte sie den Kopf auf die Seite. Niurka war ein Jahr jünger als Papo, ein zierliches Mädchen mit rot gefärbtem Haar, einem runden Gesicht und furchtbar traurigen Augen. Sie war Lehrerin, bevor sie vor vier Jahren beim obligatorischen Aidstest den Bescheid »positiv« bekam. Seitdem lebte sie mit Papo im Lager. Wusste sie, dass Papo sich den Virus gespritzt hatte? Niurka nickte und legte den Finger auf ihre Lippen. »Psst.« Sie lugte durch die Tür in die Hütte. Ihr Vater ging mit langsamen Schritten in die Schlafkammer. »Meine Eltern wissen nicht, dass sich Papo selbst infiziert hat.« Hinten am offenen Herd stand ihre Mutter und rührte mit einem Holzlöffel in großen Blechtöpfen. »Es ist schon so schlimm genug für sie. Das würde ihnen das

Herz brechen.« Wir starrten für einen Moment auf den Boden, erleichtert, als uns der Vater zum Essen bat.

Die Mutter schleppte Schüsseln und Töpfe an. Reis, Bohnen, Rindfleisch mit Paprika. Es sollte ihrer Tochter und ihrem Schwiegersohn gutgehen. Enrique schaufelte mir Fleisch auf den Teller. »Iss, Mann. So was Gutes kriegst du in Havanna nicht.« Hier auf dem Land war es etwas leichter, Essen zu bekommen.

Nach dem Essen ging Papo in die Schlafkammer. Einmal am Tag spritzte er sich eine Ampulle Ceftrixin Sodium, ein chinesisches Antibiotikum. »Gegen das da«, sagte er und zeigte auf ein purpurfarbenes Geschwür am Hals. »Vor zwei Wochen war das so groß wie ein Hühnerei«, erzählte Enrique, der mit beiden Händen den Oberarm seines Bruders umfasste und so lange drückte, bis die Venen blau aus der Armbeuge pulsten. »Haben sie ihm in Havanna rausgeschnitten.« Papo lachte. »Wann immer wir etwas Ernstes haben, müssen wir nach Havanna ins Krankenhaus.« Er stach die Nadel ein, schob den Kolben nach. »Da werde ich auch sterben.« In der folgenden Woche musste er wieder hin.

Wir verabschiedeten uns von Niurkas Familie. Auf dem Rückweg nach Pinar del Rio wollte Papo noch kurz an den Strand. Lange hielt es ihn nicht am grünen Karibikwasser. »Lass uns arbeiten«, sagte er ernst. Er wollte zurück ins Lager, ein paar Roquéros herausschmuggeln, die mir ihre Geschichte erzählen sollten.

Das Sanatorio lag am Ortsrand von Pinar del Rio an einer Allee. Eine Ansammlung von weißen Bungalows, drumherum Felder, an der Straße zwei Reihen Stacheldraht. Wer hier eingewiesen wurde, stand unter strenger Kontrolle. Das war schließlich der Sinn des Lagers – die Kranken sollten in der Isolation keine Gelegenheit haben, Gesunde anzustecken. Das erste Jahr durften die Lagerinsassen nur in Begleitung eines Betreuers nach draußen. Erst wenn sie sich als vertrauenswürdig erwiesen hatten, bekamen sie Tages- oder Wochenendpässe, um ihre Familien zu besuchen. Niurka und Papo hatten viel Freiheit. Die beiden waren so verliebt, dass kaum Gefahr bestand, dass sie draußen jemanden beim Sex anstecken würden.

»Das Leben im Sanatorio ist nicht so schlecht«, sagte Niurka mit leiser Stimme und blickte unsicher zu Papo hinüber. »Wir haben einen eigenen Bungalow, Klimaanlage, Fernseher, für die es fast immer Strom gibt, bekommen Medikamente, drei Mahlzeiten am Tag, Milch, Joghurt, ab und zu Fleisch.« Luxus, der in Kuba sonst für Parteifunktionäre und Dollartouristen reserviert war. Milch gab es seit den letzten Rationierungsmaßnahmen nur für Kinder bis sieben Jahre. Fleisch und Medikamente gab es nur noch gegen Hartwährung. Strom und Wasser wurden im Rest des Landes periodisch abgestellt.

Eine Zeit lang ging das Gerücht um, dass sich Kubaner mit Aids infizierten, weil die Versorgung in den Lagern so gut war. Niurka schüttelte den Kopf. »Da gab es ein paar Fälle. Aber die sind die Ausnahme.« Papo stimmte ihr zu. So gut wie alle, die sich selbst infiziert hatten, waren Roquéros. »Und ein paar Frauen, die aus Liebe zu ihrem Mann ins Lager wollten.« Papo deutete auf die Sonne, die schon ganz tief stand. Es war Zeit zu gehen, die anderen zu holen. Die beiden verschwanden hinter der Schranke, die von einem Aufseher bewacht wurde. Auf der Terrasse vor einem der Bungalows saßen ein paar Roquéros und winkten. Langhaarige Burschen, ein blondes und ein schwarzes Mädchen. Ich sollte mit Enrique in die Wohnung seines Vaters vorgehen. In zwei Stunden wollte Papo mit ein paar von ihnen nachkommen. Ich sollte mehr Geschichten hören. Geschichten vom heldenmütigen Sterben.

Die Sozialbauten des Postbezirks Raul Sanchez waren gespenstische Mahnmahle sozialistischer Planwirtschaft. Vierstökkige Plattenbauten, an denen sich der Moder entlangfraß. Kahle Fensterhöhlen, die mit Holzläden verschlossen wurden. Jeder Flecken Erde zwischen den Häuserzeilen war mit Gemüse bepflanzt. Papos Vater lebte mit Papos Bruder Enrique und dessen Frau in einem der Zweiraumlöcher, in denen schwerer Kerosingeruch hing, weil es nur selten Strom und Gas gab. Papos Vater war ein kleiner, faltiger Mann, der sich grummelnd davonstahl, als wir in die Wohnung kamen. Enrique verdrehte die Augen. »Unser Vater ist ein schwerer Alkoholiker. Will mit Papo nichts zu tun haben.« In der Wohnküche stand ein Tisch, vier Drahtstühle, eine Bank. An der Tür hing eine vergilbte Werbung für Johnson-Außenbordmotoren. Der Traum fast aller Kubaner – ein Motorboot, mit dem man nach Florida abhauen könnte. Enrique bot mir einen Stuhl an, einen Bügel, falls ich bei der Schwüle mein Hemd ausziehen wollte. Draußen wurde es dunkel. Es gab ausnahmsweise Strom. Weil Wochenende war.

Wenig später kamen die Roquéros aus dem Lager. Sie hatten sich feingemacht. Papo trug eine Flickenjeans, ein Heavy-Metal-T-Shirt mit Totenschädeln auf der Brust und Armeestiefel, an denen Ketten hingen. Niurka hat ihre Haare in Locken gedreht und ein nabelfreies T-Shirt angezogen. Sie hatten Ivan und Mercedes mitgebracht, die ein Paar waren, Juan Luis, der mit seinen achtzehn Jahren einer der Jüngsten im Lager war, und Raissa, die dicke Dreadlocks trug. Wir trieben ein paar Häuser weiter einen Kasten Bier auf. Kubanisches »Clara«, helles Bier in braunen Flaschen ohne Etikett.

Papo war eindeutig der Anführer. Das war schon immer so gewesen, auch als sie noch gesund waren. Sie kannten sich aus der Schule, gingen zusammen in die Disco und verfluchten zusammen das sozialistische Kuba, in dem es keinen Spaß und vor allem keine ordentliche Rockmusik gab. »Als ich das erste Mal bewusst Rock gehört habe, durchzuckte mich das wie ein Blitz«, erzählte Papo. 1985 war das gewesen, eine Led-Zeppelin-Kassette, die ihm ein Freund in der Schule vorgespielt hatte. Juan Luis hatte mit Guns'n'Roses sein Schlüsselerlebnis, Raissa mit Metallica. Seit ein paar Jahren standen sie auf die ganz harten Gruppen wie Metallica, Anthrax und Megadeath. Und spanische Gruppen. »Da verstehen wir wenigstens die Texte.« Die Kassetten bekamen sie aus Havanna. Raubkopien der zweiten und dritten Generation. Led Zeppelin waren für die Roquéros allerdings immer noch die Größten. »Yeah. Jimmy Page!«, rief Papo und ging in Gitarrenstellung. Die anderen zeigten mit den Daumen nach oben.

Papo wollte, dass die Roquéros erzählten, wie sie sich infiziert hatten. Die anderen waren allerdings etwas schüchtern. Keiner von ihnen schien lange über den tödlichen Entschluss nachgedacht zu haben. Mercedes und Ivan hatten sich zusammen gespritzt, Juan Luis spontan, als er einen Freund im Lager besuchte, genauso Raissa. Keiner wollte so recht damit herausrücken, woher sie das Blut bekommen hatten. »Ich habe jedem, der mich gefragt hat, mein Blut gegeben«, hatte mir Papo am Morgen erzählt. »So haben die Roquéros die Kette begonnen.« Aber Genaues sagten sie nicht.

»Roquéros lieben die Freiheit«, wich Mercedes aus. Sie hatte ihre Haare blond gefärbt, trug Minirock und T-Shirt wie die Mädchen in Miami. »Der Tod ist die einzige Freiheit, die sie uns gelassen haben.« Alle hatten sie Geschichten über die Spezialbrigaden zu erzählen. »Seit wir im Lager sind, lassen sie uns in Ruhe«, erzählte Juan Luis. Nur Ivan hatte erlebt, wie sie einen infizierten Freund verprügelt haben. »Er schrie, dass er Aids habe. Aber da meinten die Brigaderos nur, dass er die Prügel erst recht verdient habe.«

Als das Gespräch auseinanderdriftete, übernahm Papo wieder das Wort. »Ich weiß, dass unsere Geschichte nicht ganz einfach zu verstehen ist. Die Psychologen in den Aidslagern haben vor ein paar Monaten begonnen, das Phänomen der Selbstinfizierungen zu studieren, und sie sagen, sie stehen vor einem Rätsel.« Eine der Fragen, die immer wieder aufgetaucht waren – warum die Roquéros keine andere Art des Selbstmords gewählt haben. Vielleicht, weil sie gar nicht sterben wollten, sondern ihre Teenager-Todessehnsucht in ihrer Verzweiflung nicht anders ausleben konnten. In Amerika oder Europa hätten sie sich vielleicht damit begnügt, schnelle Motorräder zu fahren, heroinsüchtig zu werden oder zum Bungeejumping zu gehen. Vielleicht hatten sie den Aidstod gewählt, weil Aids in Kuba ein Symbol für das Böse aus dem Westen war. Vielleicht war ihr Tod auch eine große Geste der Hoffnungslosigkeit, ein Ritual, wie die Selbstverbrennung der buddhistischen Mönche. Mit Sicherheit war es ein Tod aus Verzweiflung.

»Sie fragen uns auch, warum wir nicht einfach ein Boot gebaut haben und abgehauen sind«, sagte Papo. Er hob die Hände. »Damals hat das noch niemand getan. Ich würde liebend gerne nach Amerika abhauen. Meine Geschichte erzählen. Beweisen, dass ich die Wahrheit sage. Und eine Band gründen.« Ivan unterbrach ihn in seinem Traum. »Die Amerikaner lassen keine Aidskranken ins Land.«

Und warum hatten sie nun keine andere Form des Protests gewählt? Ivan zuckte mit den Schultern. Sie hätten sich doch zum Beispiel mit den radikalen Oppositionellen zusammentun können. »Wir wollen mit Politik nichts zu tun haben«, sagte Ivan. »Darum geht es uns ja.« Und Papo warf ein: »Die Oppositionellen werden alle von den rechtsradikalen Exilkubanern in Miami unterstützt. Wenn die hier die Macht übernehmen, geht es uns doch noch dreckiger.« Dann wollte er kein kapitalistisches Kuba? »Die Revolution war in Ordnung. Che Guevara ein Held und Vorbild. Erst seit die Periodo Especial begonnen hat, ist alles zusammengebrochen. Hat die Revolution sich selbst verraten.« Gab es für sie eine Lösung? »Sozialistische Marktwirtschaft. Wie in China.« Die anderen nickten.

Es war spät geworden. Kurz vor Mitternacht. »Lass uns in die Disco«, grölte Enrique. Jedes Wochenende veranstaltete das örtliche Komitee für Jugendkultur einen Tanz. Der Jugendminister hatte das Programm vor ein paar Jahren entwickelt. Discos für die Dorfjugend. Hin und wieder sogar ein Metalkonzert für die Roquéros. »Damit sie auch immer wissen, was wir tun und wo wir sind«, sagte Ivan verächtlich. Juan lachte. »Eigentlich können wir die Musik, die sie da spielen, nicht ausstehen. Aber es gibt halt nichts anderes.«

Die Disco von Pinar del Rio hieß Pistarita. Ein Freilufttheater in der Altstadt. Statt Türsteher die Brigada Especial mit Schlagstöcken und der Gästeliste des Revolutionskomitees. Drinnen tobten fünfhundert Tänzer im Rhythmus. Aus einer riesigen Verstärkeranlage dröhnten Disco- und Salsahits. Über der Bühne hing eine Light-show. Statt Bar stand ein Wassercontainer am Eingang. Wir drängten zur Bühne. Salsapaare im Hüftclinch. Ein paar Jungs brüllten die Refrains mit. Papo ragte bewegungslos aus der Menge. Niurka hielt sich an seinem Arm.

Nach zwei Salsarunden verschwand Ivan in der DJ-Kanzel. Er kam zurück, nickte bedeutungsvoll zu Papo. Noch ein schmetternder Trompetenschluss, dann gellte plötzlich die Rückkoppelung einer E-Gitarre aus den Lautsprechern. Papo lachte, reckte die Faust in die Luft. »Guns en Róssez«, rief er. Ivan und Mercedes stellten sich neben ihn. Die drei gingen in Position – breite Beine, Kopf nach vorne, die Arme in Gitarrenhaltung. Kaum setzte der Metalrhythmus ein, schleuderten sie ihre Köpfe hin und her, bis man nur noch wirbelnde Haare sah. Fünfhundert Salsatänzer erstarrten auf dem Fleck. Verwundert schauten sie zur Bühne, auf der Papo und Ivan Seite an Seite in die Knie gingen. Ein Kreis bildete sich um die drei Headbanger. Axl Rose kreischte, die Gitarren hämmerten einen ungewohnten Viervierteltakt, immer weiter, bis zum letzten Breitwandakkord. Dann wechselte der DJ das Band, es schmetterten wieder Posaunen über Congatrommeln, fünfhundert Tänzer griffen sich bei den Hüften. Doch Papo, Mercedes und Ivan schlugen sich in die Hände. »Das ist unsere Musik«, rief Papo.

Er war zufrieden. Für fünf Minuten hatten die Roquéros den Status quo gekippt. Für fünf Minuten waren sie Helden gewesen. Rebellen gegen den sozialistischen Jugendtanz. Gegen den kubanischen Salsarausch. Und ein ganz bisschen auch gegen die Angst und den Tod.

Auf dem Kriegspfad

Arizona

»Wenn nicht endlich Ruhe ist ...«, Tate führte seine Drohung nicht zu Ende, aber die jungen Navajos, die in seinem frisch gestrichenen Reihenhaus in Sportjacken und Turnschuhen um den Küchentisch herumsaßen, schwiegen und guckten betreten in die Luft. »Die Schnauze voll habe ich von euch!« Tate schüttelte den Kopf. Er fand, dass seine Rolle als Anführer der Insane Cobra Nation, der mächtigsten Streetgang auf dem Reservat der Navajos, von seinen Freunden heute nacht ganz schön ausgenutzt wurde. Seit sieben Uhr abends saßen sie schon in seinem Haus herum, spielten Nintendo und rauchten seine Drogen weg. Jetzt war auch noch Little C ohne Gruß durch die Tür gestürmt, hatte die ganze Küche mit Blut vollgetropft und ging allen mit seinen Prahlereien auf die Nerven. »Fünfzehn Dragons«, rief Little C euphorisch, ohne sich um Tate zu kümmern. »Fünfzehn gegen einen! Feiglinge alle miteinander. Pop, pop, pop, weg waren sie.«

Little C hielt seine rechte Hand vor sich ausgestreckt, damit er sich kein Blut auf die dunkelgrüne Baseballjacke schmierte. Zwischen Daumen und Zeigefinger klaffte eine Fleischwunde. Er sagte, dass er sich die bei der Schlägerei geholt habe, aber wahrscheinlich hatte er wieder nicht aufgepasst, den Revolver zu weit oben angepackt, und der Hammer seiner .375 Magnum hatte ihm die Hand aufgerissen.

Alle hier in der Küche hatten die Schüsse gehört. Sechs Stück. Dann war die Trommel leer gewesen. Deswegen war Little C bis zu Tates Haus gerannt, wo er vor ein paar Tagen eine ganze Schachtel Munition liegengelassen hatte.

»Wo sind meine Kugeln, Tate?« Tate schüttelte den Kopf. Er hatte sich an der Tür aufgebaut. Zwischen Schnauz- und Kinnbart zog sich sein Mund langsam zu einem grimmigen Halbmond nach unten. Die massigen Arme pendelten wie Sprungfedern an seinem Körper, die Hände zu Fäusten geballt. Schwere Fäuste, die mit unglaublicher Geschwindigkeit die Schwachstellen eines Gegners finden und ihn zu Boden bringen konnten, obwohl die meisten Gegner einen guten Kopf größer waren als der gedrungene Tate.

Tate hatte keine Lust, heute nacht einen Bandenkrieg mit den Dragons anzuzetteln, obwohl er natürlich einsah, dass Little C richtig gehandelt hatte. Bei der dritten Erzählung waren es zwar nur noch acht Dragons, aber es war klar, dass sie Little C mit Dragon-Handzeichen provoziert hatten, dass er einem dafür auf die Nase geschlagen hatte und dass er, als sie immer noch nicht genug hatten, den Revolver aus der Tasche ziehen musste. Tate hätte das früher genauso gemacht, aber vor drei Monaten hatte der Stammesrat Tate endlich eines der Reihenhäuser im besten Sozialbauviertel von Window Rock zugeteilt. Weil seine Freundin Izzy schwanger war und er sich so eifrig um das »Youth for Youth«-Projekt kümmerte, die Jugendgruppe, die verhindern sollte, dass sich Teenager in Gangs zusammenschließen. Dass er immer noch als Anführer der Insane Cobra Nation fungierte, wussten sie beim Stammesrat nicht. Deswegen musste er aufpassen, sonst hätten sie ihn wieder hinausgeworfen, und er hätte mit der schwangeren Izzy zurück zu seiner Tante ziehen müssen, die oben in den Hügeln in einem engen Farmhaus wohnte.

Window Rock war zwar nicht gerade eine Metropole, nicht einmal eine Kleinstadt, sondern nur eine triste Ansammlung von flachen Sozialbauten, Fastfood-Buden und Zweckgebäuden mitten in der Four-Corners-Felsenwüste von Nordostarizona. Aber als Regierungssitz des Stammesrats der Navajos war Window Rock das Zentrum des größten Indianerreservats in den USA, immer noch interessanter, als draußen in der Wüste zu wohnen.

»Meine Kugeln.« Little C winkte mit seiner gesunden Hand fordernd in Richtung Tate. Der zischte zurück: »Ich habe deine Kugeln nicht.« Auf Tates rasiertem Schädel schwoll eine Ader an. »Geh jetzt heim.« Little C warf Tate einen zornigen Blick zu, dann band er sich sein Stirntuch um die Wunde und schlurfte durch die Tür davon. Nicht nur, weil er wusste, dass er, der dürre Sechzehnjährige, gegen den zweiundzwanzigjährigen Tate mit seinen zehn Jahren Straßenkampferfahrung keine Chance hatte. Nein, Tate war »O. G.«, Original Gangster, ein Veteran und somit Autoritätsperson.

Tate wusste natürlich, wo die Munition versteckt war. Ganz oben im Küchenschrank, hinter den Papptellern. Sechzig Magnum-Kugeln, die Little C an dem besagten Abend mit seinem Butterflymesser an der Spitze ausgehöhlt hatte, weil sie als Dumdumgeschosse größere Löcher rissen. Aber Tate sagte: »Little C muss selber sehen, wie er das regelt. Ich kann nicht andauernd den Babysitter spielen, nur weil er sich im Revier der Dragons herumtreibt.«

Little C machte den Cobras andauernd Ärger. Lief mit seiner Magnum in der Tasche herum und suchte Streit. Selbst Familienzwist regelte er mit seinem Revolver. Letztes Jahr hatte er zu Hause den Freund seiner Mutter niedergeschossen. Wenn ihm langweilig war, nahm er ein paar von den Cobras mit und ging »Dragons jagen«. Und langweilig war ihm oft.

»Sicher sind die Dragons unsere Feinde«, sagte Tate. »Ich würde jederzeit einen umlegen. Aber Little C ist auf seinem ganz persönlichen Kriegspfad. Darauf habe ich keine Lust.« Es gebe ein altes Sprichwort der Navajo, sagte Tate: »Der Krieger geht zu seinem Feind.« Bei Little C war das anders. Kein heldenhafter Kampf, eher ein versteckter Todeswunsch. Deswegen hatte er ihm die Kugeln nicht zurückgegeben. Nicht heute. Morgen vielleicht. Außerdem war Izzy sowieso sauer, weil Tate schon wieder die ganze Nacht mit seinen Jungs unten in der Küche saß und Crystals rauchte.

Da saß die gefürchtete Insane Cobra Nation um den Resopaltisch – Teenager mit versteinerten Gesichtszügen, die mit ihren tätowierten Armen aussahen wie mexikanische Gangster. Dahmer war da, der einzige in der Gang, der einen Job hatte, im Laden für Navajo-Kunsthandwerk unten am Highway. Ein breitschultriger Kerl, der grüne knielange Hosen trug, ein Chicago-Whitesox-Hemd und eine grüne Baseballkappe. Eigentlich hieß er Jeffrey. Den Spitznamen hatte er gekriegt, weil er sich seit Jahren als gnadenloser Kämpfer bewiesen hatte – Dahmer wie Jeffrey Dahmer, der Massenmörder.

Mongo lümmelte auf dem Sofa in der Ecke und kicherte die ganze Zeit, ein Hüne mit kugelrundem Mongolenkopf, daher sein Name. Shadow saß am Tisch, Izzys kleiner Bruder, ein schmaler Junge mit klugen, wachen Augen. Der schüchterne James, der nur noch selten dabei war, seit er Frau und Kind hatte. Devin, sein dicker Bruder, der immer so misstrauisch dreinschaute. Alle trugen Grün und Schwarz. Grün war die Farbe der Insane Cobra Nation. Die Dragons trugen Braun.

Izzys Kopf tauchte oben an der Treppe auf. »Die Nachbarn haben angerufen, ob wir die Schüsse auch gehört haben«, rief sie in die Küche. Izzy hatte ein hellrosa Gesicht mit fein geschwungenen Katzenaugen und hohen Wangenknochen. Sie lachte ihr helles Mädchenlachen. Gegen Schießereien hatte sie nichts, sie mochte Männer, die sich wehren konnten. Nur gegen die Amphetaminraucherei, weil Tate dann wieder bis Sonnenaufgang mit den Jungs in der Küche sitzen würde und am nächsten Tag schlechte Laune hätte. »Schon wieder Little C«, rief Tate. »Ich hab ihn rausgeschmissen. Geh schlafen, Baby.« Dann ließ er sich von Shadow die Glaskolbenpfeife reichen. Izzy verdrehte die Augen und schob ihren kugelrunden Bauch in Richtung Schlafzimmer.

»Psycho-Squaw«, sagte Tate und tippte sich an die Schläfe. »Seit sie schwanger ist, muss sie immerzu weinen. Aber nur, wenn wir alleine sind. Deswegen will ich nicht, dass Little C hier Ärger macht. Izzy braucht ihren Schlaf.« Er zog ein Briefchen aus der Tasche, faltete es sorgfältig auf und ließ ein paar gelbe Kristallsplitter in den Kolben der Pfeife rieseln. Shadow hielt ein Feuerzeug darunter, bis sich die Splitter in weiße Rauchschwaden auflösten. Es roch ein wenig nach verbranntem Plastik. Tate zog an, bis der Kolben leer war, dann gab er die Pfeife an Mongo weiter.

Crystals, das kristallisierte Methamphetamin, war die Lieblingsdroge der Cobra-Gangster, weil sie billig zu haben war, eine sanfte Euphorie verursachte, wach hielt, die Sinne schärfte, und sich zu dieser Zeit gerade epidemisch über das gesamte Land verbreitete – bis es im Jahr 2005 Kokain und Heroin als größtes Drogenproblem der Nation abgelöst hatte. Wenn man dazu noch etwas von dem mexikanischen Gras rauchte, ging es einem bis zum Sonnenaufgang ganz prächtig. Nur wenn sie Fourties tranken, Literflaschen Malt Liquor, jenes extrastarke Bier mit dem schalen Nachgeschmack, fielen sie noch vor Tagesanbruch in Schlaf.

Heute nacht gab es kein Bier, weil keiner ein Auto auftreiben konnte, um in den Schnapsladen zu fahren. Alkohol war illegal im Reservat. Ein Gesetz, das 1863 eingeführt worden war, als die amerikanische Regierung nach den Massakern, die Oberst

Kit Carson verübt hatte, endlich einen Friedensvertrag aufsetzen ließ, der den Navajos ein Stück Felsenwüste von der Größe Bayerns zugestand. Zwei Wochen Knast konnte man sich für einen Kasten Bier einhandeln. Was allerdings niemanden davon abhielt, trotzdem zu trinken. Zum nächsten Schnapsladen brauchte man auf dem Highway 264 rund zwanzig Minuten. Gleich hinter der Reservatsgrenze stand die Baracke mitten auf der Prärie, in der ein weißes Säuferpärchen die Indianer mit Alkohol versorgte.

Auf Tates Stereoanlage lief kalifornischer Gangsta-Rap. Tupac Shakur und Eazy-E. Von den kalifornischen Rappern und ihren Musikvideos hatten die Cobras gelernt, was zu einem ordentlichen Gangster gehörte. Den Gangsta-Style mit den überweiten Jeans, dem Straßenslang und den Graffiti, mit denen eine Gang ihr Revier markierte und die im Reservat sogar auf kalifornischen Kodierungen basierten. Strichen die Cobras zum Beispiel das Ganggraffito eines Gegners durch und schrieben die Zahl 187 dazu, war das eine Todesdrohung, weil Paragraph 187 im kalifornischen Strafgesetz vorsätzlichen Mord behandelte.

Die Gangsta-Mode kannten sie schon, bevor sie sich in der Gang zusammenschlossen. Aber erst das Gangsta-Life berechtigte sie dazu, die »Colors« zu tragen, die Farben ihrer Gang. Die Insane Cobra Nation entstand während der ersten Rekrutierungswelle der Großstadtgangs auf dem Land. Die schickten ihre Abgesandten seit Ende der achtziger Jahre durch ganz Amerika, um die Landjugend dafür zu gewinnen, Ableger zu gründen. Damit setzten sie ihre Revierkämpfe landesweit fort und vergrößerten gleichzeitig ihren Absatzmarkt für Drogen. Heute gab es die L.A.-Gangs der Bloods und Crips von Kalifornien bis New York City. Im gesamten Mittleren Westen hatten sich die Folks- und People-Gangs aus Chicago breitgemacht. Und entlang der Ostküste hatten sich die Latin Kings etabliert.

Die Rekruteure kamen mit Business-Class-Flügen und Sportwagen. Sie beeindruckten die Landjugend mit Goldschmuck, Geldbündeln und dem Versprechen vom großen Macho-Abenteuer. Bei den Minderheiten auf dem Land wandelte sich so der Gedanke der Rebellion genauso zum Nihilismus wie bei den Schwarzen aus der Großstadt: Die Bloods und die Crips in Los Angeles waren von den Kindern der Black-Panther-Generation gegründet worden, die die Ideale ihrer Eltern scheitern sahen. Genauso waren die Gangstakids in den Reservaten Kinder jener Generation, die im American Indian Movement, AIM, versucht hatte, den Emanzipationskampf der Städte in die Reservate zu tragen.

Im Falle der Insane Cobra Nation war der Rekruteur ein junger Navajo namens »King Cobra« gewesen, der in Chicago am College studiert und in den Semesterferien seine Freunde daheim für die Cobras angeworben hatte, eine Untergruppe des Latino-Gangsyndikats der Folks. Seither kamen auch die Bloods und die Crips aus South Central Los Angeles nach Window Rock. Und die Chicagoer Feinde der Folks, die El Ruk'n, hatte die Dragons etabliert. Doch die Cobras waren mit hundertfünfzig Mann längst viel zu stark, als dass die Filialen der Konkurrenz eine Chance gehabt hätten. Auch wenn sie sich keine automatischen Waffen leisten konnten und sich für ihre Drive-by-Shootings meistens ein Auto ausleihen mussten.

Für den Stammesrat der Navajos war die Insane Cobra Nation ein unlösbares Problem. Die Navajo Tribal Police Force konnte nichts ausrichten gegen die Gewalt aus der Großstadt. Die Mittel fehlten. Navajopolizisten mussten wegen Personalmangel statt zu zweit, wie bei der amerikanischen Polizei üblich, alleine in ihren Geländewagen auf Streife fahren. Im Reservat kam auf zweihundert Quadratkilometer – eine Fläche, die größer ist als ganz Liechtenstein – ein einziger Polizist. Deswegen passierte es nur selten, dass die Cobras verhaftet wurden, weil es kein einzelner Streifenpolizist wagte, sich gegen zehn bis fünfzehn Gangbanger zu stellen, und Verstärkung oft eine halbe Stunde brauchte, bis sie aus den entlegenen Winkeln des Reservats kam. Außerdem hatte vor zehn Jahren ein Navajopolizist versucht, eine Bierparty aufzulösen, die James' Onkel und seine Freunde in der Wüste beim Monument Valley gaben. Die hatten den Polizisten dann einfach in seinen Streifenwagen gesperrt und verbrannt. Das hatten sich die Cops gemerkt.

Die Staatspolizei konnte der Tribal Police auch nicht helfen, weil die Navajos per Gesetz halbunabhängigen Status genossen, ähnlich wie die Townships in Südafrika. Nur Monica Begay, die Chefin der zweiköpfigen Navajo Gang Task Force, griff manchmal durch, sammelte eine Polizeitruppe um sich und stürmte eines der Häuser, in denen sich die Gangs trafen.

»Monkey Business« nannten die Cobras die Aktionen der resoluten Polizistin, Affentheater, weil die zierliche Beamtin ihre Razzien oft darauf beschränkte, Nachwuchsgangstern ihre T-Shirts, Mützen und Rapkassetten wegzunehmen. Das durfte sie, seit der Stammesrat nach dem Vorbild der Großstädte eine Verordnung gegen »Gangutensilien« erlassen hatte.

Monica Begay versuchte auch immer öfter, das FBI gegen die Gangs einzusetzen, die einzige US-Behörde, die im Reservat ermitteln dufte. Nach dem Navajogesetz gab es für Mord und Totschlag nur ein halbes Jahr, nach dem Bundesgesetz aber fünfzehn Jahre bis lebenslänglich. Deswegen saßen ein paar Cobras auch schon weit weg vom Reservat in Bundesgefängnissen. »Superzicke«, sagte Tate. »Das letzte Mal hat sie einem von den Baby Gs ihren Stiefel in den Nacken gedrückt, bis er gejault hat. Ganz stark kam sie sich vor.«

Eiserne Regel: Wer doch einmal erwischt wird – und wegen Trunkenheit und Herumlungern war jeder der Cobras schon einmal in der stinkenden Ausnüchterungszelle von Window Rock –, hält dicht. »Verräter werden sofort aus der Gang ausgeschlossen«, sagte Tate. Dazu gehörte das »Jumping Out«.

Das »Jumping In«, das Initiationsritual, das die amerikanischen Streetgangs von den mexikanischen »Cliquas« übernommen hatten, musste jeder der Cobras über sich ergehen lassen. Dabei hatte der Neuling viermal ein Spalier entlangzulaufen, während die anderen Cobras mit Fäusten auf seinen Oberkörper eindroschen. Devin war letzte Woche eingeweiht worden und zeigte noch Wochen später die lila Flecken am ganzen Körper herum.

Für Mädchen gab es normalerweise das »Sexing In«. Die Anwärterin musste würfeln, und die Augen des ersten Wurfs bestimmten die Zahl der Gangmitglieder, mit denen sie schlafen musste, um die Prüfung zu bestehen. Doch die Cobras nahmen keine Mädchen auf. Ehrensache.

Beim »Jumping Out« durfte auch ins Gesicht geschlagen werden, und zum Schluss schnitzte der Gangchef mit dem Messer ein großes X in den Rücken des Ausgeschlossenen. »Der ist daraufhin für alle Zeiten geächtet«, sagte Tate. »Und wenn wir ihn in unserem Revier erwischen, setzt es gleich noch eine Tracht Prügel.« Die anderen nickten zustimmend. »Die Gang hält zusammen. Bis zum letzten. Wir sind eine Familie. Doch wenn einer Mist baut, kann er nicht verlangen, dass die anderen das für ihn ausbaden.« Tate schüttelte den Kopf. »Little C, dieser kleine Motherfucker. Der wird mich noch die Bude kosten.«

Zwei Tage später nahm Little C die Rache an den Dragons selbst in die Hand. Er hatte seit drei Tagen nicht mehr geschlafen, nur Crystals geraucht und Nintendo gespielt. Zusammen mit High Dog und G Loc fuhr er am frühen Abend in High Dogs Toyota-Kleinwagen durch das Reservat, um einen der Dragons zu finden. Irgendeinen. Hauptsache, dass die Dragons danach wussten, dass sie sich nicht ungestraft mit ihm anlegen konnten. Erster

Stopp war Rio Puerco in Fort Defiance, zehn Kilometer hinter Window Rock. Schnurgerade zog sich die Landstraße nach Norden. Links und rechts ragten die Felszinnen in den Himmel. Dazwischen lagen karge Flächen. Außer Präriebüschen wuchs hier nicht viel.

Rio Puerco lag gleich hinter der Kreuzung, an der die Route 134 Richtung Monument Valley abzweigte. Ein umzäuntes Viertel uniformer Sandsteinbaracken, die das Sozialbauamt vor zehn Jahren gebaut hatte. Windstöße wirbelten Staubwolken auf, wehten Müll über die leeren Grundstücke. Am Basketballkorb saßen die Rio-Puerco-Cobras um einen Kleinwagen herum. Nein, Dragons hatten sich in Fort Defiance seit Wochen nicht blicken lassen. An der Fina-Tankstelle hatten sie vor ein paar Monaten zwei verprügelt. Seither war Ruhe. Little C nickte stumm. High Dog drehte um. Zurück nach Window Rock.

Ziellos kurvten sie durch den Ort. An den Fastfood-Restaurants am Highway vorbei, durch die Außenbezirke, in denen Wohnwagen auf umzäunten Grundstücken standen. Dann, in St. Michael's, der Sozialbausiedlung am Ortsrand, die von den Dragons kontrolliert wurde, erspähten sie einen der Dragons. Godfrey, einen sechzehnjährigen Burschen, der gerade vom Bus zum Haus seiner Großmutter lief. Little C kurbelte das Fenster herunter. »What up, punk!«, rief er. Godfrey drehte sich um, streckte seine Arme in die Luft, formte das Handzeichen der Dragons und rief »Fuck you!«, doch da hatte Little C schon seine Magnum aus der Tasche gezogen. Drei Schüsse. Godfrey lag am Boden und hielt sich den Unterleib. High Dog drückte aufs Gas. Mit einem Schlenker bog der Toyota auf die Landstraße und raste davon.

Little Cs Anschlag war das Abendgespräch von Window Rock. »Drive by!«, feixte Tate. Er hatte den Polizeifunk auf Kurzwelle abgehört. »Die suchen nach einem grünen Honda mit New-Mexico-Nummernschildern. Die Ahnungslosen.« High

Dogs Toyota hatte Arizona-Schilder. »Aber Little C hat ihn nicht richtig erwischt. Streifschuss am Arsch. Das wird er wohl überleben.«

Tate hatte gute Laune. Gestern hatte er eine Lieferung mexikanisches Gras aus einer der Städte am Rande des Reservats geholt. Vier Kilo. Ein halber Müllsack voll. Die ganze Küche durchzog der würzige Duft von frischem Marihuana. Tate brauchte Geld, weil er ein Gitterbettchen kaufen wollte, Strampelhosen, Söckchen, Windeln, Puder, Babyöl, Milchflaschen, was man halt so brauchte für ein Neugeborenes. Und Steaks für Izzy, damit sie nach der Geburt wieder zu Kräften kam.

»Früher haben wir gestohlen«, sagte er. »Sind in Häuser eingebrochen oder haben den Laden an der Tankstelle ausgeräumt. Meistens wenn wir Hunger hatten. Aber Gras verkaufen bringt viel mehr Geld.« Zufrieden wickelte er Grasbündel in Plastiktüten, eine Unze pro Päckchen, die er für hundert Dollar an die Straßenhändler verkaufte. Fünfhundert Dollar hatte er schon eingenommen. Morgen wollte er in das Städtchen Gallup fahren, in die Babyabteilung vom Supermarkt.

Richtig sentimental wurde er, wenn er daran dachte, dass er in einer Woche Vater würde. »Ein Sohn wird es«, sagte er stolz. »Ich weiß, dass es ein Sohn wird. Kein Mensch wird es wagen, ihn anzufassen. Ha! Wenn einer meinem Sohn zu nahe kommt …« Tate sprang auf, boxte ein paar rechte Gerade und linke Haken in die Luft. »Izzys Eltern maulen immer herum, sagen, sie soll mit dem Baby nach Hause kommen. Die sollen bloß aufpassen.« Linker Haken. »Das ist mein Sohn. Für den Rest meines Lebens. Ich habe zu Izzy gesagt, wenn du nach Hause willst, kannst du gehen, aber das Baby bleibt hier. Diese Wichser. Sollen sich nur blicken lassen.« Rechte Gerade. »Wenn es sein muss, werde ich für meinen Sohn töten.«

Tates Gesicht hatte sich verfinstert. Mürrisch wickelte er seine Päckchen. »Mein Sohn wird es einmal besser haben. Aufs

College werde ich ihn schicken.« Tate war nie auf dem College gewesen, obwohl er auf der High School einer der besten Schüler war. Ein Football-Stipendium hätte er sogar fast bekommen. Aber er hatte sich nie anpassen können, hatte im Internat zusammen mit Mongo den halben Schulhof für die Cobras rekrutiert, Drogen verkauft, Streit angezettelt.

Daheim in Window Rock fand Tate keinen Job. »Hier gibt es keine Perspektiven«, sagte er. Nach offiziellen Statistiken waren die Navajos nicht nur der größte, sondern auch der ärmste Stamm in den USA – fast die Hälfte von ihnen lebte unter der Armutsgrenze. Das durchschnittliche Jahreseinkommen lag bei knapp viertausendachthundert Dollar pro Kopf, weniger als ein Viertel des Durchschnitts in den übrigen USA. Die meisten Jobs gab es bei den verschiedenen Behörden des Stammesrats, und dafür brauchte man gute Verbindungen. Ansonsten konnten sich die Navajos nur in den Minen und Bergwerken verdingen. Kein Job für Tate, deswegen lebte er wie die meisten hier von der Sozialhilfe.

»Ich weiß genau, wo meine Wut herkommt, dieser permanente Drang zu kämpfen«, sagte er. »Das ist dieses Gefühl, alles zu verlieren und nichts mehr zu verlieren zu haben. Angefangen hat das, als meine kleine Schwester gestorben ist. Da war ich drei. Sie war noch ein Baby. Als ich sieben war, ist meine Mutter bei einem Autounfall ums Leben gekommen. Ein Jahr später mein Vater.« Tate biss die Kiefer zusammen und starrte aus dem Fenster, während er Grashäufchen in Tüten schaufelte.

Bei der Großmutter war er danach aufgewachsen, mit der er sich hervorragend verstanden hatte. Wäre da nicht Onkel Lou gewesen, Vietnamveteran, Säufer, Kinderschläger.

Tate merkte, wieviel sein Onkel trank, als er in die Pubertät kam und anfing, sich zu rasieren. Da war sein Aftershave oft schon nach ein paar Tagen leer. Vom Onkel weggesoffen. Wenn es sonst nichts zu trinken gab, mixte sich Lou auch öfter mal ein

Ocean Water, das Gebräu, das die Alten trinken, die immer vor dem Supermarkt herumhängen und es sich nicht leisten können, in den Schnapsladen zu fahren: Aquanet Haarspray mit Wasser vermischt.

»Sofortiges Koma«, sagte Tate. »Mein Onkel ist auf das Zeug immer ausgerastet. Hat blindwütig auf alles eingeschlagen. Mich hat der bald nicht mehr angefasst. Ich habe schon früh gewusst, wie man sich wehrt.« Aber die Tanten, Nichten und Neffen hatten unter den Ausbrüchen zu leiden. »Nicht anzusehen war das. Zweimal habe ich meinen Onkel so verdroschen, dass er nicht mehr laufen konnte«, erzählte Tate. »Beim dritten Mal hab ich ihn aus dem Haus geworfen und ihm klargemacht, dass er das nicht überlebt, wenn er sich noch mal blicken lässt. Da war ich siebzehn.« Fünf Jahre war er damals schon bei den Cobras.

Als Tate neunzehn war, starb seine Großmutter. »Seither habe ich eine noch größere Wut im Bauch.« Er wiegte den Kopf hin und her. »Ich kann das nicht genau erklären, aber wenn ich einen niedermache, wenn ich Mann gegen Mann stehe, wenn ich einem mein Messer in den Bauch stoße oder wenn ich meine Fäuste auf sein Gesicht prasseln lasse, geht es mir danach viel besser.«

Tate zog die Augenbrauen zusammen. »Viele Cobras haben solche Geschichten. Die Gang ist oft die erste intakte Familie, die sie kennenlernen. Warum aus Little C so ein Wahnsinniger geworden ist, weiß ich allerdings auch nicht.« Little C kam aus einem relativ wohlhabenden Haus. Die Mutter arbeitete als Managerin des McDonald's in Window Rock. Bis vor zwei Jahren galt er als Musterschüler. Dann fing er mit den Schlägereien an, den Drive-by-Shootings, den Einbrüchen. »Das wird böse enden«, sagte Tate. »Er ist viel zu unvorsichtig. Dem ist alles scheißegal. Wenn du zum Mobbing gehst, musst du sicher sein, dass du nicht erwischt wirst. Sonst lässt du es besser bleiben.«

Mobbing hieß bei den Cobras alles – von der Schlägerei bis zum Überfall oder Einbruch.

Tate wollte nach der Geburt seines Sohnes mit dem Mobbing aufhören. Nur am Wochenende des 4th of July wollte er noch einmal losziehen. Denn da war Volksfest in Window Rock. »Unten am Rodeofeld. Bei den Volksfesten geht es immer rund. Da kommen die Cobras und die Dragons in voller Stärke. Da kann man richtig mobben. Nicht nur so schwachsinnig herumschlägern wie Little C.«

Am Samstagnachmittag lag Tate im Wohnzimmer auf dem Sofa und döste. Izzy schlief. Er hatte die Jungs rausgeworfen, die Klingel abgestellt. »Ich muss all meine negative Energie sammeln. Heute abend geht es rund«, sagte er ohne einen Funken Ironie. Um elf wollten sich die Cobras beim McDonald's treffen. Dahmer konnte nicht kommen. Der musste morgen früh um sechs mit dem Lieferwagen des Navajo-Kunstkollektivs zu einer Schmuckmesse nach Kalifornien. James durfte nicht. Er musste seine Frau, seinen kleinen Sohn und zwei Nichten mit zum Volksfest nehmen. »Pantoffelheld«, sagte Tate. »Ich habe ihm gleich gesagt, dass er nicht so jung heiraten soll.«

Little C sollte auch nicht dabeisein. Gestern war er zur Eröffnung des Volksfests gegangen, hatte versucht, ohne Eintrittskarte über die Sperre zu springen. Zwei Sicherheitsbeamte hatten ihn überwältigt, den Revolver in seiner Tasche gefunden und die Polizei geholt. Heute morgen hatten sie ihn nach Tohatchi gebracht, ins Jugendgefängnis. Monica Begay wollte das FBI einschalten.

»Dieser Vollidiot«, knurrte Tate. »Hundertmal habe ich ihm gesagt, er soll den Revolver nicht zum Mobbing mitnehmen. Dann versucht er damit über den Zaun zu springen, obwohl er genau weiß, dass die Typen vom Sicherheitsdienst uns schon vor Jahren den Krieg erklärt haben.« Er schnaubte verächtlich durch die Nase. »Geschieht ihm nur recht, dass er jetzt sitzt.« Tate wusste, wie man zum Mobbing geht – schwarze Kleidung, um in der Nacht unerkannt über die Felder abzuhauen, keinen Streit mit den Sicherheitsbeamten anfangen, sich erst über das Volksfestgelände verteilen, zuschlagen und dann sofort abhauen.

Um elf sammelten sich die Cobras vor dem McDonald's. Die Wüste rund um das Rodeofeld lag im Dunkeln, nur oben auf den Klippen konnte man im Mondlicht die Umrisse von Sträuchern und Kakteen ausmachen. Brav bezahlten die Cobras ihren Eintritt. In Dreiergrüppchen schlenderten sie zwischen den Ständen und Karussells umher. Kamen mehr als drei zusammen, tauchten sofort die Sicherheitsbeamten mit ihren Schlagstöcken auf. Mehr als drei Gangmitglieder galten laut Verordnung des Stammesrats als Zusammenrottung, die gesprengt werden musste.

An der Zuckerwattenbude traf Tate auf Mongo und G Loc, dem frische Blutkrusten an Schläfe und Wangenknochen klebten. Mongo und G Loc waren schon früher zum Festplatz gekommen, an einen Trupp Dragons geraten und hatten Schläge kassiert. Für Tate nur noch ein Grund mehr, den Dragons zu zeigen, wer hier das Sagen hatte. »Zurück auf den Parkplatz«, rief er. »Da können wir sie stellen.«

Kaum hatten sich die Cobras durch das Gedränge am Ausgang geschoben, entdeckte einer von ihnen Wayne Wilson, den Chef der Dragons, schutzlos, bis auf einen schmächtigen Burschen in braunem Sweatshirt an seiner Seite. Die Cobras bauten sich im Halbkreis auf. Die beiden Dragons versuchten, sich zurück in die Sicherheit des Volksfestplatzes zu drängen. Plötzlich ein Schrei aus den Reihen der Cobras: »Let's mob!« Ein Stein flog, ein Plastikbecher mit Cola. Die Cobras stürmten durch die Menge, die erschreckt zurückwich. Drei stürzten sich auf den schmächtigen Dragon, der ängstlich die Arme vors Gesicht hielt. Zielsicher landeten Fäuste auf seinen Nieren, seiner Leber. Die Beine wurden ihm weggerissen, Blut quoll aus seinem Kopf.

Fünf andere hatten sich auf Wayne Wilson gestürzt. Ein Butterflymesser wirbelte durch die Luft, die Griffhälften flatterten silbrig im Kreis, schlossen sich in einer Faust, die die Klinge mit voller Wucht in den Magen des Dragon-Chefs stieß. Fünfmal. Und fünfmal gab Wayne Wilson einen unterdrückten Schrei von sich. Dann zitterten plötzlich Lichtkegel über die Köpfe. Sicherheitsbeamte waren im Anmarsch. Im Nu löste sich die Menge auf. Wayne Wilson versuchte, sich an einem Geländer festzuhalten. Doch dann klappte er zusammen, blieb liegen.

Höchstens dreißig Sekunden hatte der Überfall gedauert. Zwei Krankenwagen rasten heran, Polizisten kamen zusammengelaufen. Monica Begay tauchte auf. An ihrer Seite ein Weißer, der eine Regenjacke trug, auf deren Rücken in großen Lettern FBI gedruckt stand.

Die Sanitäter luden die beiden Dragons auf Krankentragen. Monica Begay schüttelte den Kopf. »Wayne Wilson? Was macht der alleine auf dem Volksfest? Selber schuld, wenn er ohne Schutz ausgeht.« Polizisten schwärmten aus, aber die Cobras waren längst in alle Richtungen verschwunden. Nur James stand mit gelangweilter Miene am Kinderkarussell und hielt seinen kleinen Sohn im Arm. Aufgeregt winkte er mir zu. Er hatte von der Schlacht nichts mitbekommen. Als ich ihm davon erzählte, leuchteten seine Augen auf. »Wirklich?«, fragte er. »Sie haben Wayne Wilson niedergestochen?« Er nickte zufrieden und sagte: »Hoffentlich haben sie ihn umgebracht.«

Halbstarke Herrenmenschen

Tennessee

Irgendwie war ich da hineingeraten und kam nicht mehr heraus. Dreißig stockbesoffene Skinheads in einem Motelzimmer brüllten »White Power! Sieg Heil!« und spielten auf dem Kassettenrecorder Störkraft. An der Tür lehnte einer mit Ziegenbärtchen, der kaum noch gerade stehen konnte, und schob den Riegel vor. »Was weißt du schon, was es heißt, für die weiße Rasse zu kämpfen?«, schrie er mich an und drückte mich in die Menge zurück. »Nichts weißt du. Du bist doch nicht mal stolz darauf, ein Weißer zu sein.« Seine Stimme schnappte über. Die anderen tanzten Pogo auf dem Bett, bis der Rahmen auseinanderbarst. »White Power! White Power!«, grölten sie. »Jetzt wird der Reporter rasiert, und dann tätowieren wir ihm den Schädel!«

Wegen der Skinheads war ich eigentlich nicht nach Pulaski gefahren. Ich war gekommen, um den Ku-Klux-Klan zu treffen, der hier sein Gründungsjubiläum gefeiert hatte. Pulaski war der Geburtsort der ältesten Rassistenorganisation der Welt. Ein verschlafenes Hillbillynest inmitten der Hügel von Tennessee. Am Abend zuvor war ich angekommen, hatte mich im Motel eingemietet. Die ersten Skinheads waren schon dort, standen um einen Pick-up-Truck, tranken Bier. Vom Klan war nichts zu sehen.

Erst am nächsten Morgen begegnete ich ihnen. Ich saß beim Frühstück in Pat's Restaurant, als vier ältere Herren in Militärkleidung hereinstapften. Einer kam gleich auf mich zu, sprach mich an, ich müsse wohl der Deutsche sein. Sie luden mich ein, mit ihnen am großen runden Tisch zu sitzen. Die Bedienung brachte Teller mit Rühreiern, Speckstreifen, Kartoffeln. Erst nahmen sich die vier Klanmänner bei den Händen und sprachen ein Gebet für die weiße Rasse. Dann schaufelten sie sich das Frühstück auf die Gabeln und klagten mir ihr Leid von der jüdischen Weltverschwörung und dass sich bei dem liberalen Klima im Land kaum ein ordentlicher Rassist mehr traue, öffentlich zum Klan zu stehen. Deswegen müssten sie zu ihren Auftritten die Neonazis und Skins einladen, sonst käme überhaupt niemand mehr.

Gegen Mittag ging es zum Hauptplatz. Zwölf Klansmänner in Spitzmützen und Roben. Dahinter ein- bis zweihundert Skinheads und Nazis, die Hakenkreuzflaggen und Armbinden trugen. Einmal rund ums Gerichtsgebäude, dann Versammlung vor dem Portal. Die Skinheads brüllten den Refrain des Skrewdriver-Songs: »Nigger, Nigger! Go! Go! Go!« Die Neonazis schwenkten Flaggen. Die Klansmänner versuchten ihre pseudofeierliche Rassistenwürde zu behalten.

Der Ku-Klux-Klan hatte es nicht leicht. Eine neue Generation Rechtsradikaler hatte sich in Amerika aufgemacht. Moderne Rassisten, die mit Computern, Netzwerken und Managementmethoden arbeiten, die Rockmusik benutzen, um Teenager zu rekrutieren, und sich Skinhead-Gangs als Schlägertruppen halten. Die Neonazis gaben sich nicht mehr damit zufrieden, ein paar Schwarze aus dem Dorf zu jagen, wie der alte Ku-Klux-Klan. Die neue Generation Rassisten träumte von der Weißen Revolution.

»Die Situation ist heute gefährlicher denn je«, sagte Danny Welch von »Klanwatch«, einem Institut in Alabama, das die Aktivitäten amerikanischer Rechtsradikaler beobachtet. Acht Waffenarsenale, dreizehn Sprengstofflager und eine ganze Reihe von geplanten Bombenanschlägen hatte Klanwatch im Jahr zuvor registriert. »Früher gab es ein paar rassistische Gruppen mit Tausenden von Mitgliedern«, sagte Welch. »Jetzt gibt es ungefähr dreihundert Gruppen mit kleinen Anhängerzahlen, die ein Gewaltpotential haben, das wir bisher nicht kannten.« Aus den gewalttätigen Rassisten waren rassistische Terroristen geworden. Unzählige neue Gruppen hatten den Ku-Klux-Klan abgelöst: die National Alliance von Dr. William Pierce, die Aryan Nations des Rassistenpredigers Richard Butler, die White Aryan Resistance, WAR, von Tom Metzger, dazu kamen unzählige Wehrsport-, New-Patriot- und Skinheadgruppen, die sich über das ganze Land verteilten. Sie verfolgen ihr Ziel militant, radikal und kompromisslos, kämpften mit den Mitteln der Propaganda und des Terrorismus.

Aus der angekündigten Kreuzverbrennung, dem traditionellen Ritual des Klan, wurde an diesem Abend nichts. Dreimal war ich fröstelnd zur Wiese der Familie Johnson gestapft, auf der der Klan schon seit zwei Jahrzehnten seine Kreuze abbrannte. Aber außer einem alten Pontiac voller Skinheads ließ sich niemand blicken. »War wohl nichts«, feixte der Fahrer. »Letztes Jahr haben sie's auch schon nicht geschafft.«

Zum Trost nahmen sie mich mit ins Richland Inn Motel. Da feierten die Hammer-Skins. Als wir ankamen, waren die ersten Bierkisten schon weg. Die meisten Skinheads wollten vor allem Bier trinken und feiern. Sie brauchten den Adrenalinstoß einer ordentlichen Prügelei, sonst wäre das Wochenende ein Reinfall gewesen. Wenn sie bei solchen Veranstaltungen keine Gegendemonstranten oder einsamen Opfer fanden, verprügelten sie sich meistens gegenseitig.

Die Idee mit dem Reporterrasieren war den Skinheads zum Glück zu umständlich. Sie waren um diese Zeit froh, wenn sie noch ihre Bierflaschen aufkriegten. Nur der Typ mit dem Spitzbart wurde langsam unangenehm. Er hatte seine Fäuste geballt und starrte mich mit glasigen Augen an. Als er plötzlich auf mich zusprang, hielt ihn eine gedrungene Frau zurück, die eine

SS-Mütze trug und die Skins mit militärischen Kommandos auf Linie hielt. »Schluss!« Der Spitzbart gehorchte.

Einer, der mich heute morgen quer über den Dorfplatz mit dem Hitlergruß begrüßt hatte, weil er geglaubt hatte, dass alle kurzhaarigen blonden Deutschen Nazis seien, klopfte mir beruhigend auf die Schultern. »Keine Bange. Du merkst schon, wenn es Zeit wird zu gehen«, kicherte er. »Dann hast du zwar eine gebrochene Nase, aber wir passen schon auf, dass nichts Schlimmeres passiert.«

Langsam ging das Bier aus. »Der Reporter muss einen ausgeben!«, rief der Spitzbart. Sofort umstellten mich drei Skins, die mich sogleich zum Auto geleiteten. Der eine gefiel sich in der Rolle des Bewachers. »Mach keine falsche Bewegung«, lallte er. »Was willst du?«, fragte ich. Er zuckte mit den Schultern, sah sich unsicher um. Die anderen beiden waren noch etwas klarer und kommandierten mich zum nächsten Truck Stop.

Als wir mit den Bierkästen zurückkamen, stand ein Streifenwagen mit blinkenden Warnlichtern vor dem Motel. Ein Klansmann in Krawatte und Anzug lief wie ein Herbergsvater mit strengem Gesicht auf und ab. »Zurück in die Zimmer«, rief er. Die Cops standen breitbeinig vor ihrem Streifenwagen und wirbelten ihre Schlagstöcke herum. Andere Motelgäste hatten Angst bekommen und im Revier angerufen. Streng wachten die Beamten darüber, dass sich die Skins in die Zimmer verteilten und keiner mehr draußen herumlungerte. Kaum waren sie verschwunden, gab es ein mächtiges Splittergeräusch – einer der Skinheads flog unter lautem Grölen durchs geschlossene Fenster. Die Party ging weiter.

Nach der nächsten Runde Bier reihten sich die Skinheads auf dem Balkon im ersten Stock auf und ehrten Pulaski mit dem Hitlergruß. »Komm schon, Deutscher. Mach mit!«, raunzte mich der Skin von heute morgen an. Ein anderer holte seinen Fotoapparat. »Jetzt machen wir mal ein Foto von dir.« Den Gefallen wollte ich ihnen nun wirklich nicht tun. Also griff ich eine der Bierflaschen, hielt sie wie eine Standarte in die Höhe und sang aus vollem Halse »Ein Prosit der Gemütlichkeit«.

Der bayerische Gesang war teutonische Exotik genug. Als Zeichen der Anerkennung nahm mich einer der Skins in den Schwitzkasten, tanzte mit mir durch den ganzen Raum und langte mir zwischen die Beine – kleiner vorpubertärer Scherz. Dann überlegte er es sich doch noch anders: »Du bist doch sicher ein Jude, wie alle Reporter?«, brüllte er und warf mich gegen den Kleiderschrank. Das reichte mir. Ich hatte keine besondere Lust, mich morgens um drei von einer Horde besoffener Skinheads ausziehen zu lassen.

Am nächsten Tag war Richard Ford ganz außer sich. Der Imperial Wizard des Ku-Klux-Klan aus Florida hatte die Jubiläumsfeier dieses Jahr zum zweiten Mal organisiert. »Die Skinheads haben überhaupt keinen Sinn für Tradition«, quengelte der alte Mann mit dem pockennarbigen Bulldoggengesicht. »Fünf Hotelzimmer haben sie zerstört. Und Bierflaschen auf fahrende Autos geworfen.« Er musste vor Aufregung schwer atmen. »So kann man nicht für die weiße Rasse kämpfen. Das war der letzte Marsch, den wir organisiert haben.«

Richard Ford hätte es wissen müssen. Die Skinheads respektierten überhaupt niemanden, höchstens die rassistische Dreifaltigkeit – Adolf Hitler, die Terrorgruppe Order und den »Paten der Skinheadbewegung« Tom Metzger. Von denen war allerdings nur noch Tom Metzger am Leben.

Tom Metzger lebte in Südkalifornien. Ein radikaler Szenenwechsel zu Tennessee. Die Gegend um San Diego war eine nicht enden wollende Neubausiedlung zwischen der Wüste und dem Meer. Im Norden Los Angeles, im Süden die Grenze zu Mexiko. Treffpunkt war ein Parkplatz vor dem Carlsbad Inn, einem

Ferienhotel an der Küste. Am frühen Abend fuhr ein 74er Cadillac vor, dunkelgrau mit Heckflossen. Am Steuer Tom Metzger, ein aufgepumptes Kraftpaket in kurzen Hosen und Tennishemd, die muskulösen Arme tätowiert, den Schädel rasiert. Er lächelte, als er mich sah, drückte meine Hand in seiner Pranke. Ausgehen wollte er, schließlich war Wochenende.

Der fünfundfünfzigjährige Fernsehmechaniker aus Kalifornien war die Schlüsselfigur bei der Modernisierung der Rechtsradikalenbewegung. Er hatte die Techniken entwickelt, mit der Rechtsradikale weltweit die Medien manipulierten. Metzger war der erste Rechtsradikale, der eine eigene Sendung im Kabelfernsehen produzierte, Computernetworks installierte, ein Netz von Hotlines unterhielt und Rockfestivals für Skins veranstaltete.

Metzger hatte in den siebziger Jahren auch die Grundlagen des modernen Rassismus für David Duke entwickelt. Duke war damals Chef einer Art Dachverband des Ku-Klux-Klan gewesen, Metzger sein Stellvertreter in Kalifornien. Der gutaussehende Klanführer aus Louisiana ernannte Metzger 1976 sogar zu seinem Wahlkampfmanager. Duke kandidierte damals zum ersten Mal in der regulären Politik. Metzger versuchte es Anfang der Achtziger selbst zweimal bei kalifornischen Kongress- und Senatswahlen. 1980 erhielt er immerhin die Nominierung der Demokratischen Partei für einen Sitz im Unterhaus.

Dann kam der Wendepunkt im amerikanischen Rassismus. Achtzehn Monate lang terrorisierte The Order zwischen 1984 und 1985 den amerikanischen Kontinent. Die knapp dreißig Mitglieder der Untergrundorganisation erbeuteten während einer Serie von Überfällen auf Banken und Geldtransporte über drei Millionen Dollar, mit denen sie die Weiße Revolution finanzieren wollten. Sie ermordeten einen State Trooper, zwei FBI-Agenten und einen Sheriff. In Dallas erschossen sie den jüdischen Talkmaster Alan Berg, ein Fall, der später von Oliver Stone als Talk Radio verfilmt wurde. Ende 1985 waren dreiundzwanzig Mitglieder der Order im Gefängnis. Ihr Anführer Bob Matthews starb bei einem Schusswechsel mit der Polizei.

Etwa zur selben Zeit gab Tom Metzger seine Pläne auf, in die reguläre Politik einzusteigen, und gründete die White Aryan Resistance. Er soll viel Geld von The Order bekommen haben, was ihm allerdings nie jemand nachweisen konnte. Doch WAR verfolgte das gleiche Ziel wie The Order – den Umsturz des »ZOG«, des »zionistischen Besatzungsregimes in Washington«. Nur die Taktik war anders. The Order arbeitete mit Gewalt, Metzger hatte eine massive Propagandafront aufgebaut. Seine Zeitung *WAR* galt als das Zentralorgan der Skinheads, seine Fernsehsendung »Race and Reason« lief in dreiundfünfzig Städten im Kabel. Als »Fronttruppen« rekrutierte er im ganzen Land Skinheads. Zweitausend Mitglieder sollte seine Organisation zählen.

Wir begannen den Abend in einer Bar um die Ecke. »Wo gibt's denn hier was zu trinken?«, rief Metzger. Bei jedem Schritt stemmte er seine Beine in den Boden wie ein Elitesoldat beim Vormarsch. An der Bar bestellte er Gin Tonic. »Wir trauen der traditionellen Rechten nicht mehr. Sie hat zu oft ausverkauft«, sagte er. Mit fünf Fingern umfasste er sein Glas, nahm einen tiefen Schluck und stellte es zurück auf den Tresen, dass die Eiswürfel klingelten. »Die alten Kräfte wie der Klan sind auch zu engstirnig. Es geht um mehr, als ein paar Märsche zu veranstalten oder ein paar Schwarze aufzuhängen.«

Das Beunruhigende an Tom Metzger war nicht sosehr sein martialisches Auftreten, sondern ganz im Gegenteil sein Charme. Der Bauernrassismus der fluchenden Klansmänner war einfach zu durchschauen. Tom Metzger aber gab sich freundlich. Er lachte, plauderte, erklärte ernsthaft seine Sicht der Welt. Die unterschied sich ganz massiv von den Hasstiraden der Klansmänner und Skins. Metzger wetterte gegen den Kapitalismus, die multinationalen Konzerne und Umweltverschmutzung. Er hielt Plädoyers für freie Abtreibung, die Emanzipation der Frau und die Macht des Volkes. Metzger bediente sich ungeniert bei der Ideologie der Achtundsechziger-Generation und der linken Guerilla. Als ich ihn darauf ansprach, lachte er. »Ich habe die Baader-Meinhof-Gruppe sehr bewundert«, sagte er. »Überhaupt arbeite ich gerne mit Linken zusammen. Mit John Jewel zum Beispiel. Der ist Trotzkist und war früher im Führungskader der kanadischen International Workers of the World. Linksradikale sind meistens gebildeter und intelligenter als die Rechten.«

Metzger lud mich ein, mit ihm nach Fallbrook zu fahren, da sei heute abend Tanz. Seit den sechziger Jahren lebte Tom Metzger in Fallbrook, einer jener uniformen Wohnsiedlungen, wie sie in Kalifornien zu Hunderten in der Wüste standen. Wir stiegen in den Cadillac. Geräuschlos glitt er die Landstraße entlang. Metzger war stolz auf seinen Wagen. Stand das nicht gegen seine antimaterialistische Haltung, die das Wohl der weißen Rasse vor alles andere stellte? »Wir haben einen gewissen Lebensstandard aufgebaut, den wir verteidigen müssen«, sagte er. »Der einzige Grund, warum die weiße Rasse so viel Macht hat, ist, weil sie die wildeste aller Rassen war. Weiße waren die besten Krieger, und wir haben immer die besten Waffen gehabt. Wir waren die Könige der Fleischfresser und haben uns nach oben getötet. Darauf sollten wir stolz sein.«

Metzger kam in Fahrt. Er liebte es, Journalisten seinen Brutaldarwinismus zu erklären. Der Kern seiner Medientaktik. Vor allem bei Talkshows konnte Metzger nicht verlieren. Ganz egal, wie die Moderatoren reagierten, nach der Sendung war das Spendenkonto der White Aryan Resistance meist voll. Bewahrten die Talkmaster die Fassung wie Oprah Winfrey, hatte Metzger gewonnen, weil seine populistischen Argumente einfacher verständlich waren als die abstrakten Moralpredigten. Verloren die Talkmaster die Fassung wie Geraldo Rivera, wirkte Metzger überlegen. Zogen sich die Talkmaster auf Nichtigkeiten zurück, wie Whoopie Goldberg, wirkte er intelligenter. Metzger lebte nicht schlecht von den Spenden. Angeblich beliefen sich die Einnahmen der White Aryan Resistance auf hunderttausend Dollar pro Jahr.

In Fallbrook bogen wir auf den Parkplatz einer Bar namens Redeye Saloon. Metzger verschwand zu Fuß. Er ließ mich eine Weile warten, weil er nicht wollte, dass ich sehe, wo er wohnte. Dann kam er in seinem Wochenendaufzug zurück – schwarzer Cowboyhut mit silbernem Band, gebügelte Bluejeans und Cowboystiefel. Sein Sohn John und dessen Freundin waren mitgekommen. John, ein dicklicher Sechsundzwanzigjähriger, war der Leiter des Aryan Youth Movement. Er war erstmals in die Schlagzeilen geraten, als er mit ein paar Kampfgenossen während einer Talkshow eine Schlägerei anzettelte, bei der sie Talkmaster Geraldo Rivera das Nasenbein zertrümmerten.

Der Redeye Saloon war eine schmucklose Kneipe mit einem Tresen, zwei Billardtischen und einer Bühne, auf der eine Countryband die letzten Hits nachspielte. Metzger schien eine lokale Berühmtheit zu sein. Am Wochenende kamen viele Soldaten von der Elitetruppe der Marines hierher, weil sie in der nahen Kaserne Camp Pendleton stationiert waren. Stiernackige Burschen mit Bürstenhaarschnitt, die Metzger respektvoll die Hand schüttelten oder ihm linkisch auf die Schulter hauten. Die Bedienung nötigte ihn zum Tanzen.

Metzger erzählte mir von seinen Flirt-Abenteuern. Vor zwei Jahren war seine Frau gestorben. »Es ist gar nicht so einfach als Single«, gab er zu. Metzger ging oft zum Karaoke und zu Singletanzabenden. »Da lernt man nette Damen kennen.« Nur weiße Frauen? »Nicht nur.« Unterhielt er sich auch mit Latinas oder schwarzen Frauen? »O ja. Die sind ja oft ganz charmant.« Würde er auch mit einer Schwarzen schlafen? Metzger schaute mich ungläubig an. »Natürlich nicht«, sagte er und schüttelte den Kopf. »Es gibt schließlich Grenzen der Geselligkeit. Das wäre absolut unmöglich.«

Wie gefährlich war ein Mann wie Tom Metzger? Der Rassentheoretiker legte keine Bomben, schoss nicht auf Menschen, er hatte noch nicht einmal jemanden geschlagen. Tom Metzger machte nur von seinem Rederecht Gebrauch. Hätte es einen deutschen Tom Metzger gegeben, dann hätte der zum Vergleich wohl mit den Oktoberfestattentätern zusammengearbeitet, wäre der ideologische Führer der Skinheads in Rostock, Mölln und Fulda gewesen, hätte das ThuleComputernetwork eingerichtet und das Kampfblatt *Einblick* herausgegeben. Dieser Mann hätte seit Jahren bei Thomas Gottschalk und Alfred Biolek den Sturz der Regierung und die Alleinherrschaft der weißen Rasse gefordert und in Wehrsportgruppen dumpfe Skinheads zu geschickten Agitatoren ausgebildet.

Im Moment arbeitete Metzger an seinem nächsten Ziel – der rassistischen Internationale. »Arier aller Länder müssen zusammenarbeiten«, proklamierte er. »Hitlers einziger Fehler war, den Pakt mit Russland zu brechen. Sonst wäre Europa heute weiß.« Seit Beginn seiner rassistischen Laufbahn pflegte Metzger schon internationale Kontakte. 1976 trat er in Kalifornien mit Manfred Roeder auf, der Ende der siebziger und Anfang der achtziger Jahre mit seiner Deutschen Aktionsfront Pornogeschäfte und Asylantenheime angezündet hatte. Metzger korrespondierte mit dem antisemitischen Black-Muslim-Führer Louis Farrakhan und trat bei Kongressen der Black Panther auf. Metzgers Vertrauter Dennis Mahon, ein Klanführer aus Oklahoma, rekrutierte sogar Skinheads in Deutschland, mit denen er bei Berlin eine Kreuzverbrennung inszenierte. Und Tom Metzger selbst war bei einem Kongress japanischer Nationalisten in Tokio aufgetreten.

Seit er einen Prozess verloren hatte, bei dem ihm Bürgerrechtsanwalt Morris Dees nachwies, dass er als *WAR*-Führer an einem Mord mitschuldig war, den Skinheads an einem äthiopischen Studenten begangen hatten, stritt Metzger seine Verbindung zu internationalen Rassisten und Skinheads allerdings ab. »Ich arbeite nach dem Prinzip der ›leaderless resistance‹«, sagte er. »Ich bin ein ideologischer Führer, kein struktureller.«

In derselben Woche, in der ich Metzger bei San Diego traf, stand in Los Angeles eine Gang von WAR-Skins vor Gericht – die Fourth-Reich-Skinheads aus Orange County, die Bundesstaatsanwalt Marc Greenberg mit einer Undercover-Aktion davon abgehalten hatte, einen neuen L.A. Riot anzuzetteln.

Die Fourth-Reich-Skinheads gehörten zu einer neuen Sorte Skins. Sie rekrutierten sich nicht, wie bisher, aus dem Heer der Arbeitslosen und Asozialen, sondern aus weißen Vorstadtjugendlichen, die aus der Langeweile ihrer Shopping-Mall-Welt ausbrechen wollten und eine weiße Alternative zum modischen Gangsta-Image suchten, das ihnen in Gestalt pistolenschwingender Rapstars auf MTV präsentiert wurde.

Zwei bleiche Jungen saßen am letzten Verhandlungstag auf der Anklagebank. Der zwanzigjährige Chris Fisher und der siebzehnjährige Daniel Boese. Fisher trug halblanges Haar, Krawatte und ein weißblau gestreiftes Hemd, das aus seiner dunklen Bundfaltenhose hing. Er war ein bisschen aufgeschwemmt. Als ihm seine Freundin aus dem Publikum zuwinkte, die im adretten Sommerkleidchen dasaß, schürzte er seine Unterlippe, als ob er die Tränen zurückhalten müsste.

Am anderen Ende der Bank saß Boese, schmal, ebenfalls in Hemd und Krawatte, und starrte mit unbewegtem Gesicht vor sich hin. Richter Matthew Byrne sprach das Schlusswort. »Diese jungen Männer wollten mit ihren Taten eine Botschaft senden«, begann er. »Ich werde mit meinem Urteil eine Botschaft an all die senden, die ebenso denken.« Im Rahmen der Anklagepunkte verurteilte er beide zur Höchststrafe. Fisher zu acht Jahren, Boese zu viereinhalb.

Staatsanwalt Marc Greenberg war zufrieden. Das Urteil war hart. Verkniffen ließen sich die beiden Burschen abführen. Zu hart dafür, dass sie sich nur irreleiten ließen? Sie hatten ja kein wirkliches Verbrechen begangen, sondern sich lediglich von einem FBI-Agenten aufstacheln lassen. Greenberg zog die Augenbrauen hoch. »Vergessen Sie nicht, dass die Jungs bei ihrer Verhaftung Glatzen hatten, Bomberjacken und Springerstiefel trugen.« Er schob eine dicke Akte über den Tisch und die Bänder, auf denen die Mitschnitte der verdeckten Fahndung aufgenommen waren.

Tape Nummer 112: Fisher und Boese trafen sich mit den beiden Undercover-Agenten, die sich als Abgesandte der Rassistensekte Church of the Creator ausgaben. Die Skins kamen mit den Agenten überein, dass ein Überfall auf die AME Church im Schwarzenviertel South Central das meiste Aufsehen erregen würde.

Auf Tape 202 überlegten sie mit zwei der jüngeren Skinheads und ihren vermeintlichen Mentoren, was sie dafür alles brauchten. »Wir haben da eine Liste«, sagte Fisher. »Zuerst einmal die Waffen. Automatische Gewehre und Schrotflinten, weil wenn du da reingehst, willst du ja nicht dastehen und peng, peng, peng – dann musst du das Magazin wechseln. Du willst den Abzug durchziehen, ein paarmal hin und her schwenken, und dann willst du verfickt noch mal abhauen.« Boese fiel Fisher ins Wort: »Okay, stell dir das vor, du bist fucking Rambo, Mann, ein Haufen Niglets rennen rum …«

»Ich meine, du mähst praktisch jeden nieder.«

»Genauso mit den Schrotflinten, du ziehst den Abzug durch …«

Der FBI-Agent warf ein: »Hast du nicht gesagt, dass du Rohrbomben mitbringst?« Fisher ganz aufgeregt: »Yeah. Wir nehmen die Rohrbomben als Granaten her. Du wirfst sie zwischen die Bankreihen, Leute rennen in alle Richtungen, schwere Verwüstung – und du weißt genau, was du tust und wo, und du haust ab, fuck. Das ist es.« Fisher hielt kurz inne. »Das nächste auf der Liste sind Schalldämpfer, weil wenn du die ganzen Leute niedermähst, willst du ja nicht, dass die ganze Nachbarschaft zusammenläuft. Du weißt doch, wie die Nigger aus den Bäumen springen, wenn sie nur das Wort ›Nigger‹ hören. Glaub mir, dass die aus den Scheißbäumen springen, wenn sie die fucking Schreie der kleinen Affenjungen hören.« Die Skinheads brachen in Gelächter aus.

Marc Greenberg seufzte. »Es war reines Glück, dass wir durch eine Hotline der White Aryan Resistance auf die Fourth-Reich-Skins gestoßen sind«, sagte er. »Die Kids hatten schon zwei Bombenanschläge verübt. Dass dabei niemand zu Schaden kam, lag ausschließlich daran, dass sie technisch versagt haben.« Woher der fanatische Rassismus bei der neuen Generation der Vorstadt-Skins kam? Marc Greenberg zuckte mit den Schultern. »Hass ist verführerisch. Die meiste Zeit haben sie nur Propaganda aus Tom Metzgers Zeitung *WAR* heruntergespult.« Und die war durch den ersten Verfassungszusatz geschützt, der die Rede- und Pressefreiheit garantierte.

»Das First Amendment ist unser größtes Kapital«, hatte Tom Metzger gesagt. »Solange es das gibt, kann niemand etwas gegen uns ausrichten.« Für eine Internationale der Neonazis waren die USA deswegen der ideale Schutzhafen. Jahrelang. In den USA selbst spielten die Neonazis bald schon keine Rolle mehr. Es war vor allem dem Bürgerrechtsanwalt Morris Dees zu verdanken, dass sie in ihrem Heimatland nur noch eine marginale Rolle spielten.

Eine Reise zur und über die Drina

Bosnien

Mit einem Schlag verstummten alle im Raum. Die Tochter des Präsidenten hatte einen Wutanfall. Wie eine Tarantel war Sonja Karadzic ins Vorzimmer ihres Büros geplatzt. »Da hinter dem Berg liegt Sarajewo! Da schießen sie auf uns!«, keifte sie. Bebend stand sie im Türrahmen, eine wuchtige Frau Ende Zwanzig, schmale Lippen, dicke Backen, die schwarzen Locken zum Dutt gesteckt. »Wenn dir das hier nicht passt, kannst du mir einen lutschen oder dich zurück nach Belgrad verpissen!«

Ich war gemeint. Hatte mich über die Zensur beschwert, weil uns die bosnischen Serben von Pale nichts zeigen wollten. Soldaten, Opfer, Alltagsleben – alles war hier Staatsgeheimnis. Sonja starrte mir kurz in die Augen, drehte sich um, knallte die Tür. Noch wusste ich nicht, dass ich ihr für den Rauswurf dankbar sein würde.

Im ganzen Ort herrschte Paranoia. Jeder Journalist konnte ein Spion sein, jedes Hilfswerk die fünfte Kolonne. Seit Monaten schlugen Granaten der Moslems und der NATO im Ort ein. Dabei gab es nicht viel zu verstecken. Die Serbenhochburg Pale war ein Skidorf, höchstens zweitausend Einwohner groß, leicht überschaubar. Wie in der Schweiz sah es hier aus. Ein Talkessel umgeben von felsigen Bergkämmen, grüne Hänge, die sich weiter oben in den Wäldern verloren, Häuser mit Blumengärten, in der Mitte ein Kirchturm. Kein Mensch hatte das Dorf vor dem Krieg gekannt, nur die Leute aus Sarajewo, die zum Skifahren nach Jahorina fuhren und die Serben von Pale für dumme Bergbauern hielten. Zehn Minuten hatte der Bus aus Sarajewo gebraucht, damals, als es noch Straßen gab. Niemand hätte sich je vorstellen können, dass Pale einmal die Hauptstadt des Bösen würde. Ein dämonischer Mythos, weit abgeschieden in den Bergen, isoliert vom Rest der Welt. Denn gleich hinter den Bergkuppen lagen die Schützengräben, die Maschinengewehrnester und Artilleriestellungen, aus denen die Serben Sarajewo beschossen.

Ewig lang schien die Reise gedauert zu haben, auch wenn die Fahrt von Belgrad in vier Stunden zu schaffen gewesen wäre. Gleich nach meiner Ankunft in der sozialistischen Donaumetropole, Hauptstadt von Restjugoslawien, hatte ich kaum etwas vom Krieg gespürt. Auf der Flanierstraße Michailowa saßen die Belgrader in den Straßencafés, tranken Cola und Cappuccino. Im Hof vor dem Jazzcafé Plateau versammelten sich jeden Abend die Oberschüler und Studenten, um einheimische Be-bop-Combos zu hören. Mit den prächtigen Bürgerhäusern, den weiten Straßen und Donaubrücken erinnerte Belgrad an Wien. Die sozialistische Tristesse verbarg sich in den Plattenbauten am Stadtrand.

Hie und da hing ein Plakat von Vojslav Seselj an einer Hausmauer oder von Arkan dem Tiger. Die beiden Serbenführer befehligten Privatarmeen, mit denen sie im Krieg mitmischten. »Meldet euch freiwillig!«, stand auf dem Plakat von Arkan, auf dem er in Kämpferpose mit automatischem Gewehr zu sehen war. »Verteidigt Slawonien vor den Ustascha-Faschisten!« Doch seit die Krajina gefallen war, wollte niemand mehr kämpfen. Eine Umfrage hatte ergeben, dass sich siebzig Prozent der Serben weder für den Verlust der Gebiete an Kroatien noch für die Flüchtlinge interessierten.

Auch der Nationalismus ging den Leuten auf die Nerven. Am Rand der Fußgängerzone stand vereinsamt ein Mann mit dem langen Bart der Tschetniks. Tschetniks waren die archaischen Monarchisten, die im Zweiten Weltkrieg gegen die Nazis gekämpft hatten. Im Krieg hatten viele Freischärler die Symbolik der alten Monarchisten übernommen. Tschetnik-Kappen auf dem Kopf, die langen Bärte der Orthodoxen im Gesicht, zogen sie durch Bosnien und massakrierten ganze moslemische Dörfer. Die serbische Armee sah zu, ließ es geschehen. In Bosnien und Kroatien war der Begriff Tschetnik deswegen zum Schimpfwort für alle Serben geworden.

Vor sich hatte der Alte einen Klapptisch aufgebaut, auf dem er Aufkleber der Republika Srbska feilbot, Kitschbildchen vom Heldentod der serbischen Märtyer in ihrer Schlacht gegen die Türken auf dem Amselfeld und von den serbischen Monarchen der vergangenen Jahrhunderte. Eine Landkarte zeigte das Großserbische Reich, wie es sich die Tschetniks vorstellten. Doch niemand blieb stehen. Selbst die zwei Burschen, die ein paar Schritte weiter Turbofolk-Kassetten anboten, hatten kaum Kundschaft.

Turbofolk, eine Mischung aus Techno und serbischer Volksmusik, war kurz nach dem Kriegsausbruch als Musik der Diesel-Kultur entstanden. Die hieß so, weil die neuen Gangster vor allem Diesel-Jeans trugen, dazu Trainingsjacken, Goldkettchen und kurzgeschorenes Haar. Meist rekrutierten sie sich aus der Mafia und den Milizionären. Viele waren auf den Feldzügen der irregulären Truppen reich geworden, hatten kroatische und bosnische Dörfer geplündert, mit Waffen, Benzin und Plündergut gehandelt. Jetzt hatten die Diesel-Gangster die Unterwelt übernommen. »Dieseldorf« nannten sie ihr Belgrad. Und nichts war ihnen so zuwider wie westliche Popkultur. Das größte Ereignis der Diesel-Kultur war, als Arkan der Tiger die Turbofolk-Diva Ceca heiratete. Der Kriegsheld und die Popikone, das war für die Serben ein Ereignis, als hätte sich Sylvester Stallone mit Madonna vermählt.

Nach drei Tagen in Belgrad hatte ich außer den Regierungsbeamten mit ihren immergleichen Propagandafloskeln und den verlorenen Nationalisten in der Fußgängerzone kaum jemanden getroffen, der den Krieg wirklich wollte. Doch niemand verfluchte die Nationalisten so leidenschaftlich wie die Intellektuellen in der Stadt. Früher, in den siebziger Jahren, waren Belgrad und Zagreb Musterstädte gewesen, wie der Sozialismus vielleicht funktionieren könnte. Offene, kosmopolitische Metropolen. Jetzt waren es Hochburgen eines tumben Nationalismus, der Jugoslawien mit seiner archaischen Definition von Identität Hunderte von Jahren zurückwerfen wollte.

Die Leute vom Beogradski Krug, vom Belgrader Kreis, wollte ich treffen. Die Mitglieder jener Intellektuellengruppe, zu der Philosophen, Autoren, Künstler und Wissenschaftler aus allen Teilen des alten Jugoslawiens gehörten. Der Belgrader Kreis bekam viel prominente Unterstützung aus dem Ausland. Jacques Derrida und Hans Magnus Enzensberger kamen zu Besuch, Susan Sontag und Noam Chomsky fungierten als offizielle Berater.

Obrad Savic, Professor der Philosophie und Herausgeber aller Schriften des Belgrader Kreises, wartete auf mich in einem der Straßencafés an der Michailowa. Mileta Prodanovic saß bei ihm, eine Künstlerin, und Julie Mostov, Politikwissenschaftlerin. Obrad Savic bestellte sich eine Coca-Cola. Es war heiß an diesem Spätsommertag, und er trug kurze Hosen, ein kurzärmliges Hemd. »Als Intellektueller hat man die Verpflichtung, Entwicklungen schon ganz am Anfang zu erkennen«, sagte er. »Wenn sie die Konzentrationslager erst einmal gebaut haben, ist es zu spät.«

Sein Gesicht mit den Wetterfurchen hatte einen sorgenvollen Ausdruck. Der Belgrader Kreis war jedenfalls zu spät gekommen. »Es gab in Serbien keine nennenswerte liberale Opposition«, fuhr er fort. »Und viel zu viele der großen Intellektuellen haben sich für den Nationalismus einspannen lassen. Sie haben mit dem serbischen Mystizismus gespielt. Doch als die Union Demokratischer Kroaten die Unabhängigkeit erklärte, wuchs aus dem serbischen Mythos ein kollektives Trauma.«

Präsident Milosevic hatte es meisterhaft verstanden, den Mystizismus im Serbenvolk hochzukitzeln. Sein Massenspektakel auf dem Gazimestan, dem Amselfeld, schürte schon 1987 den nationalen Pathos zum Nationalismus. Dort, wo im Jahr 1389 der Serbenfürst Lazar und seine Mannen die Schlacht gegen die Türken des Osmanischen Reichs verloren hatten, so sagte er, lagen die Wurzeln des serbischen Mythos. Dort fing für die Nationalisten der Leidenszug des serbischen Volkes an.

Der serbische Mythos lebt von den historischen Ungerechtigkeiten: fünfhundert Jahre Besatzung durch die Türken, danach Krieg mit dem Imperium von Österreich-Ungarn, dann kamen die Nazis mit den Kroaten, massakrierten siebenhunderttausend Serben, dann wurde der Kommunismus installiert, Tito zwang sein Volk zur Einigkeit und machte es durch seinen gemäßigten Sozialismus sowohl im Westen wie im Osten zum Außenseiter. Die meisten Serben sahen nicht ein, was an ihrem Krieg so schlimm sein sollte. Siebenhunderttausend Serben von Deutschen getötet – da regte sich die Welt wegen ein paar tausend Bosniern auf?

»Uns bleibt im Moment nichts anderes übrig, als für den Erhalt einer bewusst elitären Kultur zu kämpfen«, sagte Obrad Savic. »Durch den Krieg haben wir so viele intellektuelle Kapazitäten verloren. Die Jungen sind ins Ausland desertiert. Die etablierten Liberalen konnten nicht mehr weiterarbeiten. Es darf nicht nur der Mystizismus übrigbleiben.«

Mit der geistigen Arbeit alleine gaben sich die Intellektuellen vom Belgrader Kreis allerdings nicht mehr zufrieden. Regelmäßig fuhren sie ins Kriegsgebiet, um Studien für Menschenrechtsberichte zu erstellen. Keine leichte Aufgabe, weil sie sich dadurch in die Reihe der Staatsfeinde stellten.

Die nächsten Tage verbrachte ich in den Cafés auf der Michailowa und in den Büros der Universitätsprofessoren und Wissenschaftler. Es fiel mir schwer, den serbischen Mythos zu verstehen. Sechshundert Jahre Geschichte lasteten auf dem Selbstverständnis des Landes. »Und genau deswegen hat der Rest der Welt Serbien nie verstanden«, sagte Milena Dragicevic, die Leiterin der Theaterwissenschaftlichen Fakultät der Belgrader Universität. »Winzige Details haben in diesem Krieg zu tödlichen Missverständnissen und einer Verhärtung der Fronten geführt. Nehmen Sie das Wort ›verhandeln‹. Im Serbischen hat das einen negativen Klang. Wer verhandelt, ist feige. Das war schon immer so. Ein Serbe stirbt lieber als Held, als auch nur einen Meter Boden durch Verhandlungen aufzugeben. Milosevic wurde gewählt, weil er sich weigerte zu verhandeln. Seit er signalisierte, er wäre zu Friedensgesprächen bereit, gilt bei den Nationalisten selbst er als Verräter.«

Aber auch die Grundhaltung zum Leben und zur Politik hatte mit Schuld am Krieg. »Serben betrachten sich als das Volk der Gerechtigkeit. Die Kroaten sind jedoch das Volk des Gesetzes. Schon deswegen führen die Verhandlungen zu nichts. Mag sein, dass Slawonien vom Gesetz her zu Kroatien gehört, aber die Serben sagen, das fühlt sich serbisch an, also gehört es zu Serbien. Sie werden den Richterspruch eines Tribunals nie anerkennen, wenn sie glauben, dass er nicht gerecht ist.«

Trivo Indjic, Historiker und ehemaliger Berater des Kulturministers, sah das Problem Serbiens in den alten Strukturen. »Vergessen Sie nicht, dass Jugoslawien immer noch ein kommunistisches Land ist«, sagte der mürrische Professor, der sich hinter einem Schreibtisch voller Bücherstapel verschanzt hatte. »Über fünfzig Prozent der Wirtschaft sind in den Händen der Regierung. Und was privatisiert wird, geht in den Besitz der Apparatschiks. Schauen Sie sich nur Milosevic und seine Frau an – das sind die alten Parteischranzen. Und jetzt hat Milosevic auch noch die Außenpolitik für sich privatisiert.«

Der Krieg, davon war er überzeugt, war mehr als nur ein Bürgerkrieg zwischen Serben, Moslems und Kroaten. »Serbien war von jeher die Brücke zum Orient, ein Durchreiseland, und als solches den Interessen der Mächte in Nord und Süd ausgeliefert«, erklärte er. »Nach dem Ende des Kalten Krieges benutzten viele Länder Jugoslawien als Testfall für ihre ›Neue Weltordnung‹. Deutschland und Österreich wollten sich ihren Stand auf dem Balkan sichern, Russland wollte beweisen, dass es international noch eine Rolle spielt. Italien betrachtet die Adria als seine Sphäre. Die arabischen Länder sahen die Chance, im moslemischen Bosnien einen Brückenkopf in Europa zu bauen. Und sowohl die Türkei als auch Deutschland wollten sich wieder als militärische Großmächte etablieren.« Er schnaufte, so ärgerte er sich. »Jugoslawien ist das Schachbrett, auf dem die Großmächte ihre Position in der Weltpolitik ausloten. Doch dann kam Karadzic als unberechenbares Element ins Spiel, das Produkt von Milosevics großserbischer Propaganda. Damit ist alles explodiert.«

Die ersten Schauergeschichten über Sonja Karadzic hörte ich in der Lobby des Journalistenhotels. Wie sie Korrespondenten aus dem Land geworfen hatte, Journalisten verhaften ließ, dass Präsident Karadzic kaum noch Interviews gab, seit seine Tochter vor eineinhalb Jahren das Pressebüro des bosnischen Serbenstaats Republika Srbska übernommen hatte. Die Lobby war voll von Journalisten, die vergebens auf ein Visum nach Pale warten. Einige schon seit einem Monat. Keine Deutschen, keine Amerikaner, hieß es aus Pale. Zum Glück war Nikos, der Fotograf, ein Grieche. Griechenland war neben Russland das letzte Land, das den Kontakt mit den Serben aufrechterhielt.

Kaum hatten wir die Innenstadt von Belgrad verlassen, bröckelte das Bild von der friedlichen Metropole. Am Straßenrand lehnten Männer und Frauen an ihren Ladas und Zastavas. Auf den Kühlerhauben hatten sie Colaflaschen und Plastikkanister aufgereiht. Literweise verkauften sie Schwarzmarktbenzin, das sie mit Wasser und Heizöl gestreckt hatten.

Offiziell war in Jugoslawien seit zwei Jahren Frieden. Kroatien war unabhängig, die Unruhen im Kosovo unter Kontrolle. Doch wir mussten nicht lange fahren, um den Krieg zu finden. Gleich hinter der Stadtgrenze auf der Autobahn konnte man sie sehen, die Flüchtlinge mit ihren Traktorgespannen und überladenen Kleinwagen. Die letzte Welle der Vertrieben, die von den Kroaten aus der Krajina verjagt worden waren.

Geduldig standen sie auf der linken Spur im Stau, bewegten sich zentimeterweise voran, um dann an der Straßensperre ihr endgültiges Ziel zu erfahren. Im südlichen Serbien gab es damals kaum eine Schule, kaum eine Sporthalle, die nicht zum Flüchtlingslager umfunktioniert worden wäre. Doch erzählen wollten sie nicht. Serben aus der Krajina hatten Redeverbot. Ihre Greuelgeschichten von der Vertreibung, von den kroatischen Truppen, die ihre Konvois beschossen hatten, von den Schwarzmarkthändlern im serbischen Bosnien, die fünf harte Deutsche Mark für einen Liter Milch verlangten, von den Milizionären, die die jungen Männer zurück an die Front prügelten – all diese Berichte hätten die Volksmoral untergraben und im Ausland ein schlechtes Bild vom friedlichen Jugoslawien abgeben können. Niemand sollte wissen, dass der Krieg längst nach Serbien gekommen war.

Je weiter wir uns von Belgrad entfernten, desto eintöniger wurden die Orte. Schmucklose, roh verputzte Einfamilienhäuser,

Tankstellen und Supermärkte, die mit Glas und Beton billige Modernität vortäuschten, sozialistische Zweckbauten in Grau und Glas. Kaum ein Gebäude schien älter als ein paar Jahrzehnte.

Dann führte die Fahrt durch liebliche Hügellandschaften. Die Höfe gepflegt, viele lebten hier noch in den traditionellen Holzhäusern mit Schnitzwerk und gebrannten Schindeln. Hinter Zvornik an der Grenze zur Republika Srbska sahen wir die Tschetniks wieder. Männer am Straßenrand, die grüne Kappe auf dem Kopf. Die jugoslawischen Grenzposten winkten uns müde durch die Schranke. Eine Betonbrücke spannte sich über den Fluss Drina, die Grenze zwischen Serbien und Bosnien. Hier begannen die Berge. Geländewagen mit Flugabwehrkanonen standen bereit. Über den Baracken auf der anderen Seite kreiste ein Hubschrauber.

Langsam fuhren wir über die Brücke. Ein Offizier in der violettfarbenen Tarnuniform der Miliz winkte uns in eine der Baracken. Darin stand ein Schreibtisch mit einem altmodischen Telefon, dahinter zwei leere Regale. Auf einem vollgekritzelten Zettel fand der Offizier unsere Namen. Umständlich schrieb er die Daten aus unseren Pässen mit einem Kugelschreiber auf die andere Seite des Papiers. »Willkommen in der Republika Srbska«, sagte er und lachte. Niemand hatte sein Land bis jetzt anerkannt. Nicht einmal die Serben von Belgrad.

»Steigen Sie auf keinen Fall unterwegs aus«, warnte uns der Offizier. Sonst würden wir verhaftet. Ron Haviv, einem befreundeten Fotografen aus New York, war das bei den Krajina-Serben mal passiert. Zusammen mit einem französischen Fotografen wurde er von den Serben festgesetzt. Drei Tage lang hatten die Soldaten sie in einem Lager festgehalten. Einmal hatten sie Rons Freund aus der Zelle geschleppt. Ron hörte Schüsse. Dann kamen die Soldaten zurück, zogen Ron einen Sack über den Kopf und sagten: »Deinen Freund haben wir gerade erschossen.

Jetzt bist du dran.« An die Wand stellten sie ihn und schossen nochmals in die Luft. Viermal haben sie solche Scheinexekutionen mit ihm gemacht. Dann ließen sie ihn laufen.

Stumm fuhren wir weiter, durch verschlafene Dörfer und eine Berglandschaft wie auf einer Ansichtskarte aus den Alpen. Es sah eigentlich genauso aus wie auf der anderen Seite des Flusses. Doch ein seltsamer Druck legte sich auf die Brust. Nikos, der Fotograf, sprach es aus: »Hier ist der Krieg.« In den Gesichtern der Menschen konnte man ihn sehen. Drüben in Jugoslawien kam der serbische Nationalismus fast fröhlich daher, als derbes Geprahle und Gepolter. Hier im serbischen Bosnien war die Stimmung längst gekippt. Die Augen der Menschen waren voller Misstrauen, Hass und Angst.

In engen Kurven zog sich die Staatsstraße M 19 nach Sarajewo die Berge hinauf. Wir fuhren am Ufer eines Bergsees entlang, über Anhöhen und Täler. Plötzlich, hinter einer Kurve bei Kilometer fünfzehn, bot sich uns ein Bild der absoluten Verwüstung dar. Links und rechts standen Ruinen. Die Mauern der Häuser waren mit dem Lochmuster der Maschinengewehreinschläge überzogen, dazwischen klafften die runden Löcher von Granaten. Kein Haus war verschont geblieben. Ein moslemisches Dorf war das einmal gewesen. Brandspuren, Schutthaufen, kein Mensch weit und breit. Die Vernichtung hatte System. Kreidezahlen waren neben die Türen gemalt, wie Stempel einer mörderischen Bürokratie. Kilometerlang fuhren wir durch die tote Landschaft.

Am Berg Trebevic endete die M 19 in einem T. Hinter dem Felskamm konnte man den zerschossenen Fernsehturm von Sarajewo sehen. Rechts ging es nach Sarajewo, links nach Pale. Noch ein Tunnel, eine Brücke, dann lag der Talkessel des serbischen Hauptquartiers vor uns. Ruhig war es. Die Stellungen um Sarajewo lagen hinter den Bergkuppen, und wenn der Wind richtig stand, hörte man das dumpfe Böllern der Artillerie. Ein

Bergidyll, wären da nicht überall die Uniformen gewesen, die Kalaschnikows und Armeelastwagen. Jeder einzelne Mann zwischen achtzehn und zweiundsechzig Jahren war in Pale Soldat.

Die Skipensionen und Restaurants im Ort waren geschlossen. Wir kamen bei der Familie Graznov unter. Das Haus hatte man uns empfohlen, denn bei der Familie nebenan stieg sonst immer der CNN-Korrespondent Peter Arnett ab. Fast schon eine Garantie für Sicherheit, denn seit dem Golfkrieg hatte sich herumgesprochen, dass CNN-Korrespondenten in feindlichen Gebieten ihre Position ans Pentagon faxten, das dann den Bomberpiloten einschärfte, diese Koordinaten zu verschonen.

Die Familie Graznov bemühte sich um äußerste Gastfreundschaft. Zur Begrüßung brachte Ljuba, die Mutter, ein Tablett mit Schnapsgläsern und einer Flasche Sliwowitz zur Bank vor dem Haus. Wie früher, als die Skigäste kamen. Biologielehrerin war sie gewesen. Die neunzehnjährige Jelena und ihre fünfzehnjährige Schwester Miljena hatten als Skirennfahrerinnen jeden Winter Preise gewonnen – im Wohnzimmer hing eine ganze Wand voller Medaillen.

Stojan, der Vater, hatte vor dem Krieg eine Skiwerkstatt unterhalten und die Jugendmannschaft trainiert. Jetzt herrschte der Kriegsalltag. Nach dem Frühstück verabschiedete sich Stojan jeden Morgen von seiner Familie und fuhr mit dem Bus den Berg hinauf. Stundenlang stand er dann mit seinem automatischen Gewehr im Schützengraben und wartete auf den Schichtwechsel. Viel zu tun gab es nicht. Die Trebevic-Front am Südwesthang des Talkessels von Sarajewo war seit drei Jahren stabil. Ab und zu schossen die Serben und Moslems aufeinander, doch an dem steilen Abhang konnte keiner der beiden gewinnen. Mittags fuhr Stojan zurück nach Pale, wo er im Sägewerk mächtige Eichen zu Brettern zersägte. Das war sein Dienst an der Volkswirtschaft, und jeden Tag eine Erleichterung. Denn auch wenn er es vor seinen Freunden und Kameraden nicht eingestehen durfte – im Schützengraben hatte er jede Minute seiner Schicht Todesangst. Nur ein Gedanke tröstete ihn dann, den er wie ein Mantra vor sich hin betete: »Ich kämpfe hier oben für meine Kinder.«

Ljuba stellte noch einen Kaffee auf den Tisch. Tiefe Sorgenfalten hatten sich neben ihre roten Wangen gegraben. »Seit fünfhundert Jahren lebt unsere Familie auf diesem Land hier«, sagte sie. »Und jetzt sollen wir Aggressoren sein?« Die Mädchen saßen gelangweilt auf dem Sofa. Ljuba lächelte mitleidig. »Für die Mädchen ist es furchtbar fad. Alle Jungs sind an der Front.« Jelena lächelte schüchtern. In Friedenszeiten wären die Jungs der kurzhaarigen Skirennfahrerin wahrscheinlich in Scharen hinterhergelaufen. Aber im Krieg konnte sie nur darauf warten, dass es am Abend wieder Strom gibt. Dann konnte man wenigstens fernsehen.

Ljuba lachte unsicher. In Wahrheit hatte sie Angst. Zu viele ihrer Freundinnen hatten schon den Mann an der Front verloren. Und seit auf der Wiese gleich nebenan vor zwei Wochen eine Mörsergranate eingeschlagen war, zuckte sie bei jedem lauten Geräusch zusammen. Mitten im Dorfidyll klaffte nun ein drei Meter großer Bombentrichter. »Das erinnert uns daran, dass die Moslems gleich hinter dem Berg sind«, sagte sie. Im Schlafzimmer lag eine Tasche, vollgepackt mit allen wichtigen Papieren, dem ersparten Geld und den Pässen. »Wenn die Moslems kommen, müssen wir weg«, sagte sie und warf einen sorgenvollen Blick auf ihre Töchter. Greuel gab es auf allen Seiten.

Wir wollten in den Ort und meldeten uns im Pressezentrum. Ohne einen Zensor durften wir uns in Pale nicht bewegen. Eine eigenartige Stimmung herrschte in dem Büro, das im ersten Stock eines Rohbaus untergebracht war. Die Zensoren schienen unkonzentriert, wussten nicht so recht, was sie mit uns anfangen sollen. Es war, als läge die Angst wie ein säuerlicher Geruch in der Luft. Saska, ein zierliches Mädchen mit strengem Haarschnitt und hochgeschlossener Bluse, bemühte sich um Routine, doch ihre Augen waren weit aufgerissen, wanderten nervös herum. Im Nebenzimmer lief BBC Radio. Da erfuhren wir den Grund der Angst. »Vor einer Stunde schlug in Sarajewo eine Granate ein. Über dreißig Tote, siebzig Verletzte«, deklamierte die monotone Stimme des Nachrichtensprechers. Dann eine Liveschaltung ins Krankenhaus von Sarajewo, eine aufgewühlte Reporterin, im Hintergrund Stöhnen. Ein Gegenschlag der NATO schien unmittelbar bevorzustehen. Ob sie nun Angst hätten? Saska schüttelte stumm den Kopf, lenkte ab: »Sie müssen Ihren Presseausweis noch bezahlen.«

Am späten Nachmittag fuhren wir unter Saskas Aufsicht den Berg Jahorina hinauf. Dort sollte die Nationalversammlung der bosnischen Serben in einer Sondersitzung tagen. Stumm saßen wir im Auto. Ich versuchte ein Gespräch mit Saska anzuknüpfen. Vergebens. Einsilbig beantwortete sie unsere Fragen, überging freundliche Bemerkungen mit eisigen Blicken.

Eine Viertelstunde fuhr man zum »Skiparadies Jahorina« hinauf. Während der Winterolympiade von 1984 waren dort die Abfahrtsrennen der Frauen ausgerichtet worden. Nun benutzte Karadzics Regierung die Skihotels als Parlamentsgebäude.

Rechts bog noch einmal eine Straße ins Tal ab. Da ging es nach Grbavica, in den serbischen Teil von Sarajewo. Mit viel Glück und einem gepanzerten Fahrzeug war es möglich bis zur Grenzlinie durch die Stadt fahren. Dann konnte man den Sarajewo-Horror mit verteilten Rollen sehen. Serbische Passanten rannten vor moslemischen Heckenschützen davon. Aber seit die Moslems und die NATO ihre Angriffe verschärft hatten, durften nur noch kämpfende Truppen dorthin.

Saska sagte, dass ihr in den scharfen Serpentinen übel werde. Sie stammte auch aus Sarajewo, und das Bergleben gefiel ihr überhaupt nicht.

Über uns ragte schon der Regierungssitz in den Himmel.

Mächtig thronte der Betonkoloss des Hotels Bistrica auf einem Felsen. Soldaten der serbischen Elitetruppen standen mit ihren Sturmgewehren auf den Sonnenterrassen und starrten durch ihre Ferngläser. Auf den Sofas lümmelten grobschlächtige Kerle in grünbraun gemaserten Tarnjacken.

Die ersten Abgeordneten liefen ein. Mit Kleinwagen und VW-Golfs fuhren sie vor. Viele von ihnen trugen Strickjacken und Anoraks. Einer sah aus wie der Dorflude, ein Bursche mit dunkler Ray-Ban-Brille und rotem Jackett. Andere trugen Uniform. Nur die Intellektuellen, die früher in Sarajewo gelebt hatten, kleideten sich staatsmännisch in Anzug und Krawatte. Im Skihotel wirkte das Parlament der bosnischen Serben wie ein Südtiroler Gemeinderat.

Momcilo Krajisnik schritt durch den Eingang. Der Vorsitzende des Parlaments galt als Radikaler. Es waren schon Gerüchte im Umlauf, dass er bei einem Sturz der Regierung Karadzics Nachfolger würde.

Fünf Minuten später Karadzics Auftritt. Nach Wochen im Kampfanzug zeigte er sich an diesem Tag wieder im dunkelgrauen Einreiher, damit er bei seiner Verlautbarung zum Anschlag auf den Marktplatz von Sarajewo ziviler wirkte. Eitel baute er sich vor zwei Fernsehkameras auf, zupfte die Silbermähne zurecht. »Wir können nicht verstehen, dass die Moslems ihre eigenen Leute umbringen«, kommentierte er die Bombe auf dem Marktplatz von Sarajewo mit seiner schnarrenden Stimme, die immer gleich arrogant und indifferent klang, ganz egal, ob er ein Massaker entschuldigte oder den Rest der Welt eines Unrechts beschuldigte. Hatte der frühere Kommandeur der UNO-Truppen in Sarajewo, General Lewis McKenzie, nicht gesagt, schon der erste Bombenangriff auf den Markt von Sarajewo, das sogenannte Brotschlangen-Massaker von 1992, sei ein Anschlag der Moslems selbst gewesen, den sie inszenierten, um die Weltöffentlichkeit auf ihre Seite zu bringen? Wurde gerade in diesem

Moment nicht schon wieder über das Schicksal der Serben verhandelt? Ohne den Anliegen der Serben und serbischen Bosnier auch nur Gehör zu schenken? Würden die Greuelbilder vom Marktplatz die Serben nicht endgültig in die diplomatische Enge treiben? »Eine Schande« war diese Schmach für ihn. Eine historische Schande.

Diese Schande zu tilgen, die Schmach von sechshundert Jahren, war für die Serben eine Frage des Überlebens. Da war sich Karadzic noch sicherer als die Nationalisten von Belgrad. Weltgeschichte wollte Karadzic in seinem Skidorf machen. »Die Geschichte wird sich noch in Hunderten von Jahren an Radovan Karadzic erinnern, weil er Serbien groß gemacht hat«, pflegte er zu sagen.

Dabei war der Serbenführer nicht einmal selbst ein Serbe, sondern ein Bauernbub aus den Hügeln von Montenegro, der verarmt und verschüchtert als Fünfzehnjähriger nach Sarajewo gekommen war. Dichter hatte er werden wollen. Dann studierte er Psychologie. In der Universitätsstadt, die in den siebziger Jahren wie das restliche Europa in der Euphorie der Hippie-Ära schwelgte, blieb Radovan Karadzic der ärmliche Junge vom Land, der immer den gleichen weißen Wollpullover trug. Erst als er seine Frau Liljana traf, schaffte er den sozialen Aufstieg. Liljana studierte Psychologie und war aus allerbestem Hause, und Radovan Karadzic zog bei der Familie seiner Braut einfach ein.

Als Psychiater kümmerte sich Karadzic vor allem um Drogensüchtige. Nebenher schrieb er weiter Gedichte. Mitte der achtziger Jahre musste er ins Gefängnis. Die Legende behauptete, er wäre als Demokrat eingesperrt worden, weil er zu scharf gegen die Kommunisten agitiert hätte. In Wahrheit hatte man ihn wegen Betrugs eingelocht. Als hochrangiges Parteimitglied hatte er über siebzigtausend Dollar landwirtschaftliche Subventionen dazu benutzt, sich in Pale eine Hühnerfarm zu bauen.

Fünf Jahre später war alles vergessen. Radovan Karadzic war nun Chef der Demokratischen Partei Bosniens, gut befreundet mit Slobodan Milosevic. 1990 proklamierte er den Verbund der autonomen serbischen Gebiete. Das war die Geburt der Republika Srbska. Seither war Karadzics Rassenwahn nicht mehr zu stoppen.

Erst seit er versucht hatte, seinen Armeechef General Mladic zu entmachten, wackelte sein Thron. Jede Woche gab es neue Gerüchte über einen Militärputsch, seine Entmachtung, das Ende. Längst litt Karadzic unter der Diktatorenkrankheit Verfolgungswahn. Seine ganze Familie hatte er auf Machtpositionen gesetzt. Seine Frau leitete das Rote Kreuz im Land, was verhinderte, dass die Hilfswerkler sich zu sehr in die Menschenrechte mischten. Tochter Sonja kontrollierte die internationale Presse. Nur Sohn Sascha hatte er noch nicht untergebracht. Der preschte mit schnellen Autos durch die Serbenrepublik, gab sich als Playboy und verbrachte einen großen Teil seiner Zeit an den Stränden von Griechenland.

Zwölf Stunden tagte die Nationalversammlung an diesem Tag. Triumphierend saßen sie auf ihren Bänken im Konferenzsaal des Hotels, die Abgeordneten wie eine Schulklasse aufgereiht. Karadzic verkündete, sie seien bereit zu verhandeln. Die übliche Taktik. Die bosnischen Serben führten ihren Feldzug so lange, bis der Rest der Welt den großen Schlag androhte. Dann wurde wieder zurückgesteckt. Nach der Eröffnungsrede musste ich gehen. Dann sollten auch die neuen Strategien besprochen werden.

Am Abend blieben wir im Haus. Ausgangssperre. Die Familie sah fern. Drei Programme gab es. Jeweils eines aus Pale, Sarajewo und Belgrad. Das bosnische Fernsehen aus Sarajewo zeigte ungeschnittene Bilder von der Explosion am Martkplatz. Schreiende Menschen, Verletzte in ihrem Blut. Die Kamera fuhr ins Krankenhaus mit. Ärzte, die mit Operationsscheren Hautschichten auftrennten, weinende Verwandte. Der Sprecher aus Sarajewo: »Wir sollten der Weltöffentlichkeit ins Gesicht spukken. Die Tschetnik-Mörder müssen büßen.«

Auf Pale-TV liefen die Bilder, die wir im Westen nicht zu sehen bekamen. Kurz nach dem Einschlag am Markt hatten die Moslems in eine Kirche im serbischen Teil von Sarajewo gefeuert. Die Mörsergranate schlug in eine Hochzeitsfeier ein. Eine Tote, fünfzig Verletzte. Auch hier blieb die Kamera dicht am Geschehen. Ein junger Arzt holte mit spitzen Pinzetten Schrapnellstücke aus dem Rücken eines Mädchens. Langsam zog er die schwarzen Splitter aus den klaffenden Wunden. Stojan und Ljuba starrten mit finsteren Gesichtern auf die Mattscheibe.

Nach dem Bericht über den Anschlag zeigte Pale-TV Bilder von der Front in Zentralbosnien. Moslems hatten ein serbisches Dorf überfallen, Serben sie wieder zurückgeschlagen. »Wir werden die Moslems in den Arsch ficken«, sagte ein Soldat und lachte in die Kamera, die von ihm auf drei Leichen am Boden schwenkte – moslemische Soldaten, die Gesichter von Granatsplittern zerfetzt. Der Ansager höhnte: »Wenn wir weiter so viel siegen, wird das viele Leichengift im Boden noch zum Umweltproblem.« Stojan gähnte. Seit drei Jahren beschränkte sich das Abendprogramm der bosnischen Sender auf solche Todespornos mit wüsten Agitationen. Doch auch hier in der Wohnstube wussten sie – die Explosion am Marktplatz könnte der Wendepunkt der Verhandlungen sein. Zum Sendeschluss wurden Statements der Politiker eingeblendet. Zornig schimpfte Karadzic im Fernsehen: »Wir sind bereit zu verhandeln, doch die Moslems versuchen ihre eigenen Verbrechen auf uns zu schieben.«

Am nächsten Morgen schon warf mich Sonja Karadzic aus dem Land, das keines sein sollte. Ich überlegte, ob ich einfach bleiben sollte. Doch ich hatte gesehen, was ich sehen konnte. Das

Dorf. Den Markt. Das Parlament. Die Truppen in den Schützengräben hätte ich besuchen sollen, doch seit der Explosion auf dem Marktplatz war die Front für mich verschlossen. Missmutig fuhr ich zurück nach Belgrad. Zurück durch die Täler, am Bergsee vorbei, an den ausgebrannten Dörfern und über die Drina. In Belgrad ging ich aufs Zimmer, schaltete den Fernseher an. CNN zeigte Bilder aus Pale, das ich vor sechs Stunden verlassen hatte. Rauchpilze standen über dem Dorf. »NATO strikes back«, verkündete der Text unter dem Bild.

Diesmal war die Welt nicht auf Karadzics Einlenken eingegangen. Während der Sitzung im Skihotel hatten die NATO-Truppen schon den Großangriff vorbereitet. Nur weil es in dieser Nacht geregnet hatte, wurde die Operation Deliberate Force noch einmal verschoben. Dann begann der größte Luftangriff in der Geschichte der NATO. Es war der 30. August 1995. Zwei Wochen lang bombardierten die Kampfjets der Westmächte das Skidorf. Dreitausendfünfhundert Einsätze wurden geflogen. Die Angriffe sollten in einer Situation den Wendepunkt bringen, als die Serben ihre Geschütze aus den Hügeln über Sarajewo abzogen, als bosnische und kroatische Truppen den Moment der serbischen Schwäche nutzten und Bodenoffensiven starteten.

Unten in der Lobby machten sich die Journalistenkollegen über mich lustig. »Na, ein bisschen zu früh abgefahren?«, höhnte einer der Amerikaner. Am Abend wedelte er dann triumphierend mit einem Fax herum. Sonja Karadzic hatte im Eilverfahren sämtliche Visaanträge bearbeiten lassen. Ganz früh am nächsten Morgen fuhr ein Kleinbus mit neun Journalisten Richtung Pale ab. Ich war nicht dabei. Ich hatte meine Chance auf ein Visum verspielt.

Weit kamen sie allerdings nicht. Gleich hinter der Brücke über die Drina hatten die Soldaten der Republika Srbska die Journalisten aus dem Bus gezogen. In eine Scheune wurden sie gesperrt, gefesselt und geohrfeigt. Sonja Karadzics ganz persönliche Rache an den verhassten Westjournalisten, die ihrer Meinung nach nur Lügen über die Serben verbreiteten. In Pale selbst war eine Delegation von EU-Beobachtern verschwunden. Keiner wusste, wohin.

Die Journalisten kamen am nächsten Morgen frei. Weil auch ein Korrespondent von *Newsweek* unter ihnen war, war der amerikanische Unterhändler Richard Holbrooke persönlich zum Grenzposten gefahren und hatte dafür gesorgt, dass die Reporter freikamen. Die EU-Beobachter blieben zwei Wochen lang verschollen, bevor die Serben auch sie ungeschoren laufen ließen. Das Ende der bosnischen Serben war nah. Nur Radovan Karadzic verkündete noch kurz vor seinem Leben als weltweit gesuchter Kriegsverbrecher: »Das ist der Beginn des dritten Weltkriegs.« Und dabei klang er richtig stolz.

Die Wurzeln des Bösen

Haiti

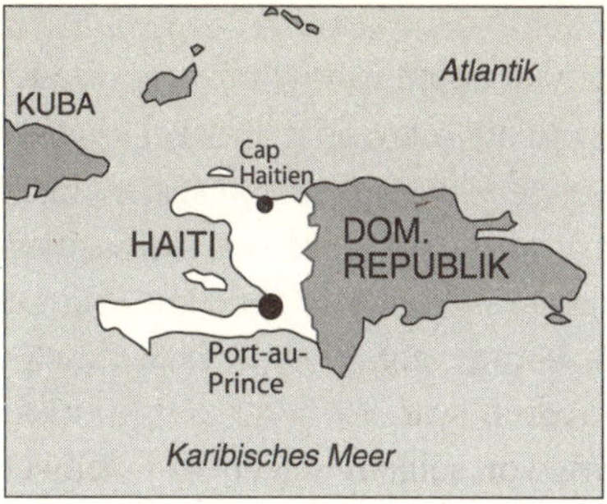

Der Lynchmob reagierte schnell. Einer aus der Menge hatte den Burschen erspäht, zwei andere hatten ihn gepackt. Dann banden sie ihm einen Strick um den Bauch und die Handgelenke. Das andere Ende verknoteten sie an den Hörnern einer Kuh. Mit Astruten schlugen sie auf die Kuh ein, die den Burschen im Galopp durch die Straßen von Carrefour zerrte, eines der riesigen Armenviertel in Haitis Hauptstadt Port-au-Prince. Das Gesicht des Burschen hatte schnell jeden Ausdruck verloren. Wie in Trance taumelte er nach vorne. Männer, Frauen jeden Alters, Schulkinder und Halbstarke kamen aus den Häusern und Gassen angelaufen. Sie verspotteten den Gefangenen, traten nach ihm. Ein makabres Schauspiel, aber kein ungewöhnliches. So begann eine »Dechoukaj«.

Es gibt keine wirkliche Übersetzung für dieses Wort aus dem Kreolischen. Sinngemäß heißt es »mit der Wurzel herausreißen«, aber das ist nur ein Euphemismus für das Phänomen der kollektiven Rage, die in Haiti jedesmal dann die Massen der Armen und Unterdrückten erfasste, wenn nach dem Umsturz eines Diktators ein Machtvakuum entstand.

Während einer Dechoukaj jagte das Volk die ehemaligen Machthaber und ihre Folterknechte aus ihren Verstecken. Hatten die Menschen ihre Unterdrücker erst einmal gefasst, steinigten sie sie zu Tode, zerstückelten sie mit Macheten oder hängten ihnen einen Autoreifen um den Hals, den sie mit Benzin füllten und anzündeten. Auf dem Höhepunkt einer Dechoukaj stürmten die Massen die Gefängnisse, Polizeistationen und Villen und zertrümmerten die Symbole der Unterdrückung, bis kein Stein mehr auf dem anderen stand.

Ich wusste nicht, ob der Bursche, den sie an eine Kuh gebunden hatten, einer der Attachés der Front pour l'Avancement et Progrès d'Haïti (FRAPH) war, wie sich die zivilen Todesschwadronen der Militärregierung nannten, ob er vielleicht als Polizist sein Revier terrorisiert hatte oder auch nur ein Dieb war. Auf alle Fälle hatte er Glück. Eine Patrouille der US Army entdeckte den Mob. Mit schlitternden Reifen raste der Jeep dem Zug in den Weg. Das Schauspiel war vorbei. Die GIs duldeten keine Dechoukaj. Sie waren ja offiziell hier, um den Kreislauf der Gewalt zu stoppen, und das galt auch für den Volkszorn.

Die Amerikaner waren stolz auf ihre Intervention. »A job well done.« An jeder Ecke der Stadt bekamen sie dafür Bestätigung. Wenn sie mit ihren Geländewagen durch die Menschenmassen pflügten, die überall die staubigen Straßen von Port-au-Prince verstopften, liefen ihnen die Kinder in Scharen hinterher, reckten die Daumen in die Luft und riefen lachend: »Blanc! Blanc américain!« An die Mauern der baufälligen Häuser waren in bunten Farben Graffiti gemalt. »Thank you USA« stand da auf englisch, und »USA for 50 years«. Daneben Bilder eines Hahns, das Symbol für Jean-Bertrand Aristide.

Seit Aristide nach Haiti zurückgekehrt war, hatte eine neue Zeitrechnung begonnen. »Nach dem fünfzehnten Oktober«, sagten die Menschen jetzt, und »vor dem fünfzehnten Oktober«. Der ehemalige Slumpriester hatte den Lauf der Geschichte Haitis geändert. In den einhundertneunzig Jahren der Unabhängigkeit war er der erste Präsident gewesen, der vom Volk gewählt worden war, und der erste, der vom Volk geliebt wurde.

Es schien, als sei die Ära der Gewalt vorbei. Die Jahrzehnte der Verfolgung und Unterdrückung, der Massaker, der Leichen auf den Straßen, die niemand wegräumen durfte, weil sie als Warnung dienen sollten. Die Jahre der niedergebrannten Kirchen, der Maschinengewehrgarben in die Schlangen vor den Wahllokalen, der Vergewaltigungen, Folterungen, Plünderungen, der Putsche, der Militärdiktatoren und ihrer Schergen, der Tontons Macoutes, der Attachés und Mörder der FRAPH.

Einhundertneunzig Jahre hatte diese Ära der Gewalt gedauert. Seit der östliche Teil der Insel Santo Domingo 1804 nach einem Sklavenaufstand unabhängig wurde, regierten die häufig wechselnden Machthaber Haiti mit Terror und Unterdrückung. Und seit der Monroe-Doktrin griffen die USA immer wieder ein, um Volksaufstände zu vermeiden. Allerdings verbündeten sich die USA meistens mit den Stärkeren, um die Lage möglichst schnell zu stabilisieren. Doch selbst die Präsidenten, die mit Hilfe der Amerikaner eingesetzt wurden, entwickelten sich zu brutalen Diktatoren. Am schlimmsten von ihnen François »Papa Doc« Duvalier, der in den fünfziger und sechziger Jahren die paramilitärischen Tontons Macoutes aufgebaut hatte. Diese Todesschwadronen, die Papa Doc nach dem »Onkel Macoute« benannte, dem »schwarzen Mann«, mit dem Kindern in Abzählreimen gedroht wurde, errichteten ein System des Terrors, das die haitianische Gesellschaft immer noch prägt.

Auch die Militärs, die 1991 unter der Führung von General Raoul Cédras Aristides Regierung gestürzt hatten, arbeiteten eng mit den Macoutes zusammen. Die Macoutes massakrierten die Anhänger des vertriebenen Präsidenten Aristide. Der Blutzoll, den die Haitianer für ihren Wunsch nach Demokratie bezahlen mussten, war in den Jahren vor der Intervention höher als je zuvor, vor allem in den riesigen Slums der Hauptstadt, in Cité Soleil und La Saline, wo die Todesschwadronen am brutalsten gewütet hatten.

»Zum ersten Mal seit Jahren können wir wieder ruhig schlafen«, sagte der Mann am Eingang des Abattoir, des Schlachthofs von La Saline. »Vor dem fünfzehnten Oktober hörten wir jede Nacht die Schüsse und Schreie, wenn die Attachés kamen. Und man wusste nie, wen sie als nächsten holen.« Er lachte. »Jetzt haben wir gesiegt. Wir und die Amerikaner.«

Über die Mörder hatten sie gesiegt. Der Tod war ihnen geblieben. Im Abattoir, einem offenen Hof mit Schlammboden, konnte man ihn förmlich riechen. Schwaden süßlichen Verwesungsgeruchs mischten sich mit dem Gestank von Jauche und dem nahen Müllplatz. La Saline war immer noch der Vorhof zur Hölle. Die Schweine, hysterisch vom Blutgeruch der frisch geschlachteten Tiere, zerrten an ihren Fesseln. Neben dem Schlammplatz ein Kanal. Grün und schwarz schillerte die dickflüssige Brühe, in der sich ein paar Ferkel suhlten.

Wenige Schritte weiter begann die Hüttenstraße. Eingezwängt zwischen die Mauer des Containerhafens und den Jauchefluss, drängten sich die Bretterbuden, dazwischen, keine zwei Meter breit, die Gasse. Obwohl die Mittagssonne unerbittlich vom Himmel brannte, blieb es dämmrig. Neben den Hütten brannten kleine Feuer, die die Gasse mit beißendem Qualm erfüllten. Auf manchen standen Töpfe, in denen Schweineblut brodelte. Vor den Hütten hatten Frauen auf Kartons Stände aufgebaut, an denen sie geröstete Schweinshaut und getrocknetes Gemüse verkauften. »Blanc«, riefen sie mir nach. »Blanc, un Dolahr.« Dazwischen sprangen Kinder herum, die meisten nackt, verschmiert mit Schlamm und Jauche.

Gleich neben dem Abattoir luden die Trucks der US Army den Abfall aus dem Feldlager ab. In kleinen Gruppen warteten die Kinder von La Saline auf die Laster. Kaum fuhr ein Müllwagen heran, sprangen sie auf die Lade, wühlten nach Essbarem, nach Glasflaschen, die sie für den Bruchteil eines Pfennigs verkauften. Rutschte der Müll von der Kipplade, stürzten sie mit dem Müll zu Boden, rappelten sich auf, schubsten, stießen, prügelten sich, um noch ein paar brauchbare Happen zu ergattern.

Ein blonder Bursche von der 10th Mountain Division stand daneben und schüttelte den Kopf. »Es bricht einem das Herz, wenn man da zusieht.« Der Bursche hieß Marvin, kam aus Indiana, verdiente sich bei der Army das Collegestudium. Haiti war sein erster Übersee-Einsatz. »Die Situation ist so erbärmlich. Ich glaube nicht, dass wir in einem halben Jahr viel ausrichten können«, sagte er. Doch der Kongress hatte beschlossen, dass die Armee bald schon wieder abziehen sollte. Marvin zuckte mit den Schultern. »Wir haben wohl unsere Pflicht getan. Ich verstehe trotzdem nicht, um was es hier geht.«

Ein ähnliches Gefühl der Verwirrung beschlich fast alle Fremden, die nach Haiti kamen. Die Soldaten, die UNO-Beobachter, die Entwicklungshelfer und Reporter. Die östliche Hälfte der Hispaniola-Insel war schon lange nicht mehr »die Perle der Karibik«, als die sie im achtzehnten Jahrhundert bekannt war und von der noch immer die Volkslieder sangen. Haiti war finster und unheimlich, die Kultur seiner Bewohner fremd und exotisch. Voodoo war immer noch lebendig. Haiti war tiefschwarz, schwärzer noch als Afrika, und deswegen umgab Haiti eine Aura voller Klischees, die selbst in so überzeugten Vernunftmenschen wie Armeeoffizieren und Journalisten den Aberglauben weckte.

Joël, einer der Burschen, die meist an der Bar des Hotel Oloffson herumhingen, erzählte mir von dem französischen Fotografen, der letzte Woche eine schwarze Feder vor seinem Hotelzimmer gefunden hatte. Im Voodoo sei das eine Todesdrohung. Nun war der französische Fotograf kein Feigling. Er war schon über zwanzig Jahre lang Journalist, hatte in Sarajewo gearbeitet, in Somalia, in El Salvador und in Afghanistan. Die schwarze Feder hatte ihn jedoch aus der Ruhe gebracht. Noch am selben Abend ließ er sich von seinem Dolmetscher zu einem Houngon bringen, einen Voodoopriester. Für einhundert Dollar und eine

Flasche Barbancourt-Rum erlöste ihn der Houngon vom Fluch der Todesdrohung.

Es gab unzählige Schauermärchen über den Voodooglauben. Geschichten von Zombies und Flüchen, von nächtlichen Ritualen und Menschenopfern. Die Menschenopfer gab es wirklich. Allerdings waren es vor allem die Houngons der Tontons Macoutes, die Gefangene in Ritualmorden den Göttern opferten. Nichts Magisches dabei. Purer Sadismus.

Auch für die Zombies gab es eine Erklärung. Die Haitianer verloren schon vor langer Zeit den Glauben an die Gerechtigkeit ihrer Herrscher. Deswegen übernahmen in vielen Fällen die Houngons die Funktion von Richtern und Justizgewalt. Höchststrafe im Voodoorecht: »Zombification.« »Sie töten die Seele und lassen den Leib am Leben«, hieß es.

In der Praxis versetzten die Voodoopriester den Bestraften mit Hilfe von Nervengiften aus dem Ballonfisch und der Flusskröte sowie mit Halluzinogenen aus verschiedenen Pflanzen, etwa der glockenförmigen Kloche-Blume, in ein Koma. In diesem Zustand wurden die Opfer lebendig begraben. Das Nervengift, die Panikzustände im geschlossenen Sarg und der Sauerstoffmangel führten zu irreparablen Hirnschäden. Wenn die »Zombies« dann nach drei Tagen wieder ausgegraben wurden, waren sie zu einem Leben im Zustand des Autismus verdammt.

»Willst du Kloche mal probieren?«, wollte Joël wissen. In kleinen Dosen wirkte das Blumengift wie eine Droge. Und für den nächsten Abend versprach mir Joël eine Zeremonie.

Am nächsten Abend lenkte ich meinen Wagen durch die kurvigen Gassen einer Vorstadt. Finster war es. Stromausfall. Ich konnte kaum etwas von der Stadt erkennen, die Gesichter der Menschen hatte die Nacht verschluckt. Nur hie und da sah ich durch den Eingang einer Hütte das rötliche Flackern eines Herdfeuers.

Wie im Blindflug preschten wir voran. Die Federung ächzte durch die Schlaglöcher. Von den offenen Feuerstellen zogen Rauchschwaden über die Viertel wie Nebel, der Geruch von Holz und Asche überall. Dichte Menschentrauben versperrten die Straße, öffneten sich im letzten Moment, um uns den Weg freizuräumen. »Nicht anhalten«, sagte Joël. »Sonst bleiben wir stecken.« In der Menschenmenge, meinte er damit. Ab und zu griff er mir ins Steuer und drückte eindringlich auf die Hupe, dann teilten sich die Trauben noch ein Stückchen weiter. Dann bogen wir in eine Gasse, die zu einer breiten Straße führte, noch einmal um die Ecke, die Menschen auf der Straße wurden immer weniger. Durch die offenen Fenster konnten wir schon die Trommeln hören. Pulsierende, gleichmäßige Schläge. Kurz darauf schallten die Gesänge herüber. Hypnotische Chöre, die Voodooformeln absangen.

Das Haus des Houngon war ein zweistöckiger Bungalow. Eine schmale Straße führte steil nach unten zur Einfahrt. Bis nach draußen drängten sich die Menschen. Im Hof hatte die Menge einen Kreis gebildet. Die Menschen klatschten und sangen, tanzten auf der Stelle. An der einen Seite saßen die Trommler, in der Mitte stand Abouja, der Houngon, ein massiger Mann mit grauschwarzem Vollbart und kurzem Haar. Er trug ein buntes Hemd, verschiedene Ketten und Gürtel. Seine Augenlider hingen tief, er schwankte wie in Trance. Unter einem Baum war ein Tisch aufgebaut, auf dem Kreuze und Tongefäße standen sowie ein paar Flaschen mit Pfefferschoten, die in Schnaps eingelegt waren. Daneben kochte ein Gebräu mit Gemüse auf offenem Feuer.

Ab und zu trat einer der Tänzer an den Tisch, schüttete einen Schluck aus den Flaschen ins Feuer, das dann in Stichflammen nach oben züngelte. Opfer für die Geister. Erst der zweite Schluck ging an den Tänzer. Ein Mann stand mit seiner Frau neben dem Feuer. Sie war hochschwanger, und er rieb ihr den runden Bauch und die Brüste mit Schnaps und Eintopf ein. Sie hatte die Augen geschlossen, schwankte. »Die Götter haben sie berührt«, sagte einer.

Das Trommeln und die Gesänge steigerten sich immer weiter. Tänzer traten in den Kreis, tanzten sich in Ekstase. Wenn die Menge zu nahe rückte, schwang der Houngon seine Peitsche und scheuchte sie zurück. Dann trat eine dürre Frau in Tüchern vor ihn. Er drückte seine Stirn gegen die ihre, worauf sie wie von Krämpfen geschüttelt durch den Kreis tanzte. Plötzlich stürzte sie durch die Reihen, griff mich am Handgelenk und zerrte mich in den Kreis. Ich versuchte mich aus dem Griff der Frau zu winden und in die Menge zu retten. Doch unter den anfeuernden Rufen der Umstehenden zog sie mich unerbittlich in die Mitte. Wieder versuchte ich mich loszureißen, doch jetzt griff der Houngon ein, stieß mich aufmunternd an die Schulter und bedeutete mir zu tanzen.

Mit unsicheren Bewegungen versuchte ich den ekstatischen Bewegungen der Tanzenden zu folgen. Die Umstehenden brachen in Gelächter aus. »Bien, blanc, bien!«, riefen sie. Ich versuchte zu lächeln, tanzte weiter, bis mich der Houngon erlöste und mir die Hand auflegte. »Jetzt hat der Blanc den großen Geist berührt«, sagte eine Frau am Rand. Souboub, der große Geist hatte mich gesegnet. Mir wurde schwindelig.

Je tiefer man in das Land hineinfuhr, desto verwirrender und elender wurde es. Es war, als wäre hier eine ganze Kompanie apokalyptischer Reiter durchgekommen – Naturkatastrophen und Übervölkerung, Aids-Epidemie und tiefer Hass, Hunger und Krankheit, Analphabetismus und Aberglaube. Nichts blieb Haiti erspart.

Schon kurz hinter der Hauptstadt konnte man die Narben des Raubbaus und der Katastrophen sehen. Die Route Nationale Numéro 1 wand sich die Küste entlang nach Norden. Neben der

Straße zogen sich die Bergwände nach oben. Kahle Bergkämme. Früher stand hier dichter Wald. Doch jetzt waren die Hänge von tiefen Furchen durchzogen, in denen bei jedem Regen Schlammfluten den Rest der Humusschicht ins Meer spülten. Nur noch zwölf Prozent des haitianischen Bodens waren landwirtschaftlich nutzbar, trotzdem wurden fast fünfzig Prozent bebaut. Aus jeder Krume versuchten die Bauern noch etwas zu gewinnen und trieben die Erosion damit immer weiter voran.

Im Hinterland hatte sich seit dem Einmarsch kaum etwas verändert. Was an Hilfsgütern kam, wurde von den Macoutes zu überhöhten Preisen auf dem Schwarzmarkt verkauft. Nur vereinzelt kamen die amerikanischen Truppen in die abgelegenen Dörfer und Städte, verhörten ein paar Macoutes und zogen wieder ab. Die Ausbeutung und der Hass waren geblieben, und mit ihnen die Angst. Deswegen trafen sich die Mitglieder der zivilen Opposition immer noch im geheimen.

In Cap Haïtien, der ehemaligen Hauptstadt der Kolonialherren an der Nordküste, wollte mir eine Gruppe von fünfzehn Menschenrechtsaktivisten von den Ereignissen der letzten Wochen berichten. Treffpunkt war ein Künstlerzentrum im Hafenviertel. Die Aktivisten saßen in einem düsteren Raum um einen Tisch herum. Einer redete, die anderen schwiegen.

»Wir haben immer noch Angst«, begann François, der das Treffen organisiert hatte. Der Maler und Volksschullehrer war ein junger Mann mit wachen Augen, über denen sich die Augenbrauen traurig kräuselten. »Die amerikanischen Truppen haben die Gefängnisse und Polizeistationen aufgelöst, doch die Macoutes sind immer noch bewaffnet. Von überall sind sie hierher gekommen und verstecken sich auf dem Land.« Er seufzte. »In Port-au-Prince ist die Lage vielleicht stabil. Aber hier im Norden hat sich nicht viel geändert. Ganz im Gegenteil. Oft arbeiten die Amerikaner mit den alten Macoutes zusammen.«

Einer nach dem anderen berichtete von den Vorfällen in

seinem Ort. Geschichten von Folter, Verschwundenen, Mord und Landraub. Paul von der Studentenbewegung in Plaine du Nord, ein schmaler Neunzehnjähriger in einem Blumenhemd, erzählte mit leiser Stimme, wie ihn die Polizei gefoltert hatte: »Sie haben mich verhaftet und auf die Polizeistation geschleppt. Dort haben sie mich drei Tage lang verprügelt. Ein Jahr lang habe ich mich danach in den Bergen versteckt. Nach dem fünfzehnten Oktober bin ich zurückgekehrt.« Am selben Abend gab es eine Freudendemo. Es war gegen elf, als ein Bus in die Menge raste. Der Fahrer war Dupeval Jacques, und die Macoutes hatten ihm fünftausend Dollar für den Job gegeben. Elf Menschen starben, siebzehn wurden schwer verletzt. Eine deutliche Botschaft der Macoutes, dass sie immer noch präsent seien.

Paul hielt inne. Es fiel ihm schwer, so lange zu sprechen. »Der Bus fährt immer noch durch die Stadt. Princesse Numéro Deux steht vorne drauf. Wir haben die amerikanischen Soldaten gebeten, Dupeval Jacques zu verhaften, aber bis jetzt ist nichts passiert.«

Ein Herr in weißem Hemd und Anzughose erhob sich. Er sei Friedensrichter, sagte er, wollte aber weder Name noch Herkunft nennen. Er stimmte Paul zu. »Die meisten Richter waren selbst Macoutes. Die wenigen, die jetzt gerechte Urteile fällen könnten, wurden längst verjagt. Wenn sie noch hier sind, werden sie mit Mord bedroht.« Er hob die Hände in die Luft. »Aristide und die Amerikaner sprechen von der Zeit der Versöhnung. Aber solange es keine Gerechtigkeit gibt, solange die Macoutes und Attachés nicht bestraft wurden, kann es keine Versöhnung geben.« Die Aktivisten nickten schweigend.

Wilner Moise, ein älterer Herr, der in seinem Heimatort Trou du Nord der Aristide-Partei Lavalas angehörte, erzählte atemlos von den letzten Wochen. »Jahrelang hat die Armee in Trou du Nord Lavalas-Anhänger erschossen. Dieselben Soldaten sind immer noch in Fort Liberté stationiert. Kein Mensch kümmert sich darum.«

Er schaute unsicher in die Runde. »Viel schlimmer noch – bei uns gab es ein Macoutes-Corps, das noch viel brutaler war als alle Attachés und Militärs in der Gegend. Niemand hat sie je entwaffnet. Sie verstecken sich auf dem Land. Und jeden Sonntag treffen sie sich um vier Uhr nachmittags in der Kirche von Pastor Edward Jacques, wo sie auch ihre Waffen aufbewahren. Pastor Jacques war selber ein Macoute, der das Land, auf dem die Kirche steht, von den Bauern gestohlen hat. Die amerikanischen Soldaten kamen, haben sogar mit dem Pfarrer gesprochen, aber sind abgezogen, ohne etwas zu tun. Wir haben jetzt eine Bürgerwehr gegründet. Was bleibt uns anderes übrig? Es gibt immer noch keine Polizei in Trou du Nord.«

»Aber sie kommen immer noch ins Dorf. Vor allem nachts. Dann schießen sie und sagen, wir hätten nur ein bisschen Freiheit, bis sie zurückkommen.« Alle anderen im Raum schwiegen beklommen. Wilner Moise fuhr fort: »Sie bringen auch noch Leute um. Vorgestern. Auf dem Marktplatz. Am hellichten Tag. Joseph kam, ein bekannter Macoute, hat ohne Warnung seine Machete gezogen und Elysé Noël zerhackt. Sein Bruder und sein Neffe hatten für den Mord bezahlt. Die Bürgerwehr hat die beiden geschnappt, aber Joseph ist in die Dominikanische Republik geflohen. Und gestern haben zwei Attachés eine Frau in ihrem Haus umgebracht. Es hat sich nichts geändert.«

Trou du Nord war eine halbe Stunde von Cap Haïtien entfernt. Die Gegend war nicht ganz so verkarstet wie der Rest des Landes. Rinder grasten auf üppigen Weiden, Alleebäume säumten die Landstraße. Wilner Moise sagte, dass ein Großteil des Bodens hier Großgrundbesitzern gehörte. Auf dem Marktplatz des Dorfes brüteten ein paar Bauern in der Mittagshitze. Sie saßen im Schatten eines Mangobaums. Auf Plastikfolien hatten sie Kaffeebohnen zum Trocknen ausgebreitet. Ringsherum standen niedrige Betonhäuser mit Wellblechdächern, die meisten in Sepia oder Lindgrün angemalt. Hundert Meter weiter war die ehemalige Polizeistation. Das Gebäude war wie leergefegt.

Während der Dechoukaj hatten die Bewohner von Trou du Nord von dem verhassten Armeeposten nichts übriggelassen. Nur die Tür zur Gefängniszelle hing noch in den Angeln. Marel Jacques, der die Tagschicht der Bürgerwehr befehligte, schob den Riegel auf. »Hier haben sie uns gefoltert«, sagte er. Der Zweiunddreißigjährige trug ein lila Hemd und hatte ein Funkgerät am Handgelenk baumeln. Seine einzige Waffe.

Die Zelle maß vielleicht zwanzig Quadratmeter. »Fünfzehn Mann, ein Eimer Wasser, ein Eimer als Klo«, erinnerte sich Marel Jacques. »Manchmal haben sie uns vor den anderen Gefangenen gefoltert.« An der Wand makabre Todesgraffiti – Voodooformeln in Menschenblut geschrieben.

»Wir haben hier einen schweren Stand«, stimmte Pierre seinem Kameraden zu. Pierre war eines der ersten Parteimitglieder am Ort und musste sich bis zum 15. Oktober verstecken. »Wir sind nur eine Bürgerwehr, haben keine Waffen, keine Unterstützung. Gegen die Macoutes kommen wir nicht an.« Wie viele Macoutes vermuteten sie noch in der Gegend? »Hundertfünfzig. Mindestens.«

Das Versteck der Macoutes lag auf halbem Weg zur eine Stunde Fahrt entfernten Grenze mit der Dominikanischen Republik. Pierre wollte mich hinführen. Bananen- und Kaffeefelder säumten die Straße. Erntearbeiter liefen am Straßenrand entlang. Dann bogen wir auf eine Staubpiste ab. Der Weg zur Kirche. Wir waren noch nicht weit gefahren, als uns zwei Geländemaschinen begegneten, auf denen bullige Kerle saßen. »Macoutes«, sagte Pierre und duckte sich hinter den Fahrersitz. Er kannte sie noch aus der Zeit, als sie ihn ermorden wollten. Ein paar hundert Meter vor der Kirche sprang Pierre aus dem Wagen und versteckte sich in einem Maisfeld. Wenn die Macoutes ihn mit mir sehen würden, erinnerten sie sich sicher an ihre alte Todesliste.

Die Kirche der Macoutes stand in einem Palmenhain. Ein helles Betongebäude mit einem kleinen Glockenturm, dahinter flache Wohnbaracken und Lagerhäuser. »Ist der Herr Pastor da?«, fragte ich. Eine Frau, die eine Waschschüssel mit Reis vor sich her trug, deutete stumm auf ein Haus mit Veranda.

Zwei Männer versperrten mir den Weg. Der eine trug eine goldene Pilotenbrille, Kettchen und Armbänder. Gut ein Meter neunzig war er groß, verschränkte die massigen Arme und guckte grimmig. Der andere hatte einen Haarkranz und Mausaugen, die mich mit durchdringlichen Blicken musterten. »Der Herr Pastor?«, fragte er. Der Mann mit den Mausaugen ging langsam zum Haus mit der Veranda, rief dabei im Vorbeigehen etwas zu den Wohnbaracken. Ein Bursche tauchte auf, schwang sich auf ein Geländemotorrad, trat den Starthebel an, bog auf die Straße und verschwand.

Es dauerte ein paar Minuten, dann erschien Pastor Edward Jacques. Er trug ein hellgraues Tropenhemd und eine schwarze Hose. Bullig war er, hatte tiefe Falten um die Nase, die seine Mundwinkel nach unten zogen. Misstrauisch beäugte er mich. Dann knipste er ein Lächeln an. »Welcome«, dröhnte er auf englisch. Seine Bewacher stellte er ohne Namen vor. »Diese Herren sind befreundete Missionare«, sagte er, als würde er die Lüge selbst nicht glauben. Mindestens zehn solcher befreundeten Missionare hingen auf dem Kirchengrund herum. Sie alle trugen verspiegelte Brillen und Goldschmuck, saßen im Schatten oder bastelten an ihren Geländemotorrädern herum, die an den Baracken und Palmen lehnten.

Der Pastor bat mich in die Küche. Am Esstisch nahm er Platz, eingerahmt von seinen Bewachern, und beantwortete meine Fragen mit eisiger Höflichkeit. Er wusste, warum ich hier war. Deswegen war auch nichts aus ihm herauszubekommen. »Meine

Aufgabe ist es, den Menschen den Weg zu Gott zu zeigen«, sagte er, und: »Mit Gottes Hilfe werden wir uns versöhnen.« Mit Politik wollte er nichts zu tun haben, sagte er, die paramilitärischen Kräfte hatte er nie gesehen, und die Waffen waren zum Schutz des Volkes hier. Nur einmal verschwand das frostige Lächeln aus seinem Gesicht. Seine Stimme bekam einen bedrohlichen Unterton, als er sagte: »Der Einmarsch der Amerikaner war Gottes Strafe für Voodoo.«

Trou du Nord war nicht das einzige Dorf, das noch unter der Kontrolle der Macoutes stand. Nach dreißig Jahren Schreckensherrschaft war es unmöglich, die Wurzeln der Gewalt in wenigen Monaten herauszureißen. Es war, als hätte sich das berühmte Zitat von Toussaint L'Overture, dem Rebellenführer, der Haiti 1804 die Freiheit erkämpfte, umgedreht. Heute noch lernen die Schulkinder die Worte, die er auf seinem Totenbett im französischen Gefängnis sprach: »Mit meiner Entmachtung habt ihr in Saint Domingue nur den Baum der Freiheit umgehauen. Er wird wieder nachwachsen, denn seine Wurzeln sind zahlreich und tief.« Nun waren es die Wurzeln der Gewalt.

Selbst Präsident Jean-Bertrand Aristide schien machtlos, obwohl ihn die amerikanischen Soldaten doch unterstützten. In seinem weißen Kolonialpalast lebte er wie ein Gefangener. GIs patrouillierten über das Gelände, hatten mit ihren überbreiten Humvee-Geländewagen den Hof vollgeparkt und unterwarfen jeden seiner Besucher einer unfreundlichen Sicherheitsprozedur mit Metalldetektoren, Computerchecks und Durchsuchungen. Der Präsident durfte den Palast nur selten verlassen. Zu hohes Attentatsrisiko, sagten seine amerikanischen Bodyguards, die ihn auf Schritt und Tritt begleiteten.

Im Saal der Präsidenten, in dem die Bronzebüsten der verblichenen Staatsoberhäupter aufgereiht standen, empfing Aristide jetzt regelmäßig Delegationen aus dem Volk. Jede Gruppe bekam ihre Audienz. Die Geschäftsleute, die Arbeiter und die Bauern. An diesem Morgen waren es die haitianischen Journalisten. Sie konnten es kaum fassen. Der Saal der Präsidenten. Das Allerheiligste der Regierung. Von hier aus wurden jahrelang die Befehle gegeben, jeden Journalisten, der sich der Opposition auch nur verdächtig machte, zu verhaften, zu foltern, zu erschießen. Jetzt stand ihnen der Präsident Rede und Antwort.

Mit seinen hervorquellenden Augen, dem Silberblick, den schmalen Händen, die er ordentlich gefaltet hatte, als ob er sie zwischen den Gesten aufräumen müsste, wirkte er etwas linkisch. Aufrecht stand er im dunkelblauen Anzug auf dem Podest, trat nach den Begrüßungsworten erst einmal nach unten, zum Journalistenvolk. Kaum einer der Journalisten schien eine Frage zu haben. Sie hielten flammende Reden auf Aristide, beschworen ihn, die Chance nicht zu verpassen.

Wenn Aristide sprach, unterstrich er seine Sätze mit kräftigen Gesten, und seine Stimme bekam einen festen Ton. Er hatte ein unaufdringliches Charisma, überzeugte durch Diplomatie und Intellekt. Zwei volle Stunden gewährte er den Journalisten. Dann trat er mit ihnen ans Büfett und sprach mit jedem einzeln.

Glaubte er, dass sich Toussaints Worte in ihr Gegenteil verkehrt haben? Er überlegte einen Moment. »Wir haben in Haiti eine Tradition der Gewaltlosigkeit«, versicherte er mir dann. »Aber das Volk wurde immer wieder Opfer der Gewalt. Das ist institutionalisierte Gewalt, die zum Beispiel dazu geführt hat, dass von den ersten sechsunddreißig Präsidenten seit unserer Unabhängigkeit vierundzwanzig gestürzt wurden.« Ob er die Wurzeln der Gewalt ausreißen würde? Aristide zögerte einen Moment. »Ich bin sicher, dass wir mit unserem Weg der Versöhnung bald Frieden schaffen können. Wie lange das dauern wird, kann ich jedoch nicht sagen.«

Diplomatenfloskeln. Vor dem Putsch fand Aristide noch deutlichere Worte. Auch für die Amerikaner. Als Aristide 1991 zum ersten Mal an die Macht kam, zwang er die Armeeführung in einer dramatischen Geste, Behinderten Frühstück zu servieren. Doch nun hatten ihm die Amerikaner PR-Spezialisten und politische Berater an die Seite gestellt. Denen war er Rechenschaft schuldig. Nicht seinem Volk.

Das Volk wusste längst, dass ein haitianischer Präsident nur mit einer gewaltsamen Dechoukaj etwas erreichen konnte. Doch Haiti war zu erschöpft, um eine weitere Gewaltwelle zu überstehen. Nur wenige hatten Hoffnung, dass die anstehenden Wahlen viel veränderten. Nicht nur, weil sie schon zum zweiten Mal verschoben worden waren. Zu tief war die Elite des Landes mit den Wurzeln der Gewalt verbunden. Die Oppositionellen, die jetzt aus dem Exil zurückkehrten, waren längst Fremde geworden.

Die naheliegende Lösung stand auf den Mauern der Armenviertel: »USA for 50 years.« Dann allerdings müssten die Retter aus Washington beweisen, dass ihnen mehr an Haiti liegt, als die Lage zu stabilisieren und das Land als Billiglohnbasis zu bewahren. Aber einflussreiche Hilfe im Land selbst würde schon dafür sorgen, dass es nicht dazu kommt – die alten Strukturen der Oligarchen und Großgrundbesitzer mögen keine Entwicklungshilfe und Modernisierung. Bessere Straßen bedeuten bessere Kaffeepreise für die Erzeuger, das führt zu größerer Unabhängigkeit der Bauern, und dadurch könnte sich das Volk aus dem eisernen Griff der Oligarchen lösen. Doch die Organisation mit dem größten Budget für Haiti will das Land überhaupt nicht entwickeln – es war ja ausgerechnet die US Agency for International Development, die Aristide davon abhalten wollte, den Mindestlohn von vierzehn auf siebenunddreißig Cents die Stunde anzuheben.

Auch wenn er unter der strengen Aufsicht der amerikanischen Befreier nicht viel für sein Volk tun konnte, Aristide bemühte sich, wenigstens mit Gesten zu zeigen, dass eine neue Ära begonnen hatte. Die Flügeltüren des Präsidentensaals blieben seit seiner Rückkehr geöffnet. Quer über den großen Rasen bildete sich deswegen jeden Tag eine Menge am Zaun, die versuchte, einen Blick zu erhaschen, als ob die Menschen immer noch nicht glauben konnten, dass ihr Held zurück war.

Vom Präsidentensaal aus konnte der Präsident die Menschen hinter dem Zaun nur als Konturen ausmachen. Doch wenn es ganz still war im Saal, konnte er einen pulsierenden Rhythmus hören. Es waren die Schläge der Voodootrommler, die vor dem Palast saßen. Sie riefen Souboub an, den mächtigen Schutzgeist. Er sollte Haiti vor dem Bösen bewahren und Präsident Aristide beschützen. Denn nur mit der Hilfe der Götter, so sangen sie, würde der Friede einkehren.

Das Blutfest

Peru

»El Condor!« Die Stimme des Burschen war heiser, überschlug sich. Hoch oben über dem Krater stand er in den Felszinnen und ruderte mit den Armen. Die Männer erhoben sich von ihren Strohlagern und starrten in den Himmel. In weiten Kurven kreiste der Vogel über ihnen, die Schwingen ausgebreitet, ganz ruhig, ohne Flügelschlag. Ein Anblick, der den Männern die Fassung raubte. Tränen standen ihnen in den Augen. Sie sagten kein Wort. Nur der Bursche dort oben rief wieder: »El Condor!«

Vor sechs Tagen waren sie zu dem Krater am Gipfel gestiegen. Zwanzig Männer aus dem Dorf Cotabambas, einem verarmten Nest tief in den peruanischen Anden. Sie waren gekommen, um einen der riesigen Vögel zu fangen, die nur in den Punas zu finden sind, in den Hochlagen, in denen die Luft so dünn ist, dass kein Baum mehr wächst und nur die Nachkommen der Inkas mit ihren Lamas dort überleben.

Seit zweihundert Jahren schon gingen die Männer des Dorfes einmal im Jahr in die Berge, um das Sakrileg zu begehen, den

Apu Inca auf die Erde zu holen, den heiligen Vogel der Inkas und Botschafter der Götter. Die Yawar Fiesta feierten sie dann mit ihm, das Blutfest zum Unabhängigkeitstag der Republik von Peru. Dabei musste der Kondor als Vertreter der Inkas bei der Corrida einen Stier bezwingen, das Symbol für die Spanier, die Eroberer der Conquista, die dem mächtigen Reich des Andenvolks ein grausames Ende bereit hatten.

Für die Bürokraten in der Hauptstadt Lima war der Brauch schon immer ein Akt der Barbarei gewesen. In den dreißiger Jahren versuchten sie, die Blutfeste zu verbieten. Zu viele Tote hatte es bei den Stierkämpfen gegeben, die bei den Nachkommen der Inkas nicht mit professionellen Toreros in einer Arena abgehalten wurden, sondern auf einem Dorfplatz mitten in der Menge, aus der die mutigsten Männer heraustraten und die Stiere mit ihren Ponchos reizten. Und dann eben der Kondor, längst schon vom Aussterben bedroht. Gequält und geschunden werde er, sagten die Tierschützer, die auch dieses Jahr wieder eine Petition gegen den Brauch eingereicht hatten. Doch was wussten die schon von der Botschaft der Götter und der Macht dieses Vogels, der einmal im Jahr ins Tal hinabkam, um das Elend der Menschen zu sehen, den Stier zu besiegen und dann nach einer Woche in den Himmel aufzusteigen und die Berge zu besänftigen.

Es war nicht leicht, den Gottvogel zu fangen. Nach sechs Tagen am Gipfel waren die Männer wie in Trance. Sicher, sie hatten ihr ganzes Leben in ihrem Dorf auf dreitausendfünfhundert Metern Höhe verbracht, deswegen floss auch mehr Blut durch ihre Adern als durch die eines gewöhnlichen Menschen. Doch in der Puna auf fünftausend Metern Höhe wurde selbst für sie jeder Atemzug zur Anstrengung, und die kalte Luft schnitt scharf durch die Kehle.

Vor sechs Tagen hatte Ualberto sie hier hinaufgeführt, ein Mann, der viel älter aussah als seine zweiunddreißig Jahre. Sein

Gesicht war ganz rot von der Kälte und aufgeschwemmt vom Alkohol. Er war der Altomisayoq des Dorfes, der Inkapriester, ein Auserwählter, der wusste, wie man zu den Göttern sprach. Er hatte gleich bei der Ankunft seinen Poncho als Altar ausgebreitet und aus einem kleinen Bündel die Gaben verstreut. Weihrauch, Maiskörner, Goldfolien, getrocknete Blüten und Blätter des Kokastrauchs. Er hatte sie in ein Maisblatt gewickelt, ein Schneckenhaus darüber zerrieben und angezündet. Alcanzo hieß dieses Ritual. »Opfer« auf Quechua, der Sprache der Inkas.

Dann hatte er den Männern geholfen, den Köder zu legen, einen kränklichen Schimmel, den der Gouverneur bezahlt hatte, der auch das Blutfest ausrichten sollte. Ualberto und Señor Rafo, der Wirt, hatten den Gaul in den Krater geführt, in dem sie dem Kondor jedes Jahr die Falle stellten. Am Kratergrund, im Windschatten der Felszinnen und Steilhänge, war ihnen der Kondor ausgeliefert, denn ohne Aufwind konnte er nicht fliegen. Für die zwei Meter Spannweite seiner Flügel reicht dem größten Raubvogel auf unserem Planeten seine Muskelkraft nicht.

Señor Rafo legte dem Pferd einen Strick um den Hals. Ualberto sprach seine Formeln. Er wickelte dem Gaul seinen Poncho um den Kopf, denn nach dem Glauben der Inkas brachte es Unglück, einem sterbenden Tier in die Augen zu sehen. Genauso durfte der Köder nicht erschossen werden. Deswegen stießen die Männer das Tier zu Boden und zogen mit aller Kraft an der Schlinge. Es dauerte. Der Schimmel versuchte auf die Beine zu kommen, trat um sich, warf den Kopf hin und her. Mit aller Kraft stemmten sich die Männer gegen den Grund, verzerrten ihre Gesichter zu angestrengten Grimassen. Zehn Minuten kämpfte das Pferd um sein Leben. Dann wurden seine Bewegungen schwächer, es zuckte noch kurz und erstarrte.

Nach zwei Tagen, so sagte Ualberto, wird der Aasgeruch in die Lüfte aufsteigen und den Kondor anlocken. Bis dahin bliebe nichts, als zu warten.

Die Männer kauerten sich hinter die Mauern aus rundlichen Felsbrocken, die hier oben schon seit den Zeiten der Inkas als Viehgatter stehen. Sie füllten aus einem Kanister Trago in Muschelschalen, die Mischung aus Methylalkohol und Wasser, ein stinkendes Chemiegesöff, das schon mehr als einen von ihnen Augenlicht und Leben gekostet hat. Und einmal am Tag warfen sie Kartoffeln, Fleisch und Gries in den Topf, die sie zu schleimigem Brei zerkochten.

Am dritten Tag hatte sich immer noch kein Vogel gezeigt. Apathisch saßen die Männer herum. Es war kalt. Minus fünf Grad bei Nacht, höchstens zehn Grad am Tag. Doch an Umkehr war nicht zu denken. Kam kein Kondor ins Dorf, bedeutete das Unglück für alle. Schlechte Ernten, Lawinen und Krankheit. Deswegen verbrannte Ualberto auch jede Stunde ein Bündel mit Gaben.

Am fünften Tag kam Verstärkung aus dem Dorf. Drei junge Männer auf Pferden. Sie hatten Gewehre geschultert und Koka dabei. Señor Rafo verteilte die Blätter, die die Männer zusammenfalteten und im Mund mit Speichel zu Bällen formten. »Hier oben sind wir ganz nah bei den Apus, den Berggöttern«, sagte der Wirt. »Wenn wir die heiligen Kräuter kauen, treten wir mit ihnen in Kontakt.« Und das ist wichtig, denn nichts ist schlimmer, als die Apus zu erzürnen. Das weiß jeder von ihnen.

Vor allem Ualberto, der den Zorn der Götter erleiden musste. Der Fluch des Kondors liege auf ihm, hieß es im Dorf, schließlich war er als Priester den Göttern am nächsten und musste deswegen büßen, dass sie das heilige Tier in Gefangenschaft nahmen. Und so ging seine Mutter Cecilia jeden Sonntag schon früh in die Kirche am Hauptplatz, schlug ein Kreuz am Altar und kniete sich in eine der vorderen Reihen. Sie betete für ihren Sohn, der keine Frau hatte, keine Arbeit, kein Geld, der tagsüber trank bis zum Umfallen und nachts von Alpträumen aus dem Schlaf gejagt wurde. Sie betete, dass er endlich Vernunft annehme und nicht mehr in die Berge steige, um den Kondor zu fangen. Dazu plagte sie eine berechtigte Angst – wäre einem der Vögel etwas zugestoßen, hätte Ualberto sterben müssen. Doch kein Gebet konnte ihm helfen. »Nur dort oben bin ich glücklich«, sagte er immer. »Dort oben liegt meine Bestimmung.«

Und so zuckte der Ruf des Ausgucks von den Felszinnen wie ein Blitz durch Ualberto. Geduckt schlichen sich die Männer hinter ihm an den Kraterrand. Gespannt warteten sie, bis der Vogel landete, seine Krallen in die Flanke des Aases rammte und begann, am Fleisch zu hacken. Dann gab Ualberto das Zeichen.

Von allen Seiten rannten sie in den Krater hinab. Die jungen Männer auf den Pferden schossen mit ihren Flinten in die Luft, um den Kondor zu verwirren. Der stolperte panisch zur Seite. Olintho, der mutigste der Reiter, raste mit dem Pferd auf ihn zu und stürzte sich mit einem Satz auf den Vogel. Krampfhaft hielt er ihn am Flügel fest, versuchte seinen Kopf unter der Schulter zu halten, denn ein Streich des Raubtierschnabels hätte ihm das Gesicht aufschlitzen können. Mit Gebrüll eilten die anderen herbei und griffen nach den Flügeln, dem Kopf und den Krallen.

Jubelnd führten sie das Tier aus dem Krater. Vor Ualbertos Poncho kamen sie zu stehen. Mit sanftem Wedeln sorgte der Priester dafür, dass Weihrauchschwaden den Vogel benebelten. Dann träufelten sie ihm Trago ein, damit er auf dem Weg ins Tal friedlich blieb, zogen einen Strick durch die Atemlöcher und verbanden ihm den Schnabel.

Im Triumphzug marschierten die Männer ins Dorf. Ualberto hatte den Kondor in seinen Poncho gewickelt und trug ihn wie einen Säugling auf dem Rücken. Vor dem Haus des Gouverneurs Nestor Torres wickelte er ihn aus. Mit sanfter Gewalt breiteten sie seine Schwingen aus, um den Dörflern seine ganze Pracht zu zeigen. Dann behängten sie ihn mit bunten Bändern und Fahnen.

Drinnen sammelte sich die Truppe um einen langen Holztisch. Die Feier konnte beginnen. Nur Ualberto blieb mit dem Vogel alleine in einem kahlen Raum am anderen Ende des Hofs. Er hatte die nächsten Tage rund um die Uhr mit dem Tier zu verbringen. »Der Kondor ist jetzt meine Gattin, mein Vater, mein Sohn«, sagte er, während er mit dem Messer ein Schneckenhaus in den Weihrauch rieb, um den Vogelgott zu beruhigen. Der Kondor stand unter Schock, drängte sich in eine Ecke und blinkte ängstlich über die Schulter.

Vier Tage waren es noch bis zum Unabhängigkeitstag. Vier Tage, während deren Ualberto und die Männer des Gouverneurs mit dem Kondor durch die Dörfer der Umgegend paradierten. Von einem Ort zum anderen zogen sie, ließen den Kondor auf den Plazas seine Schwingen ausbreiten und tranken mit den Männern aus den Nachbarorten Bier und Trago. Als der Feiertag endlich begann, hatte sich längst ein trüber Schleier über ihre Augen gelegt. Viel zu trinken, kein Schlaf. Auch sonst wollte in Cotabambas niemand nüchtern bleiben. Selbst die Polizisten torkelten durchs Dorf. Seit Jahren schon sperrte der Kommandant für diese Woche die Pistolen weg, damit sie damit keinen Blödsinn machten.

Der Unabhängigkeitstag begann mit einem Umzug der Kinder, Zünfte und Honoratioren. Vorneweg: El Condor. In der Kirche segnete der Pfarrer das Tier. Von draußen kam ununterbrochener Lärm. Nach vier Tagen Feiern war das Spiel der Kapellen von Cotabambas zum stetigen Getöse angeschwollen. Fünfzehn Bandas waren unterwegs. Faltige Männer, die auf Felltrommeln schlugen und aus ventillosen Trompeten fünftönige Fanfarenmärsche pressten. Dazu zogen Gruppen von Frauen im taumelnden Ringelreihen durch die Straßen. Mit spitzen Schreien grölten sie Volkslieder und zerrten jeden, dem sie begegneten, mit energischen Bewegungen in ihren Tanz.

Zwölf Uhr mittags. Der Stierkampf begann. Ualberto wartete mit dem Kondor in einem der Höfe am alten Hauptplatz, zu dem man über steile Gassen hinaufsteigen musste. Ringsum war der Platz mit Gattern aus Eukalyptusstämmen gesperrt. Menschentrauben drängten sich. Am Nordende ein Tor, dahinter der Pferch, in dem die Kampfstiere schon Staubwolken aufstampften. Dann stürmte der erste Bulle auf den Platz. Zehn Stiere wurden nacheinander in die Arena getrieben. Die Männer reizten sie mit ihren Ponchos, stellten sich den schnaubenden Tieren in den Weg. Die ersten Verletzten – ein Bursche fiel unter einen Stier, ein Mann stolperte und kriegte ein Horn in die Seite. Doch noch gab es keine Toten. Gestern hatte sich einer zu Tode gesoffen, aber das zählte nicht. Sehr zum Bedauern der Honoratioren. »Tote bringen Glück«, sagte Señor Rafo ganz ernst. »Das Blut der Toten beschwichtigt die Götter, die dann Regen und fruchtbare Ernten schicken.« Deswegen der Name: Yawar Fiesta. Das Blutfest.

Schließlich kündigte der Gouverneur mit einer Handbewegung den Höhepunkt an. Die Kapellen steigerten sich in eine hysterische Kakophonie. Am Tor zum Pferch hatten die Männer einen Bullen gefesselt. Drei zurrten den Kondor mit einem Strick auf seinen Rücken. Der Kondor war wütend, hackte auf den Stier ein, versuchte seine Augen zu treffen. Der Bulle versuchte, sich mit Zuckungen loszureißen. Dann fielen die Fesseln. Mit drei mächtigen Sätzen sprang der Stier auf die Plaza. Fünf Männer warteten schon, wedelten mit ihren Ponchos. Sie reizten, jagten, quälten ihn, während der Kondor immer fester zustieß. Das Geschrei der Menge schwoll zum Getöse an. »Nieder mit ihm!« Es sollte leiden, das Symbol der Conquista.

Schließlich war der Stier erschöpft, ging fast in die Knie. Gemeinsam trieben sie ihn an ein Gatter, hoben den Kondor herunter. Ualberto eilte herbei, nahm ihn an sich, brachte ihn zurück in den Hof. Doch der Stier riss sich los, rannte auf eine Gruppe zu. Menschen sprangen über die Gatter, in Türen und Fenster. Nur ein Betrunkener lag vor einem Abhang. Immer wieder rammte ihm der Stier seine Hörner in den Bauch. Der Trunkene lächelte, schien den Schmerz nicht zu spüren. Dann warf ihn der Stier wie einen Strohballen in die Luft, den Steilhang hinunter. Der Körper des Mannes überschlug sich noch zweimal, dann prallte er auf einen Stein und blieb reglos am Boden.

Yawar Fiesta! Die Götter hatten sich ihr Blutopfer geholt. Für die Menschen von Cotabambas hatte das Fest sein gutes Ende gefunden. Morgen sollte der Kondor in die Berge entlassen werden. Als Botschafter der Menschen zu den Göttern, der ihnen vom Sieg der Inkas über das Symbol der Eindringlinge erzählen würde.

Am späten Vormittag sammelte sich die Menge an einem Steilhang. Ualberto, Señor Rafo, der Gouverneur und Olintho führten den Kondor an den Flügeln heran. Sie machten einen nervösen Eindruck. »Er muss abheben, sonst wird er Unglück und Tod bringen«, sagte Ualberto.

Mit einer Handbewegung brachte er die Menge und die Kapellen zum Verstummen. Vorsichtig plazierten sie den Vogel an der Kuppe zum Abhang. Der Kondor sah sich verwirrt um, wusste nicht recht was anfangen mit der Freiheit. Dann entfaltete er seine mächtigen Flügel, schlug zweimal – und stürzte. Wie einer der Trunkenen purzelte er den Abhang hinunter. Die Männer hinterher. Mit sorgenvollen Gesichtern trugen sie den Vogel wieder hinauf.

Ein zweiter Versuch. Wieder breitete der Kondor seine Schwingen, hüpfte kurz in die Höhe, ein Flügelschlag, noch einer, und unter dem Jubel und Klatschen der Menge erhob er sich in die Luft.

Ualberto sah dem Vogel nach, der sich in einer eleganten Kurve durch das Tal in die Gipfel hinaufschwang. Er wollte etwas sagen, doch sein ganzer Körper wurde von einem Weinkrampf geschüttelt. Fünf Tage lang hatte er als Herr, Beschützer und Diener des Gottvogels fungiert. Fünf Tage lang hatte er stellvertretend für alle Inkas der Anden die spanischen Eroberer bezwungen und gedemütigt. Fünf Tage lang war er der wichtigste Mann im Dorf gewesen. Die nächsten elfeinhalb Monate musste er nun wieder den Fluch des Kondors erdulden. Als Trinker, Versager und Taugenichts. Er schüttelte seinen Kopf hin und her, dass die Tränen spritzten. Dann reckte er seine Faust mit der Flasche in den Himmel und rief: »Danke!«

Zwischen den Welten

Thailand

Heikel waren die Gäste im Elefantenkrankenhaus. Batang hatte Depressionen, nervöse Zuckungen und Schlafstörungen. Umpah konnte keine fünf Minuten alleine sein, sonst fing sie an zu weinen. Kahew war schwierig mit dem Essen und brauchte wohl noch ein paar Monate Psychotherapie. Und die Neue, von der keiner wusste, wie sie hieß, gab sich ganz besonders schwierig. Wenn sie eine Spritze sah, schlug sie um sich und warf mit Dung.

Neurosen, Ticks und Ängste – »Zivilisationskrankheiten«, sagte Doktor Pricha Pungkham, Chef des Lampang Elephant Hospital. »Niemand will verstehen, dass Elefanten in Thailand unter modernen Entwicklungen genauso leiden wie die Menschen. Mit den gleichen Folgen, unter denen so viele Menschen in Schwellenländern leiden: Arbeitslosigkeit, Verarmung, Obdachlosigkeit, Drogensucht.« Die traurigen Augen des Doktors starrten ins Leere. Zu oft hatte er seinen Vortrag schon gehalten. Vor Journalisten, Ministern, Geldgebern, Wissenschaftlern. Wenn er ihnen erzählte, dass die Elefanten vom Aussterben bedroht waren, dass sie geimpft werden mussten und Antibiotika brauchten, dass Zuchtprogramme finanziert werden mussten und Reservate, begriffen sie ihn noch. Doch wenn er die Folgen der wirtschaftlichen Modernisierung verteufelte, dann schüttelten sie den Kopf.

Richtig pathetisch konnte er werden: »Seit Jahrhunderten gab es ein Band der Freundschaft zwischen den Menschen und den Elefanten. Dieses Band ist innerhalb weniger Jahre jäh zerrissen.« Weit holte er aus, erzählte von den Arbeitselefanten, die geholfen hatten, das Königreich aufzubauen, damals, als Thailand noch Siam hieß. Von den Kriegselefanten, die wie graue, faltige Schlachtschiffe durch die Kampfreihen pflügten. Von den Weißen Elefanten, den heiligen Tieren, die noch heute automatisch dem König gehörten. Und dann jammerte er über den Niedergang der Kultur. Dass die jungen Thailänder die Kunst der Elefantentreiber verachteten, sich nur für Mode, Mopeds und Geld interessierten. Dass die Arbeitselefanten in den Städten betteln gehen mussten, weil es in der Landwirtschaft nichts mehr zu tun gab für sie. Und dass sie vom Aussterben bedroht waren, weil der Dschungel abgeholzt wurde und es deswegen kaum noch Lebensraum für Elefantenherden gab. Nicht einmal unter den gezähmten Tieren gebe es Nachwuchs, sagte er. »Bei zweiundzwanzig Monaten Schwangerschaft kann es sich kein Elefantentreiber leisten, Nachwuchs zu züchten.«

In den sechziger Jahren zählte das Forstamt noch dreißigtausend wilde und elftausend zahme Elefanten in Thailand. Nun waren es knapp zweitausend in der freien Wildbahn, viertausend in der Haltung. »Heilig sollen die Elefanten sein. Aber kümmern will sich keiner. Einmal im Jahr wird den Touristen in der Stadt Surin die glorreiche Elefantenkultur von Thailand vorgeführt. Ansonsten passiert nichts.«

Ende der achtziger Jahre hatte der Doktor in einem Naturreservat der Regierung die Klinik für Arbeitselefanten aufgebaut. Hier, zwanzig Meilen nördlich der Kleinstadt Lampang, betreute er zusammen mit zwei weiteren Ärzten fünfundvierzig stationäre und ein paar hundert ambulante Patienten. »Traurig genug – unser Krankenhaus ist das einzige seiner Art«, sagte der Doktor.

Wir saßen auf der Terrasse unter dem Palmdach des Hauptgebäudes und tranken Kaffee. Die Sonne war gerade aufgegangen, und die Mahouts, die Elefantentreiber, waren losgelaufen, um die ersten Patienten zur Behandlung abzuholen. Ringsum war dichter Wald, fast schon ein Dschungel mit seinen Schlingpflanzen und dem wuchernden Buschwerk. Vor uns ein Hof mit Kies aufgeschüttet, links eine offene Halle mit einem Gerüst aus Stahlpfosten in der Mitte, der Operationssaal, daneben das Laborgebäude, rechts vom Hof die Strohhütten der Mahouts.

Ganz ruhig war es. Man hörte den Wind in den Blättern rauschen und ab und zu das Trompeten eines Elefanten. Hier im Hospital sollten sich die geschundenen Patienten erholen. Lange Waldspaziergänge, eine ausgewogene Diät, tägliche Arztbesuche. An nichts sollte es ihnen fehlen.

Der erste Patient des Tages wurde herangeführt. Die namenlose Elefantenkuh. Langsam trottete sie über den Kiesweg. Ihr Rüssel schlenkerte unruhig hin und her. Der Mahout saß rittlings auf ihrem Nacken. Mit der linken Hand tätschelte er ihr beruhigend den Kopf, mit der Rechten stieß er ihr einen eisernen Haken hinters Ohr. Damit lenkte er sie in die Halle. Vier Mahouts standen schon mit Ketten bereit, fesselten Kopf und Beine an das Gerüst aus meterdicken Stahlpfosten. Doktor Grishda, der dreiundzwanzigjährige Assistenzarzt, versteckte sich noch im Labor. Würde die Kuh ihn sehen oder riechen, bevor sie gefesselt war, würde sie in Panik davonlaufen. Sie wusste genau, Doktor Grishda war der mit den Spritzen. »Wenn wir über die Dörfer fahren, um dort Elefanten zu behandeln, verstecken sich die Elefanten manchmal hinter einem Baum und hoffen, dass ich sie nicht sehe«, erzählte er und lachte.

Er deutete auf die gefesselte Elefantin. »Die hier ist ein besonders schwieriger Fall. Sehr nervös und verstört. Wir haben sie im Wald gefunden. Eine Arbeitskuh, die von ihren Treibern ausgesetzt wurde.« Solche heimatlosen Tiere fanden sie seit ein paar Jahren immer öfter. Die meisten in jämmerlichem Zustand. Erstens hingen Elefanten sehr an ihren Treibern. Es konnte Jahre dauern, bis sie sich an einen neuen Menschen gewöhnten. Zweitens wurden viele der ausgesetzten Elefanten böse geschunden. Und drogensüchtig gemacht.

Illegale Arbeitskolonnen waren dafür verantwortlich. Seit das Abholzen des Regenwalds in Thailand gesetzlich verboten war, trieben die Holzwilderer ihr Unwesen, zehn- bis zwölfköpfige Teams aus Holzfällern und Mahouts, die das geschlagene Holz von den Elefanten aus dem Wald schleppen ließen. Die Holzwilderer mussten schnell arbeiten. Hinein in den Wald, Bäume schlagen, und dann sofort die Stämme zur nächsten Landstraße schleppen, wo die Lastwagen warteten. »Damit die Elefanten nicht schlappmachen, mischen sie ihnen Amphetamine ins Futter«, sagte Doktor Grishda. »Davon werden sie süchtig. Genau wie Menschen auch.« Manche wurden so depressiv, dass sie Selbstmord begingen. »Die stellen sich einfach auf ihren Rüssel. Dann ersticken sie.«

Doktor Grishda schlich sich hinter der Kuh zum Rollwagen, auf dem die Medikamente schon bereitlagen. Sofort nahm die Kuh seine Witterung auf, zerrte an ihren Fesseln, schnaufte mit lautem Prusten durch den Rüssel. »Okay!«, rief der Doktor. »Zieht an!« Die Mahouts drehten die Ketten mit Holzstangen enger. Doktor Grishda wischte sich den Schweiß von der Stirn. Bei Elefanten wurde jede Behandlung zum Kampf. Dreieinhalb Meter hoch, drei bis vier Tonnen schwer. Und so furchtbar sensibel. Mit der Faust packte er seine mächtige Injektionsnadel wie einen Dolch. Mit Schwung stieß er der Kuh die Nadel in die Flanke. Immer heftiger riss sie an ihren Fesseln, schlug mit dem freien Hinterbein aus und stieß dabei schrille Laute aus. Sie saugte Wasser vom Boden, spritzte mit dem Rüssel unter ihrem Bauch hindurch, um den Doktor zu vertreiben. Der sprang zurück, bis ein Mahout den Rüssel packte. Das war nicht ganz leicht, schließlich können Arbeitselefanten mit ihrem Rüssel Baumstämme wuchten. Jetzt musste der Arzt nur noch die Kanüle ansetzen, die milchige Antibiotikamasse durchdrücken. Ende des Dramas. Geschafft.

Doktor Grishda wusste nicht, ob die Kuh auf Entzug war oder ob sie nur an gebrochenem Herzen litt, weil ihr Mahout sie verlassen hatte. Es gab keinen Drogentest für Elefanten. Dafür hatten die Ärzte der Klinik ein Entzugsprogramm für süchtige Dickhäuter entwickelt. »Viel Vitamine, ausgewogene Diät und behutsame Seelsorge.«

Jedem neuen Patienten wurde ein Mahout zugeteilt, der das Tier regelmäßig in den Wald führte. Wochenlang blieben sie manchmal zusammen im Dschungel. »Nur dort beruhigen sie sich wieder«, sagte Doktor Grishda. »Haben sie sich an ihren neuen Betreuer gewöhnt, können wir mit der Resozialisierung beginnen.« Entweder fanden sie eine Arbeit für die Tiere. Oder sie versuchten sie im Wildreservat wieder in eine Herde einzugliedern.

Drei Tiere behandelte er noch. Dann riefen die Mahouts zum Frühstück. Vor ihren Hütten hatten sie einen Tisch aufgebaut. Es gab rohes Rindfleisch in Pfefferschoten eingelegt, Klebreis, Gemüsebrei und Whisky aus Reis. Die Elefantentreiber tunkten den Klebreis mit den Händen in die Schüsseln, reichten die Flasche herum, lachten und plauderten. »Wir haben alles, was wir über Elefanten wissen, von den Mahouts gelernt«, sagte Doktor Grishda. »Mit der traditionellen Tiermedizin wären wir hier schnell am Ende.« Als Elefantendoktor musste er gleichzeitig als Psychotherapeut, Sozialarbeiter und Chirurg fungieren. »Ich glaube nicht, dass es Tiere gibt, die sensibler sind als Elefanten. Und nur ein erfahrener Mahout weiß, wie er damit umgehen muss.«

Uncle Joy, mit seinen siebenundsechzig Jahren der älteste der Mahouts hier, hatte schon als Kind mit Elefanten gearbeitet. Sein Vater war ein Mahout gewesen. »Es dauert Jahre, bis man einen Elefanten wirklich unter Kontrolle hat«, sagte der zierliche Mann mit dem faltigen Wettergesicht. Fünfundachtzig Druckpunkte habe ein Elefant, mit denen er gelenkt werden kann. Die bearbeite der Mahout mit seinen Füßen und mit den Eisenhaken. Was die Kunst sei beim Lenken eines Elefanten? Wie das funktioniere? Uncle Joy suchte nach Worten, doch dann schüttelte er den Kopf und sagte: »Sie müssen einen Mahout mit seinem Elefanten bei der Arbeit sehen, um zu begreifen, was das für eine Kunst ist.«

An der Grenze zu Burma gab es ein Holzfällercamp der Forstbehörde, in dem zwei Arbeitselefanten den Forstpolizisten halfen, illegalen Holzschlag aufzuarbeiten. Misstrauisch beäugten die Beamten mein Empfehlungsschreiben. Doch als sie Doktor Prichas Unterschrift sahen, schien alles kein Problem zu sein. Am nächsten Morgen wollten sie los. Unten am Fluss hatten sie gestern ein Lager der Holzwilderer aufgestöbert.

Kurz nach Sonnenaufgang trieben die beiden Mahouts ihre Tiere auf den Hof der Sägemühle. Zwei Mahouts legten den Elefanten das Arbeitsgeschirr an. Breite Riemen aus geknüpften Sisalstricken um Hals und Brust, an denen die Ketten befestigt wurden. Ein Lastwagen stand schon bereit, die Forstpolizisten tranken vor ihrer Hütte Tee, ein paar Holzfäller warteten auf die Abfahrt. Langsam stiegen die Tiere auf die Ladefläche. Die Mahouts ketteten sie am Holzkran an. Dann ging die Fahrt eine Stunde lang über einen Schotterweg in den Wald. Geduldig balancierten die Elefanten auf der Ladefläche und blinzelten in den Fahrtwind. Ein kurzer Halt am Posten der Grenzpolizei. Ein paar Kilometer weiter ein Dorf. Holzhäuser auf Stelzen, die Kinder mit großen Augen am Straßenrand. Lastwagen sahen sie hier selten. Elefanten fast nie. Dann waren wir am Ziel.

Die Holzwilderer hatten an einem Hang eine Lichtung in den Wald geschlagen. Mit sanften Fußtritten und kurzen Befehlen trieben die Mahouts die beiden Elefanten durch das Dickicht. Keine Maschine hätte hier am Steilhang operieren können. »Einhundert Kilo kann ein Elefant alleine mit seinem Rüssel tragen«, sagte der Mahout. »Eine halbe Tonne kann er schleppen. Sie werden sehen.« Die Elefanten stiegen langsam die Anhöhe hinauf. Vorsichtig tasteten sie mit ihren Vorderbeinen den Boden auf seine Tragfähigkeit ab. Dann erst legten sie ihr Gewicht auf die Fußpolster, die nachgaben wie ein nasser Sack.

Der ältere der beiden Mahouts lenkte seinen Elefanten vor drei ineinander verkeilte Baumstämme. Er stieß ihm seine Zehen hinter die Ohren. Der Elefant ging in die Knie, schob seinen Stoßzahn zwischen die Stämme, wuchtete einen heraus, drückte ihn mit dem Rüssel beiseite, und stellte sich schließlich davor auf. Einer der Holzfäller eilte heran und legte die Kette um den Stamm. Langsam schleifte der Elefant seine Last schräg den Hang hinunter zum Lastwagen.

Seit über tausend Jahren haben Bauern und Holzfäller in Thailand Elefanten benutzt, um gewaltige Lasten zu transportieren. Von den rund viertausend Arbeitselefanten, die in Thailand lebten, war nur noch ein knappes Dutzend beschäftigt. Maschinen, das Holzschlagverbot und vor allem die Einführung des Traktors waren für das Heer der arbeitslosen Elefanten verantwortlich. Ein paar hundert waren in den Shows untergekommen, die für die Touristen veranstaltet wurden. Auch das Elephant Hospital ließ in einer Arena einmal täglich einen Trupp Elefanten Holzstämme für die Touristen herumwuchten. Doch viele gingen den gleichen Weg wie die arbeitslosen Landarbeiter: in die Städte.

Am New Highway, einer achtspurigen Ausfallstraße in der Nähe von Bangkoks Rotlicht- und Vergnügungsmeile Patpong Road, lebte Am, eine achtjährige Elefantenkuh aus Surin. Unruhig trabte sie über das Abbruchgrundstück, suchte zwischen Schutt und Sperrmüll mit dem Rüssel nach Gras. In einer Ecke stand ein Verschlag aus Plastikplanen und Brettern. Peng lebte hier, ihr Mahout, ein achtzehnjähriger Bursche, der eine Kunstlederjacke trug. Und seine Mutter Tin, eine alte Bäuerin, die den ganzen Tag Betelnüsse kaute und den roten Saft auf den Boden spuckte. Neben ihren Schlafsäcken lagen zwei Berge mit Gurken und Bananen. Die tägliche Vierteltonne Futter für den Elefanten.

Seit zwei Monaten zogen sie schon durch Bangkok. Bis zur Regenzeit in vier Monaten wollten sie bleiben und dann wieder zurück nach Surin fahren. Wenn sie die Polizei nicht vorher verjagte. Aber was sollten die schon machen? »Die können ja schlecht einen Elefanten verhaften«, sagte Peng. »Also schneiden sie uns die Zeltschnüre durch, und wir müssen uns ein neues Grundstück suchen.« So ging das nun schon seit vier Jahren.

Peng wusste, dass seine Am unter dem Bettlerleben zu leiden hatte. »Vor allem die Einsamkeit macht ihr zu schaffen«, sagte er. »An manchen Abenden können wir nicht arbeiten, weil sie so unglücklich ist. Dann steht sie in einer Ecke, pendelt mit dem Kopf und weint.« Richtige Tränen könnten Elefanten weinen. Aber es nutzte nichts.

»Daheim gibt's kein Geld«, sagte Peng und sah scheu auf den Boden. Der Vater und die drei Brüder konnten mit der Reisfarm kaum den Eigenbedarf erwirtschaften, geschweige denn einen Elefanten unterhalten. In Bangkok konnten Peng und Am immerhin fünfzehnhundert Bhat am Tag verdienen, fast fünfzig Dollar. Acht- bis neunhundert Bhat kostete das Futter pro Tag, Peng und seine Mutter beschieden sich mit zweihundert. Einmal im Monat schickten sie ein- oder zweitausend Bhat nach Hause.

Viel brachte es nicht, aber die Mutter sagte: »Den Elefanten würden wir nie aufgeben, obwohl sie uns schon viel Geld für Am geboten haben. Aber wir lieben Am zu sehr.«

Jeden Abend um sieben zog Peng mit Am ins Vergnügungsviertel, betteln gehen. An diesem Abend postierten sie sich vor dem McDonald's, ihrem Lieblingsplatz. Viel Laufkundschaft kam hier vorbei. Dann musste Am sich auf die Hinterbeine stellen, laut trompeten, und Peng drückte ihr eine Mundharmonika in den Rüssel, auf der sie ein paar schiefe Akkorde blies.

Sofort bildete sich eine Menge um das Paar. Die Passanten waren entzückt. Der Elefant sollte ihnen Glück bringen. Für einen halben Dollar konnten sie bei Peng eine Tüte mit Gurken oder Bananen kaufen. Die durften sie an Am verfüttern. Mit hungrigen Augen verfolgte die das Geschäft. Ein Herr in Krawatte rückte die Gurken nicht schnell genug heraus. Sofort hatte er die feuchte Rüsselschnauze im Gesicht. Erschrocken wich er zurück. Die Zuschauer lachten. Am wusste, was sich gehört. Sie stellte sich wieder auf ihre Hinterbeine, hob den Rüssel und stieß einen lauten Trompetenruf aus.

Hinter den goldenen Pagoden

Burma

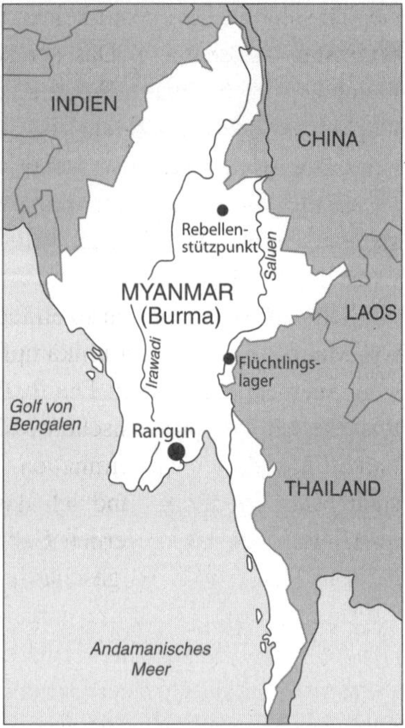

Die Reise nach Burma begann in einem Einkaufszentrum bei den modernen Wohnsiedlungen am Stadtrand von Bangkok. Zwei Minister aus dem burmesischen Kabinett, das die Militärs aus dem Land gejagt hatten, wollten mich treffen. Der Minister für Erziehung und Jugend, ein schmaler, hochaufgeschossener Mann um die Fünfzig, der Jeans und eine dunkelblaue Regenjacke trug, und der Wirtschaftsminister, der in Khakihosen und kurzem weißem Hemd gekommen war und ein paar Akten in einer Plastiktüte mitgebracht hatte. Sie sahen sich vorsichtig um, bevor sie auf mich zutraten.

Wir setzten uns in ein Imbisslokal, aßen Hamburger und tranken Limonade. Sie erzählten von ihrem Wahlsieg, davon, wie ein Minister nach dem anderen verschwand. Wie die Militärs die gewählten Mitglieder des Kabinetts foltern ließen. Sie erzählten mir von ihrer Flucht über die Berge, wie schwierig es nun war, die demokratische Bewegung in Burma am Leben zu erhalten, und mit welcher Brutalität die Militärs immer noch die Aktivisten in der Heimat verfolgten. Das war ihre höfliche Art, mir zu bedeuten, dass sie mir nicht helfen würden. Nein, sagten sie, ich sollte in Burma auf keinen Fall Kontakt mit dem zivilen Widerstand aufnehmen. Das sei zu gefährlich. Vor allem für meine Gesprächspartner. Wer zur ausländischen Presse spräche, der lande schnell im Gefängnis. Und politische Häftlinge wurden selten wieder gesehen. Wenn ich mir ein Bild machen wollte, könnte ich ja eines der Flüchtlingslager an der Grenze besuchen. In Burma selbst bekäme ich ganz sicher nichts zu sehen.

Nicht einmal das schien so einfach. Das Gebiet um das Lager von Mae Ka Ta, das den umkämpften Grenzgebieten am nächsten lag, war Sperrgebiet. Die thailändische Regierung sympathisierte mit der burmesischen Militärdiktatur und wollte das Flüchtlingsproblem geheimhalten. In der thailändischen Kleinstadt Mae Hon Song fand ich das Büro der Flüchtlingshilfe im Hinterhof eines hölzernen Gebäudekomplexes. Junge Männer und Mädchen liefen geschäftig über den Hof. Im Büro saß ein schmächtiger Mann mit jungenhaftem Gesicht am Telefon, das dichte schwarze Haar in eine helmartige Frisur geschnitten. Er trug ein Safarihemd und frisch gewaschene Jeans mit Bügelfalte. Er bedeutete mir, Platz zu nehmen. Naing Win sei sein Name, sagte er. Ehemaliger Mathematikstudent, jetzt Flüchtlingshelfer. Er rief einen gewichtigen Mann herein, der einen Longyi, eines der traditionellen Wickeltücher, um seinen Leib gewickelt hatte, über dem er das T-Shirt einer australischen Baufirma trug. Mister Bao Sa, wie er sich vorstellte. Der Boss. Der fand schnell eine Lösung. »Sie kommen uns gerade recht«, sagte er. Nein, Journalisten dürften nicht ins Lager. Aber hiermit würde er meinen Wagen einfach zum Hilfstransporter für die Flüchtlingslager deklarieren. Naing Win würde mir dann übersetzen, weil er mit seinem schlechten Fuß sowieso nichts schleppen konnte.

Wir tranken Tee, aßen Gemüsereis, dann rief Mister Bao Sa ein paar der jungen Männer zusammen. Salzblöcke schleppten sie an, ein paar Kartons mit Konserven und Plastikcontainer voll Milchpulver.

Den ganzen Tag fuhren wir die Dschungelpiste entlang, durch Flussbetten und Schlammlöcher, immer im grünen Dämmerlicht des Waldes. Ab und zu hielten wir an. Dann stieg Mister Bao Sa aus, pfiff durch die Finger. Beim ersten Stopp kamen zwei schmale Männer aus dem Gestrüpp. Mitglieder der NLD, der National League for Democracy, die Nobelpreisträgerin Aung San Suu Kyi gegründet hatte. Niemand wusste, dass sie sich hier in den Wäldern versteckten. Sie hatten nicht einmal offiziellen Flüchtlingsstatus. Beim zweiten Stopp am Eingang eines Dorfes lief eine Menge zusammen, bis drei Männer die Schaulustigen verscheuchten und einen der Salzblöcke vom Wagen hoben.

Immer weiter ging es in den Wald, Richtung Grenze. Manche der Flüchtlingslager bestanden schon seit 1988, erzählte mir Naing Win. Sie ähnelten bereits richtigen Dörfern, mit Hütten aus Palmstroh, die auf Stelzen standen, kleinen Gärten und lehmigen Pfaden. Im letzten Dorf vor unserem Ziel stieg Mister Bao Sa aus. Er hätte hier noch etwas zu erledigen, sagte er.

Die Soldaten am letzten Posten befingerten lustlos unsere Fracht, baten um Zigaretten und winkten uns durch. Von den Transporten der internationalen Organisationen forderten sie manchmal Geld, aber bei den Studenten von der burmesischen Flüchtlingshilfe, das wussten sie, war nicht viel zu holen.

Mae Ka Ta lag an einer Biegung des Sallwey-Flusses. Es war eines der ältesten Flüchtlingslager und glich längst einem traditionellen Dorf mit hölzernen Wohnhäusern auf Stelzen, kleinen Ladengeschäften und Bretterbuden, in denen kleine Tempel untergebracht waren.

Es seien noch vier Stunden Zeit bis Sonnenuntergang, sagte Naing Win. Er wolle mir noch den größten Schatz von Mae Ka Ta zeigen. Das Dorf könnten wir ja morgen besichtigen.

Mit dem Wagen fuhren wir über eine bucklige Schlammpiste durch den Dschungel, ein Flussbett entlang, bis wir an eine steile Böschung kamen, an der der Wald wie eine grüne Wand vor uns aufragte. Auf einem schmalen Pfad ging es weiter, erst die Böschung hinauf, dann durch das Dickicht. Naing Win zog sein rechtes Bein leicht nach, doch obwohl er nur Plastiksandalen trug, schien ihm der Marsch nichts auszumachen. Zwei Stunden liefen wir den Pfad entlang. Dann öffnete sich eine Lichtung. Ein Lagerfeuer schwelte unter einem Baum. Zwei Männer dösten in Hängematten. Ein paar Schritte weiter hatten sie sich aus Ästen und Blättern eine Hütte gebaut.

Naing Win stellte mich vor. Die beiden Männer waren Mahouts. Elefantenführer. Weitab von den Siedlungen bewachten sie hier die zwei Arbeitselefanten des Dorfes. Einer der Männer hängte einen Wasserkessel übers Feuer. Wir tranken Tee, rauchten eine Cheerot, dann ging es noch einmal zehn Minuten weiter in den Wald. Einer der Männer schlug mit der Machete Zweige aus dem Weg. Plötzlich rührte sich etwas im Dickicht, es raschelte, und der massige Leib der Elefantenkuh ragte vor uns auf.

Seit zwei Jahren versteckten sie die Tiere hier schon. Die beiden Mahouts hatten die Lichtung seither nur noch selten verlassen. Die thailändische Regierung hatte ein Gesetz erlassen, das Roden und Holzschlagen für illegal erklärte. In Burma war das Abholzen des Dschungels allerdings weiter erlaubt, und die thailändischen Sägewerke versorgten sich jenseits der Grenze. Seither, so erzählte der Mahout, beschlagnahmte die Regierung von Bangkok die Arbeitselefanten im Grenzgebiet der Karen und übergab sie an die Regierung von Burma.

Es begann zu tröpfeln, und bald schon verwandelte ein Regenguss den Wald in eine dampfende Dusche. Es wurde Zeit zu gehen. Auf dem nassen Pfad würde der Rückweg noch länger dauern.

Erschöpft und durchnässt kehrten wir ins Dorf zurück. Der Bürgermeister hatte uns in seinem Haus auf der Terrasse mit Kissen, Tüchern und Moskitonetzen Schlaflager eingerichtet. Seine Frau servierte uns Reis mit eingelegtem Fisch und Tee. Punkt sechs Uhr abends legte sich Finsternis über Mae Ka Ta. Die meisten Menschen schienen nun schlafen zu gehen. Gegen halb acht sah man nur noch wenige Ölfunzeln brennen.

Es muss schon nach Mitternacht gewesen sein, als ich aufwachte. Naing Win war aufgesprungen und starrte angestrengt in die Nacht. Er bedeutete mir mitzukommen. Am Flussufer hockten wir uns hinter einen Busch. Er deutete zum anderen Ufer. Dort tasteten sich die Strahlen von Taschenlampen über die Schlammböschung. »Burma Killers«, flüsterte Naing Win. Wir sollten besser hier sitzen bleiben und sehen, ob sie übersetzen, im Dorf ein paar Einkäufe tätigen oder sich in einer der provisorischen Kaschemmen betrinken würden. Wenn sie dann einen Ausländer fänden ... Naing Win fuhr sich mit dem Zeigefinger über die Kehle.

Als er sich eine Cheerot, eine jener grünen burmesischen Zigarren, ansteckte, merkte ich, dass er nicht nur um mich besorgt sein konnte. Er zitterte leicht. Wir schwiegen ein Weilchen, bis er zu erzählen begann. Nein, er sei nicht nur ein Student. Er habe Jahre als Guerillero im Dschungel verbracht. Er blickte stumm auf den dunklen Strom. Viele Kämpfer da drüben würden ihn kennen. Wenn sie ihn hier fänden, würden sie wohl kurzen Prozess mit ihm machen, egal ob er hier auf thailändischem Staatsgebiet sei. Und Bao Sa sei nicht mitgekommen, denn der habe als Oberst schon zu viele Angriffe auf die Truppen des vom burmesischen Militär eingesetzten State Law and Order Restoration Council (SLORC) geleitet. Wenn sie den in Mae Ka Ta finden würden, könnte das für alle Konsequenzen haben.

Auch Naing Win war ein guter Kämpfer gewesen. Drei SLORC-Soldaten hatte er getötet. Stolz war er darauf nicht. »Sie haben unser Lager überrannt, während ich auf Wache war«, erzählte er. »Furchtbare Angst hatte ich, denn ich wusste, wenn sie mich kriegen, werden sie mich foltern und dann umbringen.«

Naing Win war damals kein gewöhnlicher Guerillero. Er war einer der Studenten, die sich 1988 nach den Massakern in Rangun zu den Rebellen in die Wälder gerettet hatten, die die Studentenarmee All Burma Students' Democratic Front (ABSDF) gegründet hatten, und sich von kampferfahrenen Rebellen zur Guerilla ausbilden ließen. Seit 1988 waren sie nun auf der Flucht, denn mit den Rebellen der sogenannten M-Groups, den »Minorities« der fast siebzig verschiedenen Minderheitenvölker aus den Hügeln und Bergen Burmas, verhandelte die Regierung. Mit den Studenten nicht.

Hier, auf der Ostseite wären wir bis vor kurzem eigentlich noch in Sicherheit gewesen. Das Gebiet am anderen Ufer war in der Hand der Rebellen gewesen. »Free Karen State« hatten sie ihr Gebiet genannt. Doch im letzten Frühjahr waren die SLORC-Truppen angerückt, um die Karen-Rebellen und die Studenten-Guerilla auszuradieren. Erst bombardierten sie die Dörfer. Dann schickten sie die DKBA voraus, die Democratic Karen Buddhist Army, eine Bande irregulärer Karen-Söldner, Kollaborateure, die für die Armee die Dreckarbeit erledigten. Keine zweihundert Meter von uns entfernt wehte die Flagge der DKBA am anderen Ufer. Eine gelbrot flatternde Mahnung, dass die Studenten und die Karen die letzte Schlacht verloren hatten.

Naing Win deutete nach Süden, wo der Fluss eine Biegung machte und im Wald verschwand. »Da hinten war unser Lager.« Drei Jahre hatte er dort gelebt. Dann hatte ihn die Kugel erwischt. Ein kurzer, stechender Schmerz, und seine Laufbahn als Guerillero war vorbei. Obwohl das Bein gut verheilte, hielt er die langen Märsche durch den Bergdschungel nicht mehr durch.

Deswegen saß er nun im thailändischen Städtchen Mae Hon Song im Büro der ABSDF und verwaltete die Weiterführung der Flüchtlinge. Die kamen auch acht Jahre nach den Massakern noch über die Grenze. Studenten, Demokraten, ganze Familien. Täglich. Ich könne mir kaum vorstellen, was für eine Angst die Leute daheim beherrsche. Immer und überall. Nur in den befreiten Gebieten gebe es normales Leben. Oben in den Bergen.

Zwei Wochen später landete ich in Rangun. Auf den ersten Blick erschien die Stadt ganz friedlich. Auf dem Fluss zogen die länglichen Frachtboote dahin. In den Höfen und Tempelräumen der prächtigen, goldenen Pagoden herrschte eine beschauliche Ruhe. In keinem Land Asiens gab es so viele Pagoden und Tempel wie in Burma. Und so zog ein beständiger Duft von Räucherstäbchen durch die Stadt.

Ich hatte mich an die Bitte der Minister gehalten und niemanden von der demokratischen Bewegung kontaktiert. Die meiste Zeit verbrachte ich in den Teestuben. Bis zu jenem Morgen. Ohne Eile betrat der Lastwagenfahrer die Teestube hinter der Sule-Pagode und setzte sich zu seinen Freunden an den Tisch.

»Die Panzer kommen«, sagte er im beiläufigen Plauderton.

»Wo?«, fragten die anderen.

»Auf dem Highway von Mandalay Richtung Rangun.«

»Wie viele?«

»Eine ganze Kolonne.«

»Wann hast du sie gesehen?«

»Heute früh.«

»Und sie kommen hierher?«

»Vielleicht noch heute.«

Keiner mochte die Nachricht kommentieren. Dafür hätte man ins Gefängnis kommen können. Politisch brisante Nachrichten wurden in Rangun wie Schmuggelware gehandelt, deswegen nickten seine Freunde nur stumm und wechselten das Thema.

U Sein Win, der arbeitslose Geologe, der davon lebte, auf dem Markt Zwiebeln zu verkaufen, hatte mir gestern schon erklärt, wie man sich schlau macht in Rangun. »Entweder du bist dabei. Oder du wartest.« Deswegen ging er jeden Mittag gegen zwölf Uhr in die Teestube mit den blaugekachelten Wänden an der Mahabandoola Road. Er setzte sich an einen der Tische neben der Theke, faltete seinen Longyi locker um die Hüften und wartete auf die neuesten Nachrichten. Irgendeiner wusste immer, in welcher Provinz die Armee zugeschlagen hatte, wann die Reispreise stiegen, wo es Benzin zu kaufen gab und wann das Schmuggelgut aus China kommen würde. Das System hatte nur einen Schwachpunkt: In Krisenzeiten geriet die Mischung aus Frontberichten, Schwarzmarktkursen und Stadtgesprächen aus dem Gleichgewicht. Dann wucherten die Gerüchte.

Diese Woche war es besonders schlimm. Es hieß, die Generäle des State Law and Order Restoration Council wollten der Oppositionsführerin Aung San Suu Kyi an den Kragen und würden einen Lynchmob zusammenstellen, der ihr Haus stürmen sollte. Das Kriegsrecht sollte wieder verhängt werden. Hunderte von Studenten seien nach den letzten Demonstrationen verschwunden. Im Insein-Gefängnis würden sie gefoltert.

Für keines der Gerüchte gab es eine Bestätigung. Ein Attentat auf die Friedensnobelpreisträgerin schien unwahrscheinlich. Dass sie schon wieder unter Hausarrest stand, hatte in der Weltöffentlichkeit schon für genug Aufruhr gesorgt. Und das Kriegsrecht konnten sich die Militärdiktatoren von Burma auch nicht leisten, schließlich sollte ihr Land demnächst Mitglied im Wirtschaftsverband ASEAN werden, da wollten sie die Investoren nicht verschrecken. Nur die Panzer in der Stadt ließen nichts Gutes ahnen. Schließlich hatte Sekretär Nummer zwei, General Tin Oo, dem Volk verkündet, dass SLORC den Ausbruch von Unruhen wie im Jahr 1988 auf keinen Fall hinnehmen werde. Das war deutlich.

1988 war die Stunde null in der Geschichte Burmas gewesen. Auch damals hatten die Studenten für Demokratie und Freiheit demonstriert. Die Militärs hatten mit Panzern und Gewehren geantwortet. Über einhundert Studenten wurden beim White-Bridge-Massaker getötet. Landesweite Streiks und Aufstände brachten Burma in den Wochen danach an den Rand des Zusammenbruchs. Die Armee war eisern geblieben. Dreitausend Tote soll es gegeben haben. Zehntausende flohen in die Wälder und nach Thailand.

Die Generäle installierten daraufhin eine Notstandsregierung, die noch heute regiert – den »Staatsrat zur Wiederherstellung von Recht und Ordnung«, kurz SLORC, der sich später zum »Staatsrat für Friede und Entwicklung« umbenannte, um vor allem im Ausland politisch korrekte Mäßigung zu signalisieren. Und sie tilgten in einem Anfall von Nationalismus alle geographischen Bezeichnungen der früheren britischen Kolonialherren aus dem Sprachgebrauch. Seither heißt Burma offiziell Myanmar und die Hauptstadt Rangun Yangon. Einen Versuch, sich zu legitimieren, leistete sich SLORC. Doch als die National League of Democracy unter Aung San Suu Kyi 1990 die Wahlen gewann, jagten sie die siegreichen Freiheitskämpfer einfach aus dem Land.

U Sein Win war damals sechzehn gewesen. »Viele Probleme«, erinnerte er sich. Vor allem für seinen älteren Bruder, der damals mit der All Burma Students' Democratic Union auf die Straße gezogen war. Der musste sich vor der Verhaftung nach Thailand retten. Seitdem hatte U Sein Win nichts mehr von ihm gehört. Und seitdem hielt sich U Sein Win raus aus der Politik. »Zu viele Probleme.« Sicher, er hoffte wie die meisten in Burma, dass Aung San Suu Kyi und die National Democratic League einmal an die Macht kämen. Aber er traute sich hier in der Teestube nicht einmal, ihren Namen auszusprechen. Er sprach im Flüsterton von »ihr« und rollte dabei bedeutungsvoll mit den

Augen. Suu Kyis Name wäre für jeden Armeespitzel das Schlüsselwort gewesen.

»Die Armee lauert überall«, erzählte er mir später auf der Straße. »Nichts entgeht ihr.« Die Armee saß am Nebentisch, wohnte im Nachbarhaus, notierte die Passnummern der Touristen im Hotel, verhandelte mit den ausländischen Investoren, baute die Infrastruktur für die neuen Industrien, schrieb die Zeitungen voll, bestimmte das Programm des einzigen Fernsehsenders im Land und sorgte dafür, dass nichts und niemand »die Stabilität der Nation gefährdete«. Das sei wichtig, sagten die Generäle, deswegen konnte es keine Demokratie geben, denn Demokraten waren im Sprachgebrauch der Militärs »Störenfriede« und »Destruktionisten«, die vom Ausland gesteuert wurden.

Störenfriede und Destruktionisten waren auch die Studenten, die nur forderten, dass sie in Frieden studieren durften und dass man den Instituten das wenige Geld nicht auch noch strich. So angespannt wie in diesen Wochen nach den letzten Studentendemonstrationen war die Stimmung seit 1988 nicht mehr gewesen. Hochrangige Mitglieder der Demokratischen Liga waren verhaftet worden. Teile der Stadt waren abgesperrt, Universitäten und Schulen geschlossen. Die wenigen ausländischen Journalisten hatte man aus dem Land geworfen. Nur weil man meinen Namen nicht kannte, hatte ich mit einem Touristenvisum einreisen können. Und so hatte ich mich auch zu benehmen.

Ganz heimlich war die Stadt in Kampfbereitschaft versetzt worden. Viel war nicht zu sehen, aber U Sein Win sagte mir, die Zeichen seien ganz eindeutig. An den Hauptplätzen parkten ein paar Armeelastwagen. Soldaten saßen dort auf ihren Bambusschilden, starrten gelangweilt in die Luft. Die Einsatztruppen, die Panzer und Truppentransporter warteten in den Kasernen, die mit ihren weißen Holzzäunen, den Blumenrabatten und Zierbüschen drumherum aussahen wie botanische Gärten. Und jeden Morgen standen ein paar Polizeisperren mehr auf den Bürgersteigen. Giebelförmige Lattengerüste, einen Meter hoch, zwei Meter breit, fest umwickelt mit Stacheldraht. Innerhalb von Minuten konnte die Armee mit diesen Stacheldrahtsperren jeden Straßenblock in ein Gefangenenlager verwandeln.

Die Viertel um die Universität herum und die Straßenzüge bei Suu Kyis Haus waren längst mit diesen Stacheldrahtsperren abgeriegelt. Nur die Zufahrtswege zu den Sehenswürdigkeiten wurden freigehalten. Die Touristen sollten von der Krise nichts merken. Sie sollten zu den goldenen Pagoden pilgern, jenen Monumenten des buddhistischen Aberglaubens, dass der Bau einer Stupa im Jenseits auf das Reinkarnationskonto angerechnet wird. In den neuen Hotels sollten sie absteigen, die der SLORC zusammen mit ausländischen Investoren aufgebaut hatte. Staunen sollten sie über die wunderschöne Tropenlandschaft, die freundlichen Menschen und prächtigen Paläste. Tourismus ist seit langem die Industrie mit den international höchsten Zuwachsraten. Und für ein Land wie Burma die einzige Chance, den Anschluss an die Weltwirtschaft zu finden.

Sollte nun trotzdem der Ausnahmezustand verhängt werden, würde es schwer, Rangun zu verlassen. Vor allem, wenn ich nicht zu einer Reisegruppe gehörte und mich abseits der offiziell genehmigten Touristenpfade bewegen wollte. Am frühen Morgen fuhren wir los. Bei Kilometer 42 auf dem Highway nach Mandalay sahen wir zum ersten Mal, wie SLORC den Tourismus vorantrieb. Staubige Hitze lag über der Ebene. Reisfelder bis zum Horizont. Nur wenige Bäume, ein paar Strohhütten. Am Straßenrand saßen Kinder, die Köpfe in Tücher gegen den Staub eingehüllt, mit Hämmern in den Händen. Eifrig klopften sie Steinbrocken zu Schotter. Stoisch starrten sie bei ihrer Arbeit vor sich hin, nur wenn ein Auto anhielt, schauten sie auf, lachten, winkten, bevor sie sich wieder über die Steine beugten.

Zwei Mädchen und ein Junge, zehn, vielleicht elf Jahre alt,

schleppten das Gestein in Blechpfannen auf dem Kopf zu ein paar Frauen, die das Schotterbett anlegten. Langsam bewegten sie sich in der Mittagshitze. Wer sie angestellt hatte, wer sie bezahlte? Die Kinder lachten unsicher. Die Frauen schüttelten den Kopf. Etwas weiter entfernt saß der Kolonnenführer auf einem Bulldozer. Als er uns sah, kam er angelaufen, fuchtelte mit den Händen vor meiner Kamera herum. Wir hätten hier nichts zu suchen, Straßenbau gehörte zur Infrastruktur, rief er, Infrastruktur war von strategischer Bedeutung, also Staatsgeheimnis, und deswegen war es streng verboten, zu fotografieren.

Gar nichts bekamen die Kinder und Frauen für ihre Arbeit bezahlt, erfuhr ich später. SLORC bestellte die Arbeitskräfte per Dekret. Mit der Post bekamen sie ihren Marschbefehl zugestellt. »Finden Sie sich am Soundsovielten an der Baustelle Nummer soundso ein«, stand auf diesen Bescheiden. »Mitzubringen sind: Schaufel, Hacke, Reis für fünf Tage.« Dauerten die Arbeiten länger als geplant, musste die Familie der Zwangsarbeiter Verpflegung bringen.

Zehn Kilometer weiter sahen wir schon den nächsten Arbeitstrupp. Gut dreißig Studenten kochten Teer in einer großen Tonne. Mit großen Schöpfkellen gossen sie die zähe, dampfende Masse über das Schotterbett. Der Vorarbeiter grinste mich an. Er hatte schon kräftig getrunken, deswegen ließ er sich von mir nicht beirren. »Da schaust du, was? Bei euch läuft das wohl anders. Ihr habt Maschinen. Wir haben die Gemeinde.« Die Studenten lächelten. Erst als der Vorarbeiter wegschaute, erzählte mir einer: »Unsere Hochschule wurde zwei Wochen vor den Semesterferien geschlossen. Sämtliche Studenten wurden zum Straßenbau abkommandiert.« Er schüttelte den Kopf. »Das passiert andauernd. Und dann wundern sie sich, dass wir die Prüfungen nicht bestehen.«

Das Argument des SLORC war einfach: Die buddhistische Tradition verlange von jedem Bürger, dass er Gemeindearbeit verrichte. Seit Jahrhunderten wurden in Burma Brücken, Pagoden und Straßen von den Dorfbewohnern selbst gebaut. Doch mit dem Staat waren auch die Aufgaben gewachsen. Allein für den Ausbau des Flughafens in Bassein hatte SLORC dreißigtausend Zwangsarbeiter rekrutiert, über hunderttausend für den Bau einer Eisenbahnstrecke zwischen Ye und Tavoy. Und immer mehr Kinder plagten sich in den Arbeitskolonnen. Laut Bericht der UNO-Kommission für die Rechte von Kindern starben in den letzten Jahren Hunderte, wenn nicht sogar Tausende während der Zwangsarbeit an Schlägen, Erschöpfung und Krankheit.

Die Militärs missbrauchten den Buddhismus schon seit 1949 für ihre Ideologie, als sich Burma die Unabhängigkeit von den britischen Kolonialherren erkämpft hatte. General Ne Win, der 1962 durch einen Putsch an die Macht kam, hatte sogar einen »buddhistischen Sozialismus« ausgerufen, der Burma in ein »sozialistisches Nirwana« verwandeln sollte. Als dieser Versuch dann 1988 fehlgeschlagen war, schwenkten die Generäle des SLORC auf eine Art buddhistischen Radikalkapitalismus um. »Gemeinsam für das Wohl der Nation.« Das hieß in Burma, dass die Zwangsarbeiterkolonnen die Infrastruktur für Industrie und Tourismus aufbauen.

Der burmesische Buddhismus hatte mit den sanften Lehren des Zen nicht viel zu tun. Theravada lehrten die Mönche in den Klöstern und Tempeln, einen fundamentalistischen Ur-Buddhismus, der sich pedantisch an die alten Schriften hält. Im Mahagandayone-Kloster von Mandalay unterrichtete U Ke La Sa die Novizen und Mönche in der Disziplin des rechtschaffenen Lebenswandels. Er sollte mich in die strengen Lehren einführen.

Als ich um zehn Uhr morgens den schattigen Klosterhof betrat, der von den Veranden der Wohn- und Gemeinschaftshäuser gesäumt wurde, kehrten die Mönche gerade mit ihren Bettelschalen von ihrer morgendlichen Tour zurück. Eine schweigsame Prozession kahlgeschorener Männer in roten Roben marschierte durch den Hof in die Speisesäle. Den ganzen Morgen hatten sie in der Stadt Reis und Gemüse gesammelt. Bis zwölf Uhr mussten sie ihr Mittagessen eingenommen haben, denn nach Mittag war es ihnen verboten zu essen.

U Ke La Sa saß vor seiner Bibliothek auf einer Strohmatte. Ein ernster Mann, sein Körper sehnig und mager vom asketischen Leben im Kloster. Der Dreißigjährige hatte sein Ingenieursstudium aufgegeben, um die Lehren des Lord Buddha an ausländische Gäste weiterzugeben. Ein Deutscher wohnte zur Zeit im Kloster. »Jahrelang war er auf der Suche«, sagte U Ke La Sa. »Bei uns hat er die Wahrheit gefunden.« Sprechen konnte ich allerdings nicht mit ihm. Der Deutsche durfte seine Meditationszelle fünf Tage lang nicht verlassen.

U Ke La Sa zeigte mir den Tagesplan der Mönche: Vier Uhr zwanzig Weckruf, Meditation bis halb sechs, Frühstück, dann zogen die Mönche in die Stadt, um das Mittagessen zu sammeln. Bis zehn Uhr abends war der Tag in Meditationsphasen eingeteilt. »Harte Arbeit liegt auf dem Weg zur Glückseligkeit«, sagte er. Dabei schwang in seiner Stimme dieses arrogante Leiern, mit dem Fundamentalisten in aller Welt die Ungläubigen belehren. »Drei Stufen muss jeder durchlaufen. Die Moral muss er finden, Konzentration, dann wird er mit Weisheit und Erleuchtung belohnt.«

Die meisten hier im Kloster kämpften noch mit dem reinen Lebenswandel. Sie durften niemals eine Frau berühren, Alkohol trinken, Fisch oder Fleisch verzehren. »Nur wenn du in deiner jetzigen Inkarnation ein reines Leben führst, wirst du eine Stufe aufsteigen«, sagte er. Frauen könnten dann als Männer wiedergeboren werden, Arme als Reiche, Ausländer als Burmesen. Es war nicht schwer zu erkennen, wie einfach der Theravada-Buddhismus in nationalistische Ideologie umschlagen konnte. Doch

U Ke La Sa wehrte ab. »Mit der Politik haben wir nichts zu schaffen.« Hatten sie auch nichts zu der Unterdrückung, dem Unrecht und der Gewalt im Land zu sagen? »Das sind weltliche Probleme. Wir beschäftigen uns mit den Fragen der Religion.« Es gab also keinen Dalai-Lama von Burma? Er schüttelte den Kopf. »Wir sehen den Dalai-Lama auch nicht als heiligen Mann. Er ist ein Politiker, der sein Amt zur Agitation missbraucht.«

Mandalay war die letzte Station auf der Touristenroute. Hinter der »Goldenen Stadt« begann das Sperrgebiet. Steil ragten die Berge über der Ebene auf, dicht bewaldete Kämme, durch die sich nur wenige Straßen ziehen. Oben, in den Ausläufern des Himalaja, lebten die Rebellen, Opiumbauern und Schmuggler. In Lashio, der Hauptstadt des Shan-Staats, sollte ich Kontaktleute treffen. Die würden mir vielleicht weiterhelfen. »Wenn es die Situation erlaubt«, wie man mir in Bangkok gesagt hatte.

Vierzehn Stunden dauerte die Fahrt über die löchrige Piste des Highway nach China. Überladene Lastwagen quälten sich die Serpentinen entlang, Ochsenkarren und Traktoren. Links und rechts lagen Reisfelder. Bauern pflügten mit ihren Ochsen durch knietiefen Schlamm. Dann wieder dichter Wald, undurchdringliche Bambushaine. Immer ärmlicher sahen die Dörfer aus, je weiter wir in die Berge vordrangen. Holzhütten am Straßenrand, ein, zwei Teestuben, in denen die Frauen an offenen Feuerstellen gebratenen Reis für die Lastwagenfahrer zubereiteten, kaum Steinhäuser. Daneben die sogenannten Jungle Bars, die ein Schnapsgebräu verkauften, das sie Jungle nannten.

Es war schon dunkel, als wir Lashio erreichten. Trübe Betonbaracken standen am Straßenrand, Holzbuden, ein paar offizielle Gebäude im sozialistischen Einheitsstil. Im Yon Haw Restaurant, einem prächtigen Bambushaus, gab es noch etwas zu essen. Der Wirt, ein junger Chinese, hatte das Lokal erst vor wenigen Monaten aufgemacht. Der nobelste Laden am Ort. Tische mit

Tischdecken, eine Tanzfläche mit Lightshow, ein Alleinunterhalter spielte auf einem Synthesizer burmesische Hits. Wer wollte, bekam ein Mikrofon und durfte singen. Zwei Mädchen machten den Anfang. Die eine sang ein Stück von Madonna auf burmesisch. Die andere den Titelsong des Coca-Cola-Werbespots. Werbefernsehen gab es erst seit kurzem in Burma.

Dann kamen die Männer dran. Opiumyuppies in modischen Blousonjacken, die Haare nach Art der Hongkonggangster vorne in kurzen Stacheln, hinten lang bis zu den Schultern, versuchten sich an einem Lied von Modern Talking. »Chérie, Chérie«, stammelten sie über dem blechernen Rhythmus. Ein grimmiger Kerl gesellte sich dazu, den der Alleinunterhalter als »den heldenhaften Kommandeur« einer Rebellengruppe ansagte. Der sang den Damen ein Liebeslied. Dann spendierte er eine Lokalrunde. Geld schien keine Rolle zu spielen. So standen vor der Türe auch drei nagelneue japanische Geländewagen. »Opium«, sagte U Sein Win. Egal ob Guerilla, Bauern oder Händler – wir waren hier oben im Goldenen Dreieck. Da gab es niemanden, der nicht in den Opiumhandel verwickelt war.

In einem Gartenlokal etwas außerhalb der Ortschaft erwartete mich am nächsten Morgen der Kommandostab der Palaung State Liberation Army (PSLA). Wir setzten uns hinter dem Gebäude auf die Veranda mit dem Baldachin aus grünem Plastik. Wir waren die einzigen Gäste. Vier junge Männer in Bomberjacken und schwarzen Armeestiefeln, die mit ihren zarten Gesichtern und feingliedrigen Händen trotz der martialischen Kluft eher wie Studenten aussahen. Während des Gesprächs schaute immer abwechselnd einer umher, ob wir auch nicht belauscht werden. Hauptmann Ah Ai Kaw, ein Mann mit schmalem, knochigem Gesicht, das er hinter einer chinesischen Pilotenbrille versteckte, führte das Wort. Siebenundsechzig verschiedene Minderheiten gibt es in Burma, Bergstämme und Naturvölker, in der Behördensprache »M-Groups« genannt. Die stärksten M-Groups, die

Shan, die Karen, die Palaung und die Wa verfügten über Guerillatruppen von mehreren tausend Mann. »Wir haben Frieden mit der Regierung geschlossen«, sagte Hauptmann Ah Ai Kaw. »Aber Frieden heißt nur, dass sie unsere Dörfer nicht mehr überfallen. Wir müssen immer noch kampfbereit bleiben.«

Keiner der vier Offiziere hatte ursprünglich kämpfen wollen. Brücken wollten sie bauen, die Kinder ihres Stammes unterrichten, eine gutbezahlte Arbeit finden. Deswegen waren sie nach Rangun gegangen, um zu studieren. Doch als die Aufstände von 1988 ausbrachen, mussten sie zurück in die Berge fliehen. Hauptmann Ah Ai Kaw studierte zum Beispiel Physik. Als er sich auf der Flucht zu den Rebellen seines Stammes durchgeschlagen hatte, wollten die ihn zum Weiterstudieren ins Ausland schicken. Doch SLORC hatte die Regierung von Thailand unter Druck gesetzt, keinem der flüchtigen Studenten ein Visum auszustellen. »Der Plan fiel ins Wasser«, sagte er bitter. »Also ließ ich mich zum Kämpfer ausbilden.«

1991 unterzeichnete der Bergstamm der Palaung nach dreißig Jahren Kampf ein Waffenstillstandsabkommen mit der Regierung. Nordwestlich von Lashio kontrolliert die PSLA seither die »befreiten Gebiete der Palaung«. Dort wollten wir hin. Ein paar Vorbereitungen müssen wir noch treffen. Falsche Nummernschilder montieren, Wolldecken und Reissäcke kaufen, weil es in den Bergen nachts so kalt wird, Trockensuppen für uns und Bonbons für die Kinder. Der Hauptmann würde dafür sorgen, dass wir ungehindert an den Kontrollposten der Armee vorbeikommen.

Eine Tagesreise dauerte die Fahrt nach Homsong, das erste Dorf in den befreiten Gebieten. In Schrittgeschwindigkeit quälte sich unser Geländewagen durch den Wald. Dürre Nadelhölzer standen hier, kühle Bergluft wehte durchs Fenster herein. Die Palaung hatten die Straße selbst gebaut. »Ohne Hilfe der Regierung«, wie der Hauptmann stolz betonte. Doch in der letzten

Regenzeit hatten die Stürme die Spurrinnen zu Gräben ausgespült. Nach vier Stunden gab der Geländewagen auf. Die Achse hatte sich unter das Chassis geklemmt. »Kein Problem«, sagten unsere Begleiter. Einer verschwand in den Wald. Nach einer halben Stunde kam er mit ein paar Dörflern wieder. Mit voller Wucht sprangen sie auf der Achse herum, bis sich die Räder wieder drehten. Die Rebellen und die Dörfler klopften sich auf die Schultern, dann ging es auch schon wieder weiter.

Am späten Nachmittag öffnete sich der Wald mit einem Mal in eine Lichtung. Zwanzig, vielleicht dreißig zweistöckige Holzhäuser standen dort, mit Wellblech gedeckt und plattgestampften Lehmplätzen drumherum. Langsam rollten wir auf den Dorfplatz. Von überall her kamen jetzt Menschen angelaufen. Das gesamte Dorf kam zusammen, um den Kommandanten und seine Gäste zu begrüßen. Wir schüttelten Hände, verteilten die Bonbons, dann ging es noch einmal zehn Minuten zu Fuß durch den Wald, bis zu einer zweiten Lichtung. Strohhütten reihten sich hier aneinander, Feuerstellen davor, dahinter ein freies Feld. Junge Männer in zerschlissenen Uniformen kamen angelaufen. Brav stellten sie sich auf, salutierten vor ihrem Hauptmann. »Willkommen im Camp einhunderteinundzwanzig.« Parade für den Besuch. Noch nie zuvor war ein Weißer in das befreite Gebiet der Palaung vorgedrungen. Fünfzig Burschen in Reih und Glied betrachteten mich aus den Augenwinkeln. Einen besonders schlagkräftigen Eindruck machten sie nicht. Einige wenige trugen chinesische Kalaschnikows, die meisten schleppten altertümliche Karabiner, ein paar paradierten sogar mit selbstgebauten Vorderladern, wie sie von den Bergstämmen zur Vogeljagd benutzt wurden.

»Bevor wir vor fünf Jahren Waffenstillstand schlossen, wurde hier täglich gekämpft«, sagte der Hauptmann. Die Regierung von Ne Win wollte die Palaung ausrotten oder zumindest vertreiben. Er deutete auf seine Truppe. »Wir hatten auch damals fast keine Waffen. Die Regierungstruppen kamen mit Hubschraubern, Minenwerfern, modernen Gewehren. Wir mussten uns auf die Guerillataktik verlassen. Was uns allerdings viel zu viele Männer gekostet hat.«

Geld gab es nur wenig. Das meiste kam von ein paar wohlhabenden Geschäftsleuten in Lashio, Mandalay und Rangun. Aber das reichte nicht, um einen Kampf gegen eine Militärregierung zu führen. »Also mussten wir uns etwas anderes überlegen.« Was das war? »Landwirtschaft«, sagte der Hauptmann. Opium meinte er.

»Am Anfang blieben wir sauber und ehrlich«, gab er zu. »Wir haben wirklich nur Tee angebaut. Aber heute ist das leider anders. Es gibt hier viele Bauern, die mit den Opiumhändlern zusammenarbeiten. Bis vor kurzem kannten wir die Technik des Heroinkochens noch gar nicht. Aber wir leben hier im Norden des Shan State. Opium hat hier eine lange Tradition.« Vor allem nachdem der Opiumfürst Khun Sa mit der Regierung Frieden geschlossen hatte und seine Rebellentruppen nun nicht mehr kämpfen mussten, waren viele seiner Leute hier in die Gegend gekommen.

Warum sie sich gegen die Übermacht der Regierung in die Schlacht geworfen hatten? Hauptmann Ah Ai Kaw, ein etwas älterer Herr, der eine russische Fellkappe trug, zog die Augenbrauen zusammen. »Unsere Existenz stand auf dem Spiel. Unsere Sprache, unsere Geschichte, unsere Tradition. Die Armee stürmte unsere Schulen, erschoss die Lehrer, die unseren Kindern unsere Sprache und Schrift beibrachten. Sie töteten die Bauern, damit sie der Guerilla keinen Reis geben können, und sie verschleppten die Frauen, um sie zu vergewaltigen und zu Sklavenarbeiten zu zwingen. Wir hatten keine Wahl.«

Erst als die anderen M-Group-Rebellen mit der Regierung Verträge geschlossen hatten, verhandelten auch die Palaung. »Wir handelten einen Status quo aus. Wir würden unsere Armee nicht vergrößern, nicht mehr angreifen, außerhalb unseres Gebiets keine Waffen tragen. Dafür sicherte uns die Regierung finanzielle Entwicklungshilfe zu.« Und was war mit den jungen Soldaten da draußen? Einige von ihnen sahen nicht älter als elf oder zwölf aus. Ah Ai Kaw zuckte mit den Schultern. »Wir müssen unsere Armee in Kampfbereitschaft halten, neue Soldaten rekrutieren. Aus Rangun kam bis heute kein Geld, keine Mittel. Alles, was du hier siehst, haben wir selbst aufgebaut. Die Straße, die Wasserleitung, die Schule. Warum sollen wir uns an einen Vertrag halten, wenn es die Regierung nicht tut?«

Und doch hatte sich der Kampf für die Palaung schon gelohnt. Es gab zwar keine Teerstraßen in ihrem Gebiet, keine Busse, keinen Markt, keine Zeitung, kein Fernsehen und kein Radio. In den Dörfern lebten sie wie im Mittelalter in traditionellen Holzhäusern ohne Wasser und Strom. Doch dafür mussten sie ihre Kinder nicht zur Zwangsarbeit schicken, sie mussten sich nicht vor den Spitzeln vorsehen, keine Angst haben, für ein unbedachtes Wort im Gefängnis gefoltert zu werden. Es gab keine Bombenangriffe auf ihre Dörfer und keine Massaker so wie im Süden, wo die Armee immer noch unerbittlich gegen den Stamm der Karen kämpfte.

Für Hauptmann Ah Ai Kaw war dies nur der erste Schritt. Nach dem Kampf ums Überleben musste nun der Kampf um die Freiheit beginnen. »Wir alle warten auf eine rechtmäßige Regierung«, sagte er. »Niemand wird den Militärs jemals vertrauen. Nur eine Regierung, die von uns allen gewählt wurde, wird in Burma etwas verändern.« Doch diesen Kampf konnten die Rebellen nicht führen. Diesen Kampf sollte Aung San Suu Kyi in Rangun gewinnen, die im Sommer 2005 ihren sechzigsten Geburtstag am zweitausendfünfhundertdreiundzwanzigsten Tag ihres Hausarrests feierte.

Zum Tee beim Terrorpapst

Sudan

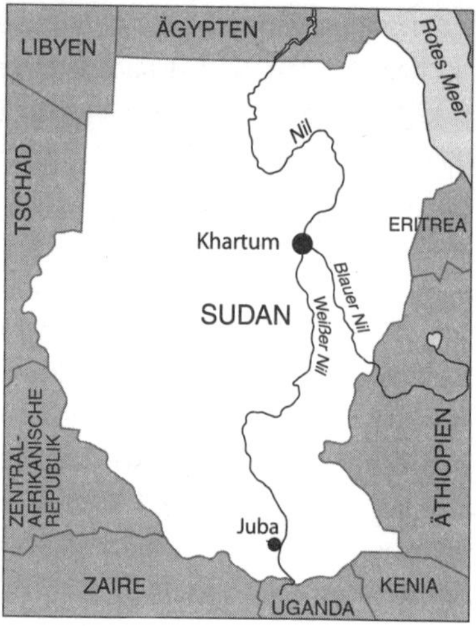

Es war die Zeit der Erneuerung, der Sinnsuche und des Aufbruchs. Zu Hunderten waren die Geistlichen und Würdenträger nach Khartum gereist, in die Hauptstadt des islamischen Staates Sudan. Dr. Hassan Al-Turabi wollten sie hören, jenen Mann, der den Weg weisen sollte. Er, der spirituelle Führer und heimliche Staatschef, hatte eine »Konferenz für den interreligiösen Dialog« einberufen, doch als er sprach, wussten viele, dass dies kein bloßer Dialog sein würde, sondern vielmehr ein Neubeginn. »Wir sind zusammengekommen, um eine Front zu bilden«, verkündete er im Konferenzsaal unter dem tobenden Applaus der Delegierten. »Eine Front gegen die Ungläubigen, die die Welt beherrschen.«

Wie ernst es ihm und seinen geistigen Brüdern war, zeigte dann einer der folgenden Redner. Voller Zorn erklärte der Imam der El-Kabir-Moschee der Weltlichkeit den Krieg. »Sie haben sich von Gott dem Allmächtigen abgewandt, und Gott der Allmächtige hat sie bestraft«, rief er ins Mikrofon und stieß dabei mit der Faust in die Luft. »Sie werden von Aids und Drogen zerfressen, Promiskuität und Unzucht zerstören ihre Familien. Deswegen ist ihre Gesellschaft dem Untergang geweiht.«

Etwas später an jenem Tag im Oktober trafen sich die Konferenzteilnehmer im Festsaal der Freundschaftshalle, des Konferenzzentrums am Ufer des Nil, das die Chinesen dem sudanesischen Volk geschenkt haben. Unter den Gästen war auch der saudische Bauunternehmer und Exilant Osama Bin Laden, der nicht weit von Turabi an einem der runden, weiß gedeckten Tische Platz genommen hatte.

Uniformierte Kellner schlichen um die Gäste herum, servierten Orangensaft, Limonade und Tee. Für uns seltene Gäste aus den christlichen Industrieländern hielten sie in der Küche ein paar Flaschen alkoholfreies Bier bereit. Später gab es eine Mahlzeit.

Bin Laden war keine sonderlich auffällige Erscheinung. Er war hochgewachsen und schlank, wie viele der Sudanesen, Eriträer und Somali im Saal, trug Kaftan, Turban und Bart wie die meisten der Gäste. Turabi und Bin Laden verband eine tiefe Freundschaft. Bin Laden hatte Turabi als spirituellen Mentor erkoren, viel Geld ins Land gebracht und sogar eine der Töchter Turabis geehelicht.

Angeregt plauderte Bin Laden mit dem Botschafter aus dem Jemen, einem älteren Herrn, der Bart und Haar hennarot gefärbt hatte und eindringlich auf den jungen Saudi einredete. Hin und wieder ließ Bin Laden seinen Blick durch den Raum schweifen, suchte nach bekannten Gesichtern.

Eine illustre Gesellschaft hatte sich zu diesem Empfang eingefunden. Moslemische und christliche Theologen aus Afrika, Arabien und Asien, Vertreter der katholischen und protestantischen Kirche und der koreanischen Moon-Sekte – Fundamentalisten aller Religionen und Konfessionen. Und die ständigen Gäste Turabis, Dutzende islamistischer Radikaler, die im Sudan Zuflucht gefunden hatten, nachdem die Regierung 1991 die

Visumpflicht für Moslems aller Länder aufgehoben hatte. Viele standen auf den Fahndungslisten ihrer Heimatländer. So wie Bin Laden oder der souverän lächelnde Herr mit Brille und langem, schwarzem Bart, der zwei Tische weiter saß, ein ägyptischer Arzt namens Dr. Ayman Al-Zawahiri.

Sie waren aus den verschiedensten Gründen in ihrer Heimat geächtet. Osama Bin Laden hatte das saudische Königshaus blamiert, jene korrupte Monarchie, die den ungläubigen Amerikanern nach dem Golfkrieg erlaubt hatte, ihre Soldaten auf dem Boden jenes Landes zu stationieren, in dem sich die heiligen Städte Mekka und Medina befinden. Dr. Ayman Al-Zawahiri wiederum war einer der Führer des Islamischen Dschihad, jener ägyptischen Radikalen, die gegen die Säkularisierung ihres Landes kämpften und 1981 Präsident Anwar As-Sadat ermordet hatten.

Kein Außenstehender konnte ahnen, dass die freundlichen Gespräche damals weitreichende Folgen haben würden. Turabis Konferenzen und Empfänge waren das fundamentalistische Äquivalent zu Veranstaltungen wie das Aspen Summit für die neuen Märkte oder das Oscar-Diner bei Spago's für den Film. Hier trafen sich die Besten und Klügsten, und Turabi schuf die Verbindungen. Kein Gespräch ohne Ziel – schon ein Jahr nach dieser Konferenz hatte Bin Laden im Jemen seine ersten Trainingslager errichtet. Al-Zawahiri gilt heute als wahrer Kopf der Al-Qaida.

Damals, im Jahr 1994, wussten die westlichen Geheimdienste schon von der Existenz Osama Bin Ladens. Allerdings noch nichts von seiner Rolle und Bedeutung. Noch konzentrierten sie sich auf Turabi, den Politologen als Lenin des Islam bezeichneten und den sie als Paten des Terrorismus in ihren Akten führten. Es war zwar bekannt, dass die Visaregelung des Sudan nichts anderes war als eine Einladung an den internationalen Terrorismus, sich hier eine neue Heimat zu suchen, doch in welchem

Umfang hier eine neue Weltordnung geplant wurde, verstand der Rest der Welt erst Jahre später.

Wenige Wochen vor der Konferenz hatte der Sudan auf internationalen Druck den venezolanischen Terroristen Carlos an Frankreich ausgeliefert. Eine Geste der Versöhnung. Doch Carlos war damals schon ein Terrorist der alten Schule. Einer, der zusammen mit den Kubanern, der PLO und der RAF für die Selbstbestimmung unterdrückter Nationen, Klassen und Minderheiten gekämpft hatte. Die Terrorismusgeneration der Bin Ladens und Al-Zawahiris jedoch, die in Khartum unter den Fittichen Al-Turabis heranwuchs, hatte höhere Ziele. Damals wie heute galt es ihnen, die Welt vor der Säkularisierung zu retten.

Die Wurzeln der Bewegung lagen in den dreißiger und fünfziger Jahren. 1928 hatte sich in Ägypten die Moslembruderschaft formiert, eine Gemeinschaft Gläubiger, die verhindern wollten, dass ihr Land sich säkularisierte. Sayyid Qutb, einer der Moslembrüder, war es, der die heutige Ideologie der Fundamentalisten mitbegründete, der während eines zweijährigen Aufenthalts in Amerika die Minderwertigkeit der westlichen Gesellschaft und ihrer Gedanken erlebte und der in seinen Büchern eine Erneuerung des Islam forderte. Sowohl Hassan Al-Turabi als auch Ayman Al-Zawahiri begannen ihre Laufbahn als Moslembrüder, bevor Turabi seine Popular Arab and Islamic Conference gründete und Zawahiri sich dem Islamischen Dschihad anschloss.

»Wenn der Westen eine neue Weltordnung errichten will, dann müssen wir unsere eigene neue Weltordnung dagegensetzen, bevor sie Gott aus der Welt vertreiben«, sagte Dr. Turabi ein paar Tage später. Er hatte mich zum Mittagessen geladen. Ohne weitere Gesellschaft. Er lebte im Stadtteil Hay al-Amariyya, einer Gegend, in der die Häuser hinter hohen Mauern in gepflegten

Gärten voller Obstbäume standen. Die Reichen und Mächtigen residierten hier, doch auch am Rand der Wüstenstadt Khartum bestimmten rohe Betonmauern und staubige Pisten das Bild.

Turabis Residenz war ein zweistöckiger Betonbungalow. Das Tor stand offen. Eine Veranda, Blumenbeete, Apfel- und Pfirsichbäume, ein Vorraum, in dem ein paar Ratsuchende warteten. Ein Diener hatte mich ins Besuchszimmer geleitet, das mit schweren Polstermöbeln eingerichtet war, in der Mitte zwei Teetische aus Kupfer. Nur das Rauschen der Klimaanlage war zu hören. Hassan Al-Turabi betrat den Raum alleine. Er trug Hausrock und Kappe. Turabi war von zierlicher Statur, kleidete sich stets in blütenweiße Gewänder und Turbane, fuhr sogar einen weißen Mercedes. Eine Nickelbrille balancierte auf seiner schmalen Nase, und wenn er mit seiner sanften, eindringlichen Stimme sprach, unterbrach er seinen Redefluss immer wieder mit einem eigenartigen Kichern.

»Sehen Sie, die Bewegung des Islamischen Erwachens reicht heute von Algerien bis Malaysia«, fuhr er fort, während ein Diener Tabletts voller Schüsseln und Teller in das Besuchszimmer brachte. »Die Weltordnung der Vereinten Nationen ist nur ein Übergang.« Das war kein Kampf um Selbstbestimmung wie bei der Hamas, kein Aufstand der Entrechteten, Unterdrückten, kein Emanzipationsstreben einer ausgebeuteten Dritten Welt. Hassan Al-Turabis Fundamentalismus, davon war er überzeugt, würde den Islam zur selben Größe führen, wie während der dreihundert Jahre von 650 bis 950, als er ein Reich erobert hatte, das von Spanien bis nach Asien reichte. Eine kühne Behauptung. Bisher hatte der Fundamentalismus keines seiner Versprechen eingehalten. Weder im Iran noch im Sudan, damals beides fundamentalistische Staaten, hatte die islamische Staatsform die soziale Gerechtigkeit und den Wohlstand gebracht, die ihre Vertreter prophezeit hatten.

Auf die üblichen Einwände war er gut vorbereitet. Turabi hatte an der Sorbonne und in Oxford Rechtswissenschaften studiert. Die Menschenrechte? »Die Menschenrechte der UNO sind nicht die unseren. Für uns gilt das Wort Gottes als oberstes Gesetz, nicht das Wort des Sicherheitsrats in New York, das Instrument der Amerikaner.« Terrorismus? »Was die einen Terrorismus nennen, ist für die anderen ein Kampf. Für uns sind die Amerikaner die größten Terroristen.« Demokratie? »Die Franzosen und Amerikaner wollen sie uns aufzwingen. Doch Afrika funktioniert immer noch nach dem Stammesprinzip. Da hat der Islam die besseren Lösungen. Und wenn wir das demokratische Spiel spielen, so wie in Algerien, sieht man ja, was geschieht.« Turabis politische Berater hatten dort 1992 den siegreichen Wahlkampf der fundamentalistischen FSI organisiert. »Dann werden klare Wahlsiege plötzlich nicht mehr anerkannt, und die Demokratie gilt nichts mehr.«

Turabi denkt bis heute in großen Dimensionen – eine Erneuerung des Islam, eine Befreiung der islamischen Länder von den korrupten Diktaturen und Monarchien, die Bezwingung des Westens und der Säkularisierung. Damals unterstützte er eine fundamentalistische Internationale, unterhielt Kontakte zu Guerillagruppen in Eritrea, Somalia, Kenia, Uganda, Mauretanien und Tansania, zur Hamas und zur Hisbollah. Er förderte islamistische Oppositionsbewegungen in Ägypten, Saudi-Arabien, Äthiopien, Malaysia und Indonesien. Der Sudan, so sagte er, würde in dieser neuen Weltordnung eine entscheidende Rolle spielen. Sei der Bürgerkrieg erst einmal beendet, werde dieses größte Land Afrikas den ganzen Kontinent ernähren, seine Bodenschätze würden es zu einem der reichsten Länder der Welt machen. Zu einer Großmacht von globaler Bedeutung.

»Wie können Sie von der Großmacht Sudan sprechen, wenn der Krieg die Wirtschaft lähmt, ein Großteil der Bevölkerung in archaischen Stammesgefügen lebt, der arabische und afrikanische Teil hoffnungslos verfeindet sind und der Rest der Welt Sie geächtet hat?«

Über Turabis Gesicht ging ein breites Lächeln. »Das alles sind Herausforderungen, die uns nur stärken. Die amerikanische Herausforderung zum Beispiel hat uns geholfen, denn wir sind nun kein abhängiges Entwicklungsland mehr, sondern eine unabhängige Nation.«

»Und der Krieg, die Hungersnöte, die Dürrekatastrophe?«

»Die Dürrekatastrophe war sehr gut, denn sie hat uns gezwungen, unsere Dämme zu verbessern und unsere Landwirtschaft auszubauen.«

»Die Millionen Toten?«

»Opfer des Kampfs für einen neuen Sudan und eine neue Welt.«

Turabi glaubte wirklich an ein Großsudan als Mittelpunkt einer moslemischen Welt. Der Aufbau des Landes erschien ihm fast als lästiges Detail. »Sehen Sie sich um in unserem Land«, sagte er zum Abschied. »Besuchen Sie unsere Universität, unsere Schulen, unsere Fabriken, und Sie werden sehen, dass der Sudan ein Land mit großer Zukunft ist.« Und dann hatte er noch eine Empfehlung. »Reden Sie mit Osama Bin Laden. Der hat schon viel getan für unser Land. Er hat Straßen gebaut, bringt die Wirtschaft in Gang.«

Das klang nach einem Propagandagespräch. Wer wollte schon Fabriken und Schulen besuchen oder über Straßenbau reden, während im Süden ein Krieg tobte? Nein, Osama Bin Laden, das hatten selbst Konferenzteilnehmer gesagt, war eine marginale Figur, der reiche Sohn einer reichen Familie. Was sollte der zu sagen haben?

Am nächsten Morgen riss mich das Telefon aus dem Schlaf. Eine Männerstimme stellte sich als Dr. el-Seyofi vor, Vorsitzender der Gesellschaft für deutsch-sudanesische Freundschaft. Ganz verzweifelt war er, weil seine deutsch-sudanesische Freundschaftsdelegation auf zwei Personen zusammengeschrumpft war. So konnte er seinem Präsidenten nicht unter die Augen treten, deswegen flehte er mich an, zur Audienz zu kommen. Autor sei ich, sollte ich sagen, denn Journalisten mochte General al-Bashir, der Präsident des Sudan, nicht leiden.

Um halb elf saßen wir im vierten Stock der Freundschaftshalle. Helmut Falkenstörfer, ein Missionar aus Stuttgart, Muriel Mirak-Weißbach, von der deutschen Filiale der ultrarechten Lyndon-LaRouche-Foundation in Wiesbaden, und ich. General al-Bashirs Büro war so groß wie ein Basketballfeld. An der einen Seite stand ein massiger Teakholzschreibtisch, von dem man durch das Fenster auf den Nil sah, an der anderen eine langgezogene Polstergruppe für das Gespräch mit Staatsgästen. Der General trug Uniform, wie sich das für einen Militärdiktator gehörte: eine olivgrüne Jacke mit aufgestelltem Kragen, roten und goldenen Intarsien, dazu eine ausladende Kappe. Um ihn herum saßen ein paar Generäle, mit Orden behängt.

Etwas steif hockten wir auf dem Sofa. Bashir schaute würdig in die Ferne, die Hände über einem Spazierstock mit silbernem Griff gefaltet, dem archaischen Symbol afrikanischer Macht. Er sprach ein paar Begrüßungsfloskeln. Dann sollte jeder von uns eine Minute Redezeit bekommen. Der Missionar beschwerte sich vorsichtig, dass die sudanesische Armee per Gesetz Missionsstationen beschießen durfte. Der Präsident lächelte weise. »Das Gesetz gegen Missionare wurde letzte Woche abgeschafft.«

Die Rechtsradikale überbrachte Grüße ihrer Chefin Helga Zepp-LaRouche und säuselte dem Präsidenten ins Ohr, wie toll sie seinen Kampf gegen die Weltverschwörung der UNO, der Amerikaner und der Weltbank fand. Er schenkte ihr einen charmanten Augenaufschlag.

Dann war ich dran, der Zufallsgast. Alles, was mir einfiel, war ein Interview, das ich mit Julia Taft geführt hatte, George Bushs Staatssekretärin für Katastrophenhilfe, die mir ihr Leid über den Sudan geklagt hatte. Sie hatte den Sudan als Beispiel angeführt, warum viele Spendernationen manchen Ländern nicht mehr helfen wollten. »Im Sudan gehören Entwicklungs- und Nothilfeprojekte zu den teuersten der Welt«, hatte sie mir erzählt. »Keine der Kriegsparteien lässt Hilfskonvois passieren, weswegen alle Hilfsgüter eingeflogen werden müssen. Dazu kommt, dass die sudanesische Regierung humanitären Organisationen einen Wechselkurs gibt, der vierzig Prozent höher liegt als jeder andere Kurs. Und kein Menschenrechtsbeobachter wurde je ins Land gelassen, um die Situation der Bevölkerung zu untersuchen. Die Spender sind es inzwischen leid, Geld in Länder zu pumpen, die nicht zu einer Zusammenarbeit bereit sind.«

Also sagte ich mein Sprüchlein auf: »Ich glaube, dass sich die Beziehungen des Sudan mit der internationalen Gemeinschaft enorm verbessern würden, wenn Sie unabhängigen Hilfsorganisationen und Menschenrechtsbeobachtern die unbehinderte Arbeit im Sudan ermöglichen würden.« Was für ein naiver Weltverbesserer-Blödsinn. Dr. el-Seyofi stand der Schweiß auf der Stirn. Die Rechtsradikale starrte mich fassungslos an. Präsident al-Bashir und seine Generäle reagierten auf meine Worte nicht einmal mit dem Zucken einer Wimper. Sie schwiegen, als hätte ich nie ein Wort gesagt. Dr. el-Seyofi stammelte ein: »Wir bedanken uns für dieses Gespräch«, und dann standen wir auch schon wieder draußen im Foyer.

Schwer verärgert soll der Präsident gewesen sein. Doch ich hatte Glück. Anstatt mich aus dem Land werfen zu lassen, brachte er die Propagandamaschine in Gang. Jetzt wollte er mir beweisen, dass Dr. Turabis Vision von der Weltmacht Sudan in greifbarer Nähe war, dass hier die Menschenrechte geachtet wurden und der Süden längst in der Hand der Regierung war.

Doch in einem Land wie dem Sudan konnte auch die beste Propagandamaschine die Realität nicht verbergen.

Am nächsten Morgen wurde ich von einer hübschen jungen Frau begrüßt, die sich als Fatima vorstellte. Statt eines Tschadors hatte sie nur ein transparentes Hermèstuch über ihre Haare geworfen. Sie war charmant, beredt und hatte anscheinend die Aufgabe, mir alle Wünsche zu erfüllen. Noch am selben Nachmittag brachte sie mich in eines der berüchtigten Umsiedelungslager.

Gut ein Drittel der dreieinhalb Millionen Bewohner von Khartum waren Flüchtlinge. Zwei Millionen waren im ganzen Land unterwegs. Überall in der Stadt konnte man sie sehen. Magere Gestalten, den leeren Blick der Hoffnungslosigkeit im Gesicht. Die meisten von ihnen wurden in Khartum noch ein zweites Mal vertrieben – erst im Oktober hatte man im Stadtteil Omdurman eines der Lager geräumt, weil sich Geschäftsleute für das Grundstück interessierten. Frühmorgens war die Armee mit Bulldozern angerückt, hatte die Lehmhütten niedergewalzt und die Flüchtlinge auf Lastwagen verfrachtet. Wer sich weigerte, wurde erschossen. Draußen in der Wüste, weitab der Stadt, hatte die Armee die Flüchtlinge in Umsiedelungslagern untergebracht. In Jebel Aulia südlich von Khartum zum Beispiel.

Eine Stunde dauerte die Fahrt. Lastwagen und Busse quälten sich über den Highway. Endlos zogen sich die Siedlungen der Vorstadt am Straßenrand entlang, dazwischen flache Wüstenstücke, auf denen Ziegen nach Sträuchern suchten. An einer Biegung lag die Einfahrt zum Lager. Eine Betonbaracke, davor zwei Soldaten, gelangweilt auf ihre Sturmgewehre gelehnt. Am Horizont konnte man schon die flachen Lehmhütten sehen, die in schnurgeraden Reihen aufgebaut waren. In der Mitte des Lagers hatte der Rote Halbmond sein Hauptquartier. Der Lagerchef Leutnant Mohamed Zein el-Abdin erwartete uns schon. Der fettleibige Vierzigjährige mit dem Haarkranz erzählte großspurig von den Verdiensten der sudanesischen Hilfsorganisationen. Und auch er klopfte martialische Sprüche über die Stärke des Sudan. »Die Amerikaner sollen nur kommen«, sagte er. »Sie werden hier ihr Grab finden.«

Vor der Baracke drängten sich gut zweihundert Menschen unter dem Strohdach. Die Frauen trugen die bunte Tracht Schwarzafrikas, die Männer Sportkleidung aus der Nothilfe. Viele von ihnen hatten ihre Gesichter mit rituellen Narben verziert. Sie waren vom Stamm der Dinka und der Nuer aus dem Süden. Ein schüchterner Junge zeigte mir die Einrichtungen: ein Medizinschrank mit ein paar Flaschen Antibiotika, eine Liege, eine Waage, ein Tisch. Ein paar Frauen begannen auf ihn einzubrüllen. »Sie sind wütend und wollen, dass ich für sie übersetze«, flüsterte der Junge. Doch Leutnant el-Abdin scheuchte die Frauen weg. »Die wollen nur schnorren.«

Ein Dinkakrieger nutzte den Moment und zog mich beiseite. »Sie haben uns hierher verfrachtet, weil sie uns in der Stadt nicht haben wollten«, flüsterte er und lugte dabei vorsichtig zum Lagerchef. »Erst hat die Armee unser Dorf niedergebrannt. Dann habe ich mit meiner Familie zehn Jahre lang in Khartum in der Stadt gelebt. Da ging es einigermaßen. Ich habe mich mit kleinen Arbeiten auf Baustellen durchgeschlagen. Hier draußen gibt es keine Arbeit. Hier gibt es ja nicht mal Wasser.«

Das Schlimmste waren jedoch die Schikanen. »Als Christ ist man der letzte Dreck. Wir kriegen nur eine dreiviertel Ration Essen. Die moslemischen Flüchtlinge eineinviertel. Meine Kinder müssen in die Koranschule. Und alles, was ein bisschen Geld bringt, der Markt, die Getreidemühle oder die Näherei, ist fest in der Hand der Moslems.« Er schüttelte den Kopf. »Besser als im Süden. Da bringen sie uns um.«

Ob ich den Süden denn sehen wollte, fragte mich Fatima auf

der Rückfahrt. Morgen würde eine Delegation Muslims nach Juba fliegen, in die Hauptstadt des Südens, die seit Jahren heftig umkämpft wurde. Dort würde ich schon sehen, dass die Rebellen nichts mehr zu melden hatten und dass dort unten alles unter Kontrolle sei.

Zwei Stunden dauerte der Flug in den Süden. Unter uns menschenleere Ebenen. Langsam wechselte die Farbe vom Graubraun der Wüste ins Grün der Savanne. Juba liegt im südlichen Spitz des Sudan, der an Zaire, Uganda und Kenia grenzt. Im Südsudan prallten die beiden Welten des größten Landes auf dem afrikanischen Kontinent seit Jahrzehnten mit äußerster Brutalität zusammen. Die Regierung des arabischen Nordens führte einen Heiligen Krieg gegen die Christen und Animisten. Nur selten nahm der Rest der Welt wahr, wie brutal die Islamisten vorgingen. Vor zwei Jahren noch versuchten die Machthaber von Khartum, den Süden auszuhungern. Hunderttausende starben einen langsamen, qualvollen Tod.

Die Rebellen, allen voran die Sudan People's Liberation Army (SPLA) von John Garang, gingen genauso brutal vor wie die Regierungstruppen. Wahllos metzelten sie ganze Dörfer nieder. Männer im kampffähigen Alter wurden zwangsrekrutiert und eiserner Disziplin unterworfen. Wer desertieren wollte oder nicht spurte, wurde auf der Stelle erschossen.

Am Flughafen erwarteten die örtlichen Honoratioren die Delegation auf dem Rollfeld. Würdige Männer im Tropenanzug, ihre Häuptlingsstäbe in der Hand. Am Ende des Spaliers Agnes Lukudu, die Gouverneurin, in einem blaugemusterten Umhang und passendem Kopftuch. Als Christin und Frau im Fundamentalistenregime musste sie regelmäßig als Beweis für die Toleranz der Moslems herhalten. Als Schwarzafrikanerin vom Stamm der Bari versuchte sie seit zwei Jahren, zwischen den Islamisten in der Regierung und den Schwarzafrikanern in ihrem Bezirk zu vermitteln. Energisch trat sie auf, scheuchte ihre Untergebenen an ihre Plätze.

Für die Gäste hatte sie ein straffes Programm vorbereitet. Frühstück und Briefing im Regierungsbüro, das in einem alten Konvent untergebracht war. »Alles unter Kontrolle, auch die Versorgungslage der Flüchtlinge. Wir halten die Rebellen auf Distanz.« Dann fuhren Minibusse für die Stadtrundfahrt vor.

Es gab nichts Städtisches in Juba, auch wenn hier rund dreihunderttausend Menschen lebten. Flache Dorfhütten mit Strohdächern, eingezäunte Gärten, ein wenig Vieh auf der Straße. Tiefes Ostafrika. Wie eine nasse Wolldecke lag der Geruch der Savanne über dem Ort.

Wir fuhren an Feldern vorbei, auf denen streng bewachte Gefangene den Boden umgruben. Rebellen der SPLA. »1992 wurden wir belagert«, sagte Agnes Lukudu. Damals hatte die SPLA zweimal versucht, die Stadt einzunehmen. Die Rebellen zerschossen den Flughafen und bombardierten die Stadt mit Mörsern. Und zweimal jagten die Regierungstruppen sie zurück in den Busch. »Seither weiß jedes Kind hier, wenn ein Schuss ertönt, sofort flach auf den Boden legen. Ist das ein Leben?« Agnes Lukudu floh damals mit ihrer Familie in die Berge. »Garang ließ wahllos Menschen erschießen. Selbst eine Missionsstation hat er zerstört. Wir haben damals viele unserer Leute verloren.« Die Wirtschaft lag seither darnieder. »Bis vor wenigen Monaten mussten wir sämtliche Lebensmittel einfliegen lassen. Jetzt können wir uns immerhin zur Hälfte selbst versorgen.« Selbst die Elefanten, Büffel und Nashörner ergriffen damals die Flucht und sind bis heute nicht aus Kenia zurückgekehrt. »Dabei könnte Äquatoria eine reiche Provinz sein. Wir haben endlose Weidegründe, Wälder, Gold und Aluminium. Nichts davon können wir entwickeln.«

Nächste Station Flüchtlingslager. Armselige Hütten standen am Ortsrand aneinandergedrängt. Die Hälfte der Einwohner von

Juba war vor der Armee und den Rebellen geflohen. Jetzt saßen sie in Juba fest. Keiner durfte Juba verlassen, denn eine verlassene Stadt wäre für die Regierung nicht zu halten gewesen.

Die Flüchtlinge hatten sich für die Delegation herausgeputzt. Die Frauen trugen bunte Trachten, die Männer saubere Hemden. Ein Zeltdach hatten sie aufgespannt, damit die Mullahs in der Mittagssonne nicht schwitzten. Davor standen kleine Jungs Spalier. Auf ein Kommando hin begannen sie brav in die Hände zu klatschen und ein Lied zu singen. Die arabischen Worte passten nicht so recht zu den afrikanischen Rhythmen, aber die Mullahs klatschten erfreut.

Nach dem Lied führte uns Agnes Lukudu zu einer Hütte. »Unsere traditionelle Brauerei«, sagte sie stolz. Ein Beweis mehr für die angebliche Freiheit der Stadt, schließlich war Alkohol offiziell im ganzen Land verboten. Drinnen stand ein Mädchen im Halbdunkel vor zwei Kesseln mit stinkender Brühe. Sie reichte mir einen Becher. »Traditional beer«, sagte sie und lächelte. Ich war der einzige Christ der Delegation, also blieb mir nicht anderes übrig, als wenigstens einen Schluck der fermentierten Hopfensuppe zu trinken.

Draußen schlugen die Männer inzwischen auf Trommeln einen schweren Rhythmus, zu dem einer auf dem Kuhhorn blies. Die Mullahs sahen betreten zu Boden, als die Frauen der Dinka mit pumpenden Beckenbewegungen auf sie zu tanzten. Langsam gruppierten sich die Tanzenden um die Trommler. Als die Frauen einen schrillen Chor anstimmten, packte mich eine von ihnen am Arm. Die Tanzenden lachten. Mit zwei Schritten presste sich meine Partnerin an meine Seite und versuchte mich mit ihrem Unterleib im Takt zu halten. Die Trommeln schlugen immer schneller, der Gesang schwoll an.

Plötzlich spürte ich einen harten Griff an der Schulter. Einer der Soldaten zog mich aus dem Kreis. »Willst du heute noch heiraten?«, fragte er und lachte mir ins Gesicht. Ab in den Bus.

Unsere Gastgeber wollten die Mullahs nicht mit zu viel afrikanischer Folklore überfordern.

Zum Lunch fuhren wir ins Hotel Juba, eine muffige Herberge aus den letzten Jahren der Kolonialherrschaft. Ich saß mit Agnes Lukudu und zwei Dinkapriestern an einem langen Tisch voller Mullahs. Zwei Kellner brachten Schüsseln mit dampfendem Reis und Gemüse, dazu gab es Rindfleisch in Soße. Agnes Lukudu seufzte tief auf. Der Tag war gut gelaufen. Die Delegierten waren davon überzeugt, dass in Juba alles in Ordnung war.

Bis der Nachtisch gereicht wurde. Agnes Lukudu winkte ihren Vizegouverneur heran, einen schüchternen Mann, der trotz der Hitze seinen dunkelblauen Blazer und die Krawatte nicht abgelegt hatte. »Das Flugzeug. Die Delegation muss bald los.«

Der Vize druckste herum. »Das Flugzeug ist weg.«

»Wie bitte?!«

»Abgeflogen.«

»Wohin?«

»Das weiß keiner.«

Die Gouverneurin starrte fassungslos auf ihren Teller. »Funken Sie sofort nach Khartum.«

In der Hauptstadt wusste auch niemand weiter. Der Jet war verschwunden, ein neuer nicht zu haben. Der Vize funkte, palaverte, verhandelte. Langsam ging die Sonne unter. »Im Dunkeln könnte in Juba kein Flugzeug landen«, flüsterte Agnes Lukudu. Das Rollfeld war nicht beleuchtet. Es durfte auch nicht mit Lastwagenscheinwerfern oder Feuern beleuchtet werden, denn sonst hätten die Rebellen ihre Mörser danach ausrichten können. Das Propagandabild begann zu bröseln. Die Mullahs wurden unruhig.

Gegen sechs Uhr war es endgültig – an diesem Tag sollte hier keiner mehr wegkommen. »Gibt es keinen anderen Weg?«, erkundigte sich ein syrischer Mullah. Agnes Lukudu lächelte geschmerzt. Fünf Tage Fahrt waren es normalerweise nach Khartum, doch auf dem Landweg kam man sowieso nicht weit. Die Rebellen hatten sämtliche Brücken gesprengt, und nach achtzig Kilometern lief man Gefahr, in einen Hinterhalt zu geraten. Auf dem Nil wurden die Boote mit Granaten versenkt. Wir waren eingeschlossen. Auch das Dinner fiel mager aus. Tee mit Zucker und trocken Brot. Alles musste eingeflogen werden. Das Büfett vom Mittag war aus Khartum herangeschafft worden.

Agnes Lukudu wurde sichtlich nervös. »Vor zwei Tagen haben die Rebellen Emissäre geschickt«, flüsterte sie mir zu. »Sie haben gesagt, wenn die Delegation kommt, schießen sie das Flugzeug ab.« Das hatten sie schon ein paarmal gemacht. Deswegen auch der seltsame Anflug auf Juba – bis genau über der Stadt war der Jet in voller Reisehöhe geflogen. Dann hatte er sich in steilen Spiralen nach unten geschraubt. Das hielt das Risiko gering, von einer Stinger-Rakete getroffen zu werden.

Kurz nach Sonnenuntergang war es mit dem Bild von Frieden und Kontrolle endgültig vorbei. Wir wurden ins Hotel gescheucht. Ausgangssperre. Ausnahmezustand. Schwer verärgert bezogen die Mullahs ihre Zimmer. Jeweils zwei teilten sich einen Raum mit Pritschen, Wolldecken und einer Dose Insektenspray gegen die Moskitos, die im Südsudan Malaria und Ebolafieber übertragen.

Am nächsten Nachmittag schafften wir es dann doch noch zurück. Die eine Hälfte der Delegation wurde in ein Transportflugzeug verfrachtet, in dem sich schon fünfzig afghanische Söldner drängten. Der Rest wurde von einer schrottreifen Iljuschin abgeholt. Wieder schraubte sich das Flugzeug auf volle Reisehöhe. Die angedrohte Rakete blieb aus. Einer der Regierungsbeamten zuckte mit den Schultern. »Garangs Leute sind ein besoffener Haufen. Die schaffen es ja nicht einmal, ein Bauerndorf zu erobern.« Erst Jahre später, im Jahr 2005, sollte Garang die Regierung so weit gebracht haben, dass sie mit ihm nicht nur verhandelten, sondern sogar Frieden schlossen. Um den neuen Frieden zu besiegeln und die Erschließung des südlichen Sudans voranzutreiben, ernannte General al-Bashir seinen einstigen Todfeind Garang zu seinem Vizepräsidenten. Drei Wochen später kam Garang bei einem Hubschrauberabsturz ums Leben.

Nach der Rückkehr traf ich Turabi auf einem der Empfänge wieder. Er erkundigte sich nach meiner Reise. Und wieder bot er an, mir den saudischen Geschäftsmann vorzustellen, auf den er so große Stücke hielt. Doch nach meinem Ausflug an die Front hatte ich noch weniger Interesse an dem reichen Spross einer reichen Familie.

Im Khartum der neunziger Jahre war Osama Bin Laden nur eine von vielen Figuren. Und er gehörte noch nicht einmal zu den radikalsten. Es war nicht abzusehen, dass die größenwahnsinnigen Pläne Turabis, der Hass Al-Zawahiris und der Ehrgeiz Bin Ladens sich sieben Jahre später am 11. September 2001 im größten Terroranschlag in der Geschichte Amerikas entladen würden.

Sicherlich verfügte er über alles, was Männern wie Dr. Al-Turabi oder Dr. Al-Zawahiri fehlte: Geld, Charisma und vor allem den unbeugbaren Ehrgeiz, sich zum öffentlichen Gesicht der Bewegung, zum Ziel der Gegenschläge, zur Prophetenfigur der radikalisierten moslemischen Welt aufbauen zu lassen. Doch auch wenn sich Osama Bin Laden heute im Fernsehsender Al-Dschasira gerne zum Propheten stilisiert, innerhalb der Bewegung blieb er immer der Erfüllungsgehilfe und Finanzier, der »Organisator«, wie ihn Turabi beschrieb.

Es war ein Jahr nach der Konferenz am Nil, als Osama Bin Laden in Khartum fast selbst Opfer eines Terroranschlags wurde. Vier Mitglieder der ägyptischen »Gesellschaft für Buße und Flucht vor der Sünde«, Takfir wa al-Hijrah, hatten mit automatischen Waffen eine Moschee im Altstadtviertel Omdurman beschossen und zwölf Männer getötet. Nach dem Anschlag sprangen sie in ihren Toyota Pick-up-Truck, rasten in den Vorort Riyad, wo sie das Feuer auf Osama Bin Ladens Büro eröffneten und sich ein Gefecht mit seinen Männern lieferten, das sieben Tote forderte. Nach ihrer Auffassung war Bin Laden ein hoffnungsloser Liberaler. Ein Weltlicher, der mit seinem Reichtum, mit seiner Politik und seinem Ehrgeiz die Sünde in den Sudan gebracht hatte. Wer so gegen den Willen Gottes verstieß, der musste nach den Gesetzen des Koran mit dem Tode bestraft werden.

Auch die Kämpfer der Takfir wa al-Hijrah folgten den Schriften des ägyptischen Vordenkers Sayyid Qutb. Doch für sie reichte es nicht aus, die weltlichen Regierungen und Systeme zu vernichten. Sie glaubten nicht, dass ein islamisches Erwachen, eine Revolution oder eine Erneuerung des Islam die Welt erretten könnte. Das, so glaubten sie, konnte nur ein Neuanfang nach der vollkommenen Zerstörung. Es gab keine Gesellschaft im Sinne Allahs. Viele von ihnen waren deswegen in die Wildnis gezogen. Sie lebten wie der Prophet Mohammed in der Wüste, der dort mit den Dämonen kämpfte. Und sie sagten, wer den bestehenden Gesellschaften nicht den Rücken kehre und darauf warte, bis sie zerstört waren, der habe sein Recht auf Leben verspielt.

Macht aus Stahl

Pazifik

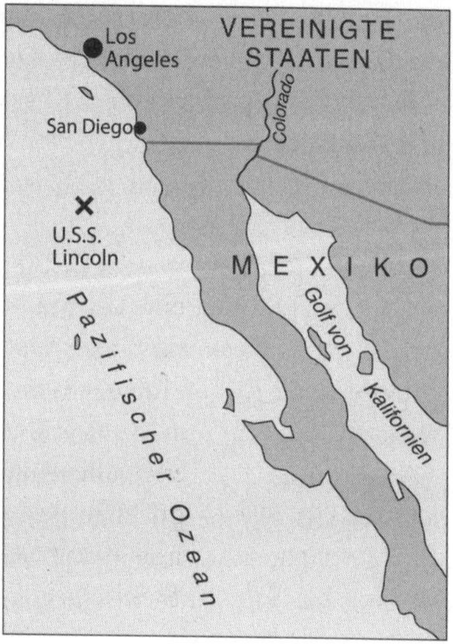

Im Anflug auf den Flugzeugträger U.S.S. *Abraham Lincoln* wirkten die fünfundneunzigtausend Tonnen atomgetriebener Stahl noch etwas verloren in der schweren Dünung des Pazifik. »Eine Superwaffe für die Zeit der Konflikte mit niedriger Intensität«, hatte der Presseoffizier das Schiff beim Briefing an Land beschrieben. Stolz hatte er bei seinem Vortrag geklungen. Das Machtmittel der Seehoheit zählte wieder was nach dem Ende des atomaren Gleichgewichts, und die Flugzeugträger der Navy sicherten den USA ihre Stellung als Supermacht. Denn nur der Flugzeugträger, so führte er aus, vermochte es, »präventive und offensive Schläge bis weit ins Innere der feindlichen Machtzentren zu tragen«. Und nur die USA verfügten über eine Flotte von Flugzeugträgern mit Katapulten, mit denen man Kampfjets und Bomber starten könne, die es mit jedem landgestützten Flieger aufnehmen würden.

Eine Broschüre der US Navy ging sogar noch weiter. Das Schiff sei »ein bewegliches Stück souveränes Amerika mit der Fähigkeit endgültiger Kriegsbeendigung«, stand da geschrieben.

Eine höfliche Umschreibung dafür, dass die *Lincoln* für einen großangelegten Atomschlag ausgerüstet war und »jede Konfliktzone der Welt« innerhalb von wenigen Stunden pulverisieren könnte. So offen wurde das natürlich nicht zugegeben, denn bei allem Stolz gehörten einige Superlative in den technischen Angaben der U.S.S. *Abraham Lincoln* zu den strategischen Staatsgeheimnissen der USA.

Kurz vor der Landung auf der U.S.S. *Abraham Lincoln* leuchtete neben dem »No Smoking«-Zeichen ein zweiter Schriftzug auf: »Prepare for Arrested Landing.« Der C-2-Greyhound-Transporter würde auf dem Landedeck der *Lincoln* aufsetzen, seinen Greifhaken in eine der Stahltrossen einklinken und dann vom Bremsmechanismus unter Deck innerhalb von eineinhalb Sekunden aus seiner Landegeschwindigkeit von zweihundert Stundenkilometern zum Stillstand gebracht werden.

Unser Flugzeug geriet allerdings kurz vor der Landung in Turbulenzen. Die Tragflächen flatterten in alle Richtungen, der Flieger rüttelte, als würde er über eine Buckelpiste geschleudert. Plötzlich ein Schlag, Stahlträger ächzten, die Motoren heulten auf, dann drehte der Greyhound wieder nach oben. Vom Inneren des Flugzeugbauchs aus war nicht mehr zu sehen als der flüchtige Schatten des Kontrollturms an Steuerbord. Bis auf die zwei winzigen Bullaugen an den Seiten war der Greyhound geschlossen. Militärisches Design – Funktion geht vor Komfort.

Verbindungsoffizier Chief Eggman stand während des missglückten Landungsversuchs seiner Gäste auf der Brücke. Er hatte gesehen, wie der Pilot das Deck viel zu scharf anflog. Dass der Greifhaken knapp an den Stahltrossen vorbeiging. Dass der Flieger schief aufsetzte und der Pilot sofort vollen Schub gab. Später gab er zu, dass wir knapp einer Bruchlandung entkommen waren. Kein Wunder. Die U.S.S. *Abraham Lincoln* kreuzte vor der mexikanischen Küste in den Ausläufern des Hurrikan Luis. Zehn Meter Dünung brachten selbst diesen dreihundert

Meter langen Flugzeugträger ins Schlingern. Und wenn das Flugdeck in der Vertikale zehn Meter auf und ab tauchte, stießen sogar die Piloten der US Navy an ihre Grenzen.

Der zweite Landeversuch klappte. Mit einem gewaltigen Ruck brachte der Bremsmechanismus den Transporter zum Stehen. Die Körper der Passagiere wurden mit einem Vielfachen ihres Gewichts in die Sitze gepresst. Das war ein bisschen so, als würde man in einem Fernsehsessel aus einem Fenster im ersten Stock geworfen – gut gefedert, aber ruppig. Deswegen waren die auch gegen die Flugrichtung angebracht, weil der Bremsdruck einem sonst das Genick ausgerenkt hätte.

Das dunkelgraue Maul der Frachtluke am Heck öffnete sich, und pazifisches Mittagslicht gleißte ins Halbdunkel des Flugzeugbauchs. Weißgekleidete Gestalten mit Schutzbrillen und Helmen erschienen in der Luke und winkten die Passagiere mit energischen Handbewegungen aus den Sitzen. Durch den Schaumgummi meiner Schutzkappe hörte ich nur das entfernte Heulen von Flugzeugturbinen.

Erster Schritt auf Deck. Vom Schwanken war nichts zu spüren. Nur der Horizont verschwand alle paar Sekunden hinter der Kante des Flugdecks. Links standen blaugraue F-18-Kampfbomber in Warteposition. Rechts ragte der Kontrollturm mit seinem Gewirr aus Antennen, Radarschirmen und Hochfrequenzsendern in den Himmel. Irgendjemand stieß mich in die Schulter. Zwei weiße Gestalten winkten mich mit hektischen Bewegungen von Deck. Als ahnungsloser Zivilist war ich für sie auf dem Flugdeck ein Sicherheitsproblem.

Chief Eggman wollte versuchen, seinen Gästen wenigstens die Grundregeln beizubringen, mit denen sie sich auf und unter Deck bewegen können, ohne sich oder die Mannschaft in Gefahr zu bringen. Denn das Bild von der Kriegsmaschine sollte für uns an Bord der U.S.S. *Abraham Lincoln* mehr als nur eine Worthülse sein. Jeder Quadratzentimeter auf dem Schiff hatte seine

Funktion, jeder falsche Schritt hätte das wohldurchdachte Zusammenspiel von sechstausend Männern und Frauen, siebzig Flugzeugen und technischem Gerät für mehrere Milliarden Dollar aus dem Takt bringen können.

Also: Kein Schritt ohne Begleitung eines Verbindungsoffiziers. Keine Panik bei Feuer-, Angriffs-, Atom- oder Katastrophenalarm. Wahrscheinlich nur eine Übung. Bei Besuch des Flugdecks hinter den Begleitoffizieren bleiben. Sich auf keinen Fall vor oder hinter einen Jet begeben, denn wenn die Triebwerke schon angelaufen sind, wird der Sog vorne stark genug, um einen erwachsenen Menschen in die Turbine zu saugen. Jedes Jahr wurden ein paar unvorsichtige Deckarbeiter von den Leichtstahllamellen zu Hackfleisch verarbeitet. Und der Triebstrahl entwickelte genügend Hitze, um Eisen zu schmelzen. Dann gab es noch die Gefahr, dass man von einer Bö über Bord gefegt wurde und die siebzig Meter Sturz ins Wasser nicht überlebte, dass eine der Bremstrossen riss, was erst kürzlich wieder einen Matrosen in zwei Teile gefetzt hatte, oder dass man in den Strahl eines der Mikrowellensender geriet, was einem das Erbgut durcheinandergebracht hätte.

Nach dem strengen Sicherheitsvortrag hellte sich Chief Eggmans Miene auf. Er kam zum Lieblingsteil seiner Einführung: »Trivial Facts« – lustige Daten. »Die Schiffsbarbiere scheren zweihundertfünfzig Köpfe pro Tag«, deklamierte er. »Dreizehntausend Flaschen Limonade werden täglich konsumiert, fünfhundertvierzig Pfund Hamburger, einhundertachtzig Dutzend Eier, und in der Bäckerei werden achthundert Laibe Brot gebakken. Eine Kleinstadt auf dem Wasser mit eigener Radiostation, drei Fernsehkanälen, Supermarkt und Kino.« Lauter nutzloses Wissen zur Unterhaltung seiner Gäste. Über die technischen Leistungen durfte er ja nicht allzuviel verraten. Außer dass der bordeigene Atomreaktor vier elf Tonnen schwere Schiffsschrauben von neun Metern Durchmesser antrieb und der Treibstoff des Reaktors für einige hundert Weltumkreisungen reicht – die *Lincoln* müsste nur alle fünfundzwanzig Jahre zum Auftanken. Bei der Spitzengeschwindigkeit wurde er schon unbestimmt höflich: »Mehr als dreißig Knoten.« Ein Techniker erzählte mir später, dass die *Lincoln* gut und gerne über fünfzig Knoten schaffe und mit jedem Schnellboot mithalten könne.

Nach dem Vortrag kamen wir endlich zum Punkt. »Flight operations to achieve full combat readiness« standen auf dem Programm. Piloten, Ingenieure, Deckarbeiter, Schiffsmannschaft und Waffentechniker probten die perfekte Choreographie von sechstausend Männern und Frauen.

Unten im Hangar standen die Bomber, Kampfflieger, Aufklärer und Anti-U-Boot-Flugzeuge dichtgedrängt nebeneinander und warteten darauf, von den vier Aufzügen an Deck gebracht zu werden. Zwischen den Flugzeugen liefen junge Kerle in T-Shirts herum, wuchteten Raketen und Munitionskisten auf Handkarren, klinkten Torpedos und Bomben in die Abwurfvorrichtungen, prüften Navigationsinstrumente und Steuerung. Unteroffiziere riefen ihnen Kommandos zu, achteten mit der Stoppuhr darauf, dass alles mit der Präzision und Rasanz eines Rennstalls bei der Formel 1 ablief.

Ein Deck weiter unten bereiteten sich die Piloten auf ihre Einsätze vor. Gutgelaunt lümmelten sie in den Kommandoräumen ihrer Geschwader auf lederbezogenen Flugzeugsesseln. Die »Top Guns« – die Stars auf dem Schiff, die Besten der Besten, ausgesiebt aus Tausenden von Anwärtern. Junge Männer, Mitte, Ende Zwanzig, durchtrainiert, mit kurzgeschorenen Haaren und rosigen Gesichtern. Das waren keine Frontschweine, sondern Hightech-Spezialisten, deren Einsätze hochkonzentrierte Computerflüge gegen abstrakte Koordinaten waren. Kurze Ausflüge ins Feindesland, die spätestens nach ein paar Stunden wieder auf dem Stück souveränem Amerika auf See enden würden, ohne dass sie mit den Realitäten des jeweiligen Krieges konfrontiert wurden.

Deswegen mussten sie sich auch keine Gedanken über die größeren Zusammenhänge ihrer Einsätze machen. Sie wussten, dass die U.S.S. *Lincoln* nach den Manövern in den Persischen Golf verlegt würde und dass die Wahrscheinlichkeit groß war, dass sie dort irakische MIGs herunterschießen oder feindliche Stellungen bombardieren müssten. Aber sie waren viel zu sehr damit beschäftigt, für die Höchstleistungen im Cockpit zu trainieren. »Wir führen komplexe Aufgaben aus. Die Politik wird in Washington gemacht«, sagte einer, den sie Foggy nannten, weil er beim Kampfmanöver auf Sichtflug wertvolle Sekunden im Wolkenfeld vertan hatte. »Wir konzentrieren uns im Moment darauf, unsere Kampfbereitschaft zu trainieren. Wo dann unser effektiver Einsatzort sein wird, kann sich ja von einem Tag auf den anderen ändern. Wir sind dort, wo wir gebraucht werden.«

Noch ein paar Treppen weiter unten lagen die Schlafsäle der Deckarbeiter und Matrosen. Hier war die Stimmung nicht mehr ganz so entspannt. Jeder Schlafsaal fasste Stockbetten für achtzig Mann. Jedes Bett war gerade so breit wie ein Kopfkissen. An einem Ende des Saals stand ein Fernseher. Irgendein Abenteuerfilm lief. Daneben lag ein Matrose und schlief. »Arbeiten, Essen fassen, Fernsehen, zwischen den Manövern vielleicht mal eine Runde Basketball im Hangar«, sagte ein Deckarbeiter, der auf seinem Bett hockte. Nein, er beschwere sich nicht über den kargen Alltag. Es sei halt kein Platz für Privatleben. »Dafür sehe ich was von der Welt. So stand es auch auf den Werbeplakaten der Navy.«

Draußen im Gang kauerte ein schwarzes Mädchen auf dem Boden und wischte mit einem Polierlappen die Bodenkanten ab. Erst wollte sie nicht reden, aber dann war sie nicht zu halten. »Komm zur Navy und mach was aus dir, hat der Rekruteur uns in der Schule gesagt«, fauchte sie. »Dann hat er mir was von Hightech-Ausbildung und Computern vorgeschwärmt. Ein Jahr bin ich jetzt schon dabei. Und was habe ich bis jetzt gemacht? Kanten poliert und Klos geputzt. Und jeder Unteroffizier kann mich behandeln wie den letzten Deppen. Ich soll meine ersten zwei Jahre durchstehen, sagen sie, dann würde man sehen. Pah! Angelogen haben sie mich. Nach den zwei Jahren bin ich hier weg. Sonst werd ich noch wahnsinnig.«

Das Mädchen war kein Einzelfall. Bei der Navy gibt es mehr Durchlauf als bei jeder anderen Truppe der US Armed Forces. Wegen dem Stress auf See. Und weil die Menschen sich damit abfinden müssen, auf einem Schiff wie der U.S.S. *Lincoln* rund um die Uhr zu den Bedienungselementen zu gehören.

Noch ein Deck weiter unten begann die Sperrzone. Der Maschinenraum mit dem Atomreaktor. Also wieder nach oben auf die Brücke. Kapitän Robert Willard stand dort in Bomberjacke und Kampfhose. Mit konzentriertem Blick beobachtete er die Starts an Deck. Strahlendes Lächeln, blonde Haare, blitzende Augen. Früher war er selbst ein Top Gun. Er hatte sogar die Flugszenen für den Film *Top Gun* koordiniert und einige der Kampfszenen selber geflogen. Der Film hatte der Navy damals enormen Zulauf gebracht, weil Tom Cruise das Heldenbild vom Navypiloten zur Popikone stilisiert hatte. Und der Kapitän fand den Film sogar »ziemlich akkurat für Hollywood«.

Lieber erklärte er aber die strategische Bedeutung des Flugzeugträgers. Seine Rolle als Herzstück einer Battle Group, einer Seeschlachtgruppe, die aus neun Schiffen besteht, von denen acht ausschließlich damit beschäftigt sind, den Träger zu beschützen und zu versorgen. Er erzählte von Pearl Harbor, dem Wendepunkt in der Marinegeschichte und dem Ende der Schlachtschiffära. Vom Golfkrieg, in dem ein Drittel aller Flugzeugeinsätze von Trägern gestartet worden waren. Und davon, dass es bei kleineren Konfliktsituationen oft schon ausreiche, dass ein Flugzeugträger sichtbar vor der Küste kreuzt, um eine rebellische Nation zum Einlenken zu bewegen. Außerdem sei seit dem Zweiten Weltkrieg kein amerikanischer Flugzeugträger auch nur bedroht worden.

An Deck war das Manöver inzwischen in vollem Gange. Buntgekleidete Gestalten schwirrten umher. Jede Abteilung der Deckarbeiter hatte ihre eigene Farbe. Die Grünwesten hakten die Flugzeuge in die Katapulte. Die Blauwesten schleppten die Flugzeuge in Position. Die Rotwesten waren für Waffen und Munition verantwortlich. Die Lilawesten für das Auftanken. Die Braunwesten für die technische Kontrolle der einzelnen Flugzeuge.

Während des Manövers kam die Choreographie der Mannschaft zur Vollendung. Jede der Buntwesten bewegte sich genau nach Plan. Mit ausladenden Gesten und Handzeichen verständigten sie sich über den Ablauf. Funkkontakt wäre bei dem Lärm nicht möglich gewesen. Durch die Ohrenschützer meines Helms hörte ich ein ständiges Fauchen, Heulen und Zischen. Mit schwerem Druck vibrierte der Düsenlärm auf meinem Brustkorb, wenn eines der vier Katapulte einen Flieger über die See stieß, während der nächste die Triebwerke schon auf volle Leistung brachte.

In scharfen Kurven zogen die Flieger in den Himmel. Oben formierten sie sich zu Staffeln. Flügel an Flügel. Im Ernstfall wäre dann hinter dem Horizont nicht die Ferienküste von Mexiko gelegen, sondern das Ziel. Der Feind.

Der Deckoffizier war zufrieden mit dem Ablauf. Die Mannschaft war schon fast auf der Kampfgeschwindigkeit von zwei Starts pro Minute. »Das perfekte Zusammenspiel zwischen Mensch und Maschine« finde hier statt, sagte er. »Und das beherrscht niemand so gut wie die Profisoldaten der US of A.« Doch ausgerechnet die U.S.S. *Abraham Lincoln* sollte zum Symbol für die Grenzen der Supermacht werden. Am 2. Mai 2003 landete Präsident George W. Bush mit einem S-3B-Viking-Jet auf der *Lincoln.* Eigentlich hatte er mit einem der legendären

F-18-Kampfbomber übersetzen wollen, doch weil die hochgezüchteten Überschalljets öfter mal abstürzen und der Secret Service keinen Spaß verstand, durfte er nur in dem stupsnasigen Viking mitfliegen, der normalerweise als Aufklärer und Tanker eingesetzt wird.

Natürlich war so eine Flugzeugträgerlandung auch in einem Viking noch ein Abenteuer. Kein Wunder also, dass der Präsident gleich nach der Landung ein wenig zu breitbeinig in seinem Pilotenanzug auf dem Deck herumstolzierte und sich von der Mannschaft schulterklopfend als Held feiern ließ, als habe er höchstpersönlich mit ihnen an der Front im Persischen Golf gestanden.

Kurz darauf postierte er sich im regulären Anzug an einem Rednerpult, das im richtigen Kamerawinkel zur Kommandobrücke aufgestellt wurde, so dass man das Transparent mit dem Schriftzug »Mission Accomplished« gut sehen konnte. Das Bild sollte ihn wie ein Fluch verfolgen. Noch zwei Jahre später höhnten Fernsehkommentatoren in aller Welt, von einer erfolgreichen abgeschlossenen Mission könnte im Irak angesichts Tausender amerikanischer und irakischer Toter, eines grausamen Partisanenkriegs und eines Lands im Chaos wohl keine Rede sein, und zeigten dazu das Bild vom breitbeinigen Auftritt auf dem Flugdeck der U. S. S. *Abraham Lincoln.*

Die Schlacht um die Zukunft

Seattle

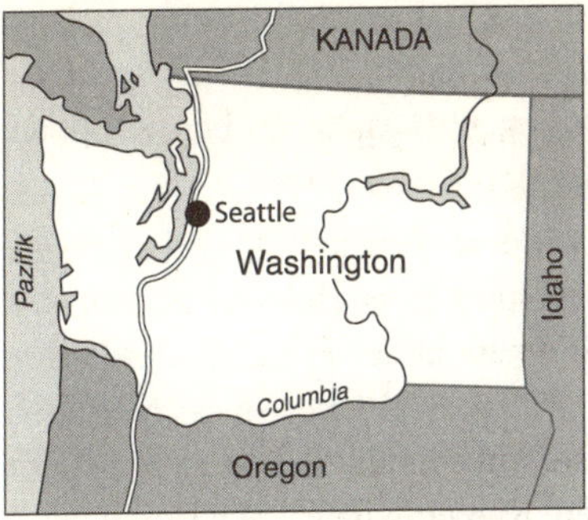

Um Punkt zehn Uhr dreißig Ortszeit verlor die Staatsmacht im Stadtzentrum von Seattle die Nerven. Es war an der Ecke Union Way und Sixth Avenue, nur einen Block von jenem Kongresszentrum entfernt, in dem sich die Spitzen der Weltwirtschaft an diesem 30. November des Jahres 1999 zum Gipfel der World Trade Organisation trafen. Treffen wollten, um genau zu sein, denn die Demonstranten hatten sich schon um sechs Uhr morgens versammelt und rund um das Kongresszentrum die Zufahrtswege, Hotelausgänge und Bürgersteige blockiert. Nur einem Bruchteil der Delegierten war es gelungen, die Blockaden zu überwinden, und auch nur dann, wenn ihnen die schwarzgepanzerten Einsatzpolizisten mit Gewalt eine Schneise durch die demonstrierenden Menschenmassen schlugen. Verschüchtert schlichen sich die wenigen Delegierten durch die Menge der Demonstranten, die sie mit Schimpfkanonaden begleiteten und mit Trommeln, Rasseln und Trillerpfeifen einen Lärmteppich legten, über dem sie Slogans skandierten wie: »Hey, hey! Ho, ho! WTO has got to go!«

Dreizehn neuralgische Punkte hatten die Demonstranten an diesem Morgen blockiert. Wann immer die Einsatztruppen der Polizei eine Schneise schlugen, rückte von anderen Blockaden Verstärkung an, die Lücke schloss sich wieder. Schließlich mussten die Organisatoren der WTO-Konferenz kapitulieren. Die Eröffnungszeremonie, die um zehn Uhr im Paramount Theater stattfinden sollte, wurde erst einmal verschoben. Nicht nur die Stadt Seattle war in diesem Moment blamiert. Die gesamte Nation stand in der Weltöffentlichkeit als Versager da und mit ihr jene nebulösen Kräfte der neoliberalen Weltwirtschaft, die sich bis dahin hinter Kürzeln und Abkommen verborgen hatten. Nun wurden sie plötzlich von den Demonstranten als Ziel des globalen Bürgerzorns präsentiert. Also gab Polizeichef Norm Stamper das Kommando zum Angriff.

Wir hatten uns eigentlich sicher gefühlt auf jener Straßenkreuzung. Kurz zuvor hatten wir jenes Häufchen schwarz maskierter Autonomer begleitet, die sich in Amerika Anarchisten nannten. Bisher waren sie nur selten in Erscheinung getreten, bei Gegendemonstrationen zu Naziaufmärschen, bei Rockfestivals oder bei Hausbesetzungen. Aus den großen Themen der Politik hatten sie sich bislang herausgehalten. Die Polizeikräfte schienen sie nicht vom Rest der bunten Demonstrantenschar unterscheiden zu können. Von den radikalen Umweltschützern mit ihren Rastalocken, den Punks mit ihren bunten Haaren, den Bürgerrechtlern und Aktivisten in ihren Parkas, Jeans und Turnschuhen. Doch die Autonomen waren gut organisiert. Sammelten sich, nahmen sich systematisch einen Straßenzug vor, den sie mit Brecheisen und Knüppeln entglasten. Wenn die Polizei anrückte, liefen sie auseinander, um sich dann ein paar Straßen weiter wieder zu sammeln.

Die Anarchisten von Seattle unterschieden sich deutlich von den Autonomen in Europa. Sie gingen gezielt gegen die Filialen multinationaler Konzerne und Banken vor, sparten unabhängige Läden aus und griffen niemanden persönlich an.

Wir waren den Anarchisten schon einen Block lang gefolgt, hatten beobachtet, wie sie mit einem gezielten Schlag das gekrümmte Ende ihrer Brecheisen in die Mitte der Schaufenster setzten, wie sie mit einem geübten Ruck die Scheiben zum Splittern brachten, wie sie an strategischen Stellen Müllcontainer umwarfen, in Brand setzten und so einen Hindernisparcours für die anrückende Polizei mit ihren Pferden, Motorrädern und Einsatzwagen schufen. Plötzlich spürte ich einen Schlag von hinten, stürzte zu Boden. Doch da streckte sich mir schon eine schwarzbehandschuhte Hand entgegen. Einer der Anarchisten hatte mich umgerannt. »Sorry«, murmelte er hinter seiner Skimaske und half mir auf. Dann drehte er sich um und hieb mit dem Eisen in die Scheibe einer Gap-Filiale.

Die Anarchisten übten sich in Disziplin, weil sie wussten, wie schmal der Grat zwischen gezielter Aktion und nackter Gewalt sein kann. Der Großteil von ihnen rekrutierte sich aus einer Gruppe junger Anarchisten um den Autor John Zerzan aus Eugene, Oregon, der in seinen Büchern wie *Future Primitive* und *Elements of Refusal* die moderne Zivilisation für gescheitert erklärte und die Rückkehr zu einer Gesellschaft von Jägern und Sammlern forderte.

Zerzans Anarchisten wussten, dass Gewalt gegen das Eigentum von Konzernen und Banken gesetzlich einen Straftatbestand darstellen mochte, aber moralisch vertretbar war. Was sie sicherlich abschätzen konnten, war, dass die Demonstration von Seattle ohne den Ausbruch der blindwütigen Staatsgewalt wahrscheinlich nie als historischer Augenblick in die Geschichte eingegangen, sondern lediglich eine Marginalie der Tagespolitik geblieben wäre.

Der Angriff der Polizei erfolgte so rasch wie unüberlegt. Die Einsatzpolizisten in ihren schwarzen Plastikrüstungen und Helmen streiften sich die Gasmasken über. Hinter den Phalanxen der knüppelbewehrten Truppen fuhren Panzerfahrzeuge auf. Polizisten zu Pferd rückten an, Beamte mit jenen Spezialgewehren für Gummigeschosse, die mit ihren faustdicken Läufen und massiven Trommelmagazinen mittelalterlichen Musketen glichen. Die erste Schlachtreihe der Polizei bewegte sich im Gleichschritt auf die Ketten der Demonstranten zu. Dann flogen schon mit deutlichem Zischen die ersten Gaspatronen, zogen einen Schweif aus weißem Rauch hinter sich, prallten aufs Pflaster und stießen dicke Qualmwolken aus.

Beißend kroch das Gas in Nase, Rachen, Lunge. Atemnot schloss sich um die Kehle. In den Augen ein stechender Schmerz, der mit jedem Lidschlag nur schlimmer wurde. Der Tränenfluss vernebelte den Blick bis zu momentaner Blindheit.

Ich spürte, wie mich jemand am Arm packte, aus der Menge zog, zur nächsten Straßenecke. Dann hörte ich schon eine Frauenstimme. »Finger aus dem Gesicht. Ganz ruhig. Wir spülen dir jetzt die Augen.« Ein dünner Strahl lauwarmer Flüssigkeit ergoss sich über meine Augen. Irgendjemand tupfte mir das Gesicht ab. Dann klärte sich der Blick, und ich sah eine ältere Dame im Hippiegewand aus Folklorebluse und Latzhose vor mir, die eine selbstgemalte Rotkreuzbinde am Arm trug und mir mit einer Plastikflasche ein Gemisch aus Wasser und Lauge auf die Lider sprühte. »Alles in Ordnung?« fragte sie noch. Als ich nickte, rief sie »Dann weiter!« und wandte sich dem nächsten Pfeffergasopfer zu.

Die meisten Demonstranten versuchten inzwischen die Anarchisten davon abzuhalten, weiter Scheiben einzuschlagen und Mülltonnen in Brand zu setzen. »Dies ist ein gewaltloser Protest«, riefen sie sowohl Anarchisten als auch Polizisten zu, die inzwischen beide schwarz vermummt die Innenstadt von Seattle in eine Kampfzone verwandelten.

Zwischen fünf vor elf und zehn nach zwölf zerschlugen sie die Fensterscheiben bei der Bank of America, McDonald's, Carroll's Fine Jewlery, Banana Republic, FAO Schwartz, Warner Brothers, dem Kaufhaus Nordstrom, Nike Town und Planet Hollywood. Die Liste der attackierten Geschäfte las sich wie ein Auszug aus Naomi Kleins Antiglobalisierungsbestseller *No Logo*.

Um zwölf Uhr wurde die Eröffnungszeremonie der WTO-Konferenz offiziell abgesagt.

Gegen viertel nach zwölf erreichte der Anarchistentrupp die Filiale der Nobelimbisskette Starbucks an der Sixth Avenue. Kaum hatten die Anarchisten die Scheiben eingeschlagen, stürmten andere in den Laden und begannen zu plündern. Die Gründer der weltweiten Kaffeehausimitate waren einst selbst Hippies aus Seattle. Entsprechend verwundert zeigten sie sich später, dass sie zusammen mit erwiesenen Ausbeutern von Arbeitern der Dritten Welt wie McDonald's, Gap und Nike zum Feindbild der globalen Protestbewegung geworden waren.

Als der Polizei von Seattle gegen fünfzehn Uhr die Pfeffergasbestände ausgingen, waren die Bilder von den Straßenschlachten längst um die Welt gegangen. Die Nachrichtensender hatten sich schon das Schlagwort für jene Unruhen einfallen lassen, die als Urzelle der globalen Protestbewegung in die Geschichte eingehen sollten: »The Battle of Seattle.«

Das Paradoxe an der Schlacht um Seattle war, dass ausgerechnet die Anarchisten, die Technokratie und Mediengesellschaft so rigoros ablehnten, zum Medienkatalysator der Bewegung wurden. Als die Polizei von Seattle gegen neunzehn Uhr per Hubschrauber Tränengasreserven aus Wyoming einflog, als der Bürgermeister den Ausnahmezustand erklärte, für die Innenstadt eine Ausgangssperre verhängte und Truppen der National Guard anforderte, als Beamte in einem Parkhaus eine einsame Aktentasche in die Luft sprengten, war Seattle weltweit die Topmeldung in den Schlagzeilen und den Fernsehnachrichten. Doch die Medien begnügten sich keineswegs damit, nur über die Unruhen zu berichten. Mit einem Mal hatte die globale Protestbewegung auch ein globales Forum. Die Rebellion gegen die neue Weltordnung, die Globalisierung und den Neoliberalismus war mit der Battle of Seattle in den Industrienationen angekommen.

Seattle diente der Bewegung als Generalprobe für Proteste, die seither jeden großen Wirtschaftsgipfel begleiten. Und der Mechanismus bleibt immer der gleiche. Die Anarchisten sorgen für Aufmerksamkeit, der zivile Widerstand für die effektive Formulierung des globalen Zorns.

Das große Pech für die Organisatoren der WTO-Konferenz in Seattle war, dass sie sich ausgerechnet das Einsatzgebiet einer der erfahrensten unter den neuen zivilen Widerstandsbewegungen ausgesucht hatten: den Nordwesten der USA. Hoch oben in den Sierras von Nordkalifornien, Oregon und Washington hatte sich in den Jahren zuvor eine radikale Umweltbewegung formiert, die den zivilen Widerstand der sechziger Jahre zum Konzept der »Direct Action« perfektionierte. Die oft belächelten Blockaden, die Holzfäller daran hinderten, jahrhundertealte Redwoods zu schlagen, wurden in Seattle zum Instrument, um eine Konferenz lahmzulegen, die schon von vornherein unter fast militärischen Sicherheitsvorkehrungen stattfinden sollte.

Vor allem die Ruckus Society, ein Verbund junger hauptberuflicher Umweltaktivisten aus Berkeley, die schon seit Jahren Ausbildungsseminare für den zivilen Widerstand organisierte, sorgte dafür, dass der WTO-Protest ein Erfolg wurde. Viele von ihnen waren Ehemalige von Greenpeace und Earth First!, die das Prinzip der »Direct Action« entwickelt hatten: strategische Blockaden und ziviler Widerstand statt passiver Demonstrationen.

Ausgerechnet das Lieblingskind der Globalisierungsvertreter verhalf ihnen zum Erfolg: die elektronische Kommunikation. Über ihre Website und E-Mail-Listen hatten sie schon Monate zuvor zum Marsch auf Seattle aufgerufen. Vor Ort koordinierten sie die Aktionen mit einem Netzwerk aus Mobiltelefonen und Handfunkgeräten. Selbst ihre Taktik, auch widersprüchliche Interessensgruppen zu vereinen, schien aus dem Handbuch des

Managements zu stammen. Der Zusammenschluss der Gewerkschaften und Basisgruppen aus aller Welt erinnerte an eine sensationelle Fusion. Eigens für Seattle gründeten sie das Direct Action Network (DAN). Kein schlichtes Demonstrationskomitee, sondern ein Netzwerk, das den Protest mit der Professionalität genau jener multinationalen Konzerne organisierte, gegen die es angetreten war.

»Angesichts eines so massiven Gegners müssen wir uns zusammenschließen«, sagte DAN-Sprecher David Taylor, ein schmaler Junge mit modischem Haarschnitt und Hornbrille. »Es geht nicht mehr um Links und Rechts, sondern nur noch um Unten und Oben.« In der WTO hatten sie ein gemeinsames Ziel für ihren multilateralen Unwillen gefunden.

Und im Studio 420, einem Jugendzentrum im Bohemeviertel Capitol Hill, das dem Direct Action Network als Einsatzzentrale diente, zeigten die Jungen, was sie gelernt hatten. Hunderte von Mobiltelefonen und Walkie Talkies wurden aufeinander abgestimmt. Jede Aktion wurde in drei Risikostufen aufgeteilt. Wer bereit war, sich verhaften zu lassen, wurde von einem Team aus Rechtsanwälten betreut, das es sich zum Ziel gesetzt hatte, die Justiz von Seattle so zu überlasten, dass sie einen Kompromiss eingehen musste. Ausgebildete Videofilmer und Fotografen, die sich zur unabhängigen Nachrichtenagentur IndyMedia zusammenschlossen, dokumentierten polizeiliche Übergriffe. Computerspezialisten belieferten den Rest der Welt per Internet mit Texten, Bildern und Liveübertragungen. Krankenpfleger sorgten dafür, dass die von Tränengas und Knüppelschlägen Getroffenen innerhalb von Minuten wieder einsatzfähig oder zumindest versorgt waren. Sicherheitskontingente regelten den Verkehr und achteten darauf, dass sich niemand von der Stimmung mit- und zu Straftaten hinreißen ließ. Und nachdem die Anarchisten ihre Politik der Sachbeschädigung in die Tat umgesetzt hatten, waren Stunden später Aufräumtrupps des Direct Action Network unterwegs und erbrachten vor laufenden Fernsehkameras den tatkräftigen Beweis, dass sie die Übergriffe ablehnten.

Als die Delegierten in der Nacht von Freitag auf Samstag die Konferenz der WTO in Seattle beendeten, war nichts beschlossen, nur eines klar: Die Lokomotive des scheinbar unaufhaltsamen Schnellzugs der wirtschaftlichen Globalisierung war entgleist. Im Studio 420 und auf den Straßen herrschte dagegen Jubel. »Die Revolution hat gesiegt!« rief ein erschöpfter Bursche in Bergsteigermontur, als die Kunde vom Scheitern der Millenniumsrunde bekannt wurde. »Die ganze Welt hat zugesehen, wie wir gegen die WTO aufgestanden sind.«

Lori Wallach von der Bürgerorganisation Public Citizen, die der Präsidentschaftskandidat der amerikanischen Grünen, Ralph Nader, gegründet hatte, resümierte: »Wenn man etwas so Geheimniskrämerisches und Verrottetes wie die WTO ans Licht zerrt, wird es sich nicht lange halten. Wir haben den Angriff der WTO auf nationale Entscheidungen erfolgreich abgewehrt.«

Doch nicht nur die Demonstranten hatten sich in Seattle gegen jene obskure Organisation erhoben, die es sich seit ihrer Gründung 1995 zum erklärten Ziel gesetzt hatte, weltweit alle Schranken niederzureißen, die der freien Marktwirtschaft im Wege stehen könnten. Im Kongresszentrum selbst tobten Grabenkämpfe, die in ihrer Heftigkeit den Straßenschlachten in nichts nachstanden.

Delegierte aus Entwicklungsländern in Afrika und der Karibik schlossen sich zusammen und nutzten ihr Votum, um Entscheidungen zu blockieren. Die Europäische Union und Japan weigerten sich, den amerikanischen Forderungen nach der Öffnung subventionierter Binnenmärkte nachzugeben. Die etablierten regierungsunabhängigen Interessengruppen, die NGOs, die zur Konferenz geladen waren, um die Proteste abzufedern, signalisierten WTO-Chef Mike Moore ganz deutlich, dass sie es nicht hinnehmen würden, wenn die Rechte der Arbeiter, der Entwicklungsländer und der Schutz der Umwelt unter den international bindenden Wirtschaftsregeln der WTO leiden würden.

Das Scheitern der Konferenz in Seattle war nicht der erste Schlag gewesen, den renitente Politiker, NGOs und Basisbewegungen der freien Marktwirtschaft versetzt hatten. Im Oktober des Vorjahrs hatten sie das Multilaterale Investitionsabkommen MAI zu Fall gebracht. Neunundzwanzig Nationen wollten das Multilateral Agreement on Investment ursprünglich ratifizieren, ein internationales Handelsabkommen, das trotz seiner weitreichenden Folgen nur wenig öffentliche Aufmerksamkeit auf sich gezogen hatte.

Das MAI sollte die Investitionen ausländischer Firmen in den Mitgliedsstaaten schützen. So hätte eine Firma die Änderung von Umwelt-, Arbeitsschutz- oder Subventionsgesetzen einfordern können, wenn diese ihren Profit geschmälert hätten. Lokale Investoren hätten weder gefördert noch bevorzugt werden dürfen. Hätten Gesetzesänderungen, Streiks oder Boykotte einer ausländischen Firma Verluste eingebracht, hätten Firmen auf der Basis des MAI sogar Staatsorgane auf Schadensersatz verklagen können.

Renato Ruggiero, Generaldirektor der World Trade Organization, hatte das MAI die »Verfassung einer neuen Weltwirtschaft« genannt. Ein Unterausschuss der Vereinten Nationen hatte daraufhin seine Besorgnis geäußert, dass das Abkommen wegen seiner »negativen Effekte auf Menschenrechte, Umwelt und autarke Wirtschaft« zivile Unruhen provozieren könnte.

Da es sich bei den neunundzwanzig Teilnehmern des MAI um neunundzwanzig der wirtschaftsstärksten Nationen der Welt gehandelt hatte, wäre allen anderen Ländern nichts anderes übrig geblieben, als mitzuziehen. Aus der Unabhängigkeitserklärung der Konzerne wäre faktisch eine globale Machtergreifung geworden.

Der Philosophieprofessor und Direktor von Amnesty International Morton E. Winston warnte allerdings davor, die globale Wirtschaft zum neuen Erzfeind zu stilisieren: »Konzerne verhaften keine Menschen auf Grund ihrer religiösen und politischen Überzeugung. Sie foltern keine Gefangenen, sind nicht in ethnische Säuberungen oder Völkermorde verwickelt.« Viele Vorstände und Manager seien durchaus aufgeschlossen für Kritik. Und in Zukunft würden sie sich vielleicht schon aus rein pragmatischen Gründen an die Menschenrechte halten.

Hier zeigt sich das Grundproblem der globalen Protestbewegung: Es fehlt an einer klaren Linie, auch wenn neue Allianzen zwischen Gruppen, die bisher kaum etwas miteinander zu tun hatten, die Stoßkraft bündeln. Immerhin zieht seit Seattle der zivile Widerstand der linken Basis mit den etablierten Oppositionsparteien, die linken Umweltschützer und Solidaritätsgruppen mit den nationalistisch gesinnten Gewerkschaften gemeinsam auf die Straße. Doch die Protestbewegung bedient sich immer noch all jener Reflexe der Linken, die mit dem Paradigmenwechsel nach dem Mauerfall zu Anachronismen geworden sind.

Zwar marschierten beim großen Umzug des Gewerkschaftsbunds Lastwagenfahrer und Bauarbeiter gemeinsam mit Hippies und Punks durch die Straßen. Doch die Argumente stammten aus einer Zeit, als jeder noch für sich auf die Straße ging. James Waynard, ein hagerer Student, der ein Palästinensertuch um den Hals geschlungen hatte und sich als »globaler Sozialist« bezeichnete, sagte: »Wir müssen angesichts der Übermacht multinationaler Konzerne die Staatsregierungen stärken, um die Demokratie zu retten.« Richard Gertl, ein leicht trunkener Koloss von der Gewerkschaft der Trucker, fand dagegen: »Es kann nicht angehen, dass Arbeiter in Mexiko für zehn Dollar am Tag ausgebeutet werden.«

Die Bewegung von Seattle hatte keine Utopien, sondern Forderungen. Und sie hatte es von Anbeginn nicht leicht. Es gehörte schon ein ganzes Stück Arbeit dazu, um eine Volksbewegung gegen so unendlich langweilige Dinge wie Freihandelsabkommen, Investitionsrichtlinien und Emissionsstandards zu mobilisieren. Da hatten es die Achtundsechziger leichter.

Der Vietnamkrieg, damals Symbol für alles Übel dieser Welt, war ein klares und vor allem ein emotionales Thema. Die Greuelbilder, die damals in den Fernsehnachrichten gezeigt wurden, waren für die erste Friedensgeneration nicht nur ein Novum, sondern auch unmittelbar erfahrbar. Keine Familie in den USA, die nicht einen Sohn, Bruder, Neffen, Cousin oder zumindest einen Freund an der Front hatte. Von GATT und NAFTA gibt es nicht annähernd eine vergleichbar unmittelbare Betroffenheit.

Und so mühten sich die unterschiedlichsten Gruppierungen, einen Bezug zur WTO herzustellen. »China will in die WTO aufgenommen werden«, erklärte mir Thupten Tsering von den Students For A Free Tibet. »Wie können die das verhandeln, solange Tibet besetzt ist?« Ramon Maldonado von der Organisation Lateinamerikanischer Landarbeiter wusste, was Freihandelspolitik anrichten kann: »Als NAFTA in Kraft trat, überschwemmten die USA Mexiko mit billigem Mais. Das hat Millionen von Kleinbauern ihren Lebensunterhalt geraubt. Und als der Preis 1996 wieder hochging, gab es plötzlich Versorgungsengpässe.«

Was die meisten Mitglieder der Bewegung, die aus Industrienationen stammten, noch nicht begriffen hatten, war, dass es längst nicht mehr nur um die Verdammten dieser Erde ging, sondern um ihr eigenes Überleben.

Die Auswirkungen von Neoliberalismus und Neuer Weltordnung äußerten sich in den Entwicklungsländern und den Randbereichen der Gesellschaft immer noch dramatischer als in den Vororten der wohlhabenden Bürger des Westens und des Nordens. Deswegen wagten sie es noch nicht, ihren eigenen Zorn zu präzisieren und ganz egoistisch ihre Rechte einzufordern. Doch was sich als nebulöser Unmut breitmache, war längst mit harten Fakten belegt.

Denn den meisten Ärmsten der Armen, den Menschen in den Entwicklungsländern und Flüchtlingslagern dieser Welt, ging es seit Beginn der Globalisierung und des Neoliberalismus eher besser. In seinem Essay *In Defense of Global Capitalism* schrieb der schwedische Politologe Johan Norberg, das Durchschnittseinkommen des ärmsten Fünftels der Weltbevölkerung hätte sich in den letzten Jahrzehnten von fünfhunderteinundfünfzig auf elfhundertsiebenunddreißig Dollar mehr als verdoppelt. In Ländern wie China und Indien hatte sich der Lebensstandard enorm verbessert. Mit dem Lebensstandard des Mittelstands in den Industrienationen ging es dagegen deutlich bergab. Die Arbeiterschaft, der einstmals solide Sockel der unteren Mittelschichten, rutschte in Amerika zunehmend in die neue Armut der Serviceindustrien.

Dabei galt die Dienstleistungsindustrie galt als Wunderwaffe der amerikanischen Wirtschaft im Kampf gegen die postindustrielle Arbeitslosigkeit. Von den über zweiundzwanzig Millionen Jobs, die in den USA während der Arbeitszeit Bill Clintons geschaffen wurden, zählten laut Statistik rund die Hälfte zum Dienstleistungsbereich. Ein goldenes Zeitalter schien angebrochen, und kaum jemand wagte das zu bezweifeln.

Was die Jubelstatistiker verschwiegen: Rund ein Drittel aller amerikanischen Arbeiter verdingte sich seither für Stundenlöhne unter acht Dollar und verdiente somit weniger als den sogenannten Living Wage, einen Lohn, der es ermöglichte, sich bei normalen Arbeitszeiten ausreichend zu ernähren und in einem eigenen Zimmer zu leben.

Das Wirtschaftswunder der neunziger Jahre war für eine kleine Minderheit reserviert. Sensationsmeldungen wie die, dass es zur Hochzeit der neuen Märkte in den USA jeden Tag sechzig neue Millionäre gab, täuschten darüber hinweg, dass es für die Millionen der Normalbürger bergab ging.

Noch wurde auf hohem Niveau gejammert. Doch die statistischen Erhebungen zu den Volkszählungen der neunziger Jahre ergaben, dass der durchschnittliche Verdienst der Mittelschicht während dieser Zeit um einen Prozentpunkt zurückging, dass sich die Einkommensschere zwischen dem ärmsten und dem reichsten Fünftel der Bevölkerung um fast ein Drittel vergrößert hatte und die Anzahl der Menschen, die unter der Armutsgrenze leben, auf über zehn Prozent gestiegen war.

Es war Tom Hayden, Ideologe der amerikanischen Achtundsechziger und Mitglied der berüchtigten Chicago Seven, der heute für die Demokratische Partei im Senat von Kalifornien sitzt, der in Seattle sagte: »In Chicago ging es 1968 um zwei große Themen, um Frieden und Gleichberechtigung. Heute geht es um alles.«

Der Satz sollte noch lange stimmen, denn für die Mittelschichten begannen nun all jene Kämpfe, die im zwanzigsten Jahrhundert auf nationaler Ebene von Gewerkschaften, Bürgerrechtlern und Aktivisten ausgefochten worden waren, noch einmal von vorne. Es ging um Arbeitskampf, Umweltschutz, Entwicklungspolitik, Geschlechterfrage, Genwissenschaft, Atomenergie, Patentrecht und Terrorismus.

Dabei war keinswegs die Globalisierung das Problem, sondern ihre Umsetzung. Gegen Ende seiner ersten Amtszeit als Außenminister forderte Joschka Fischer einen neuen Gesellschaftsvertrag. Der Historiker Tony Judt sprach später von der Verantwortung der Staatsregierungen, ihre Bürger vor den Kräften des freien Marktes zu schützen. Und genau das hatte die Bewegung in Seattle zum ersten Mal signalisiert: Globalisierung durfte keine Domäne der Mächtigen sein. Nur wenn es keine Gegenkräfte gab, konnte sie die Welt in eine Ära des radikalen Merkantilismus stürzen.

Nach Seattle schien es zunächst, als ob sich die Bewegung weltweit als außerparlamentarische Opposition gegen die marktorientierte Globalisierung etablierten würde. Unruhen um die EU-Konferenz in Göteborg, die G8-Konferenz in Genua zwangen Politik und Wirtschaft, sich an immer abgeschiedeneren Orten zu treffen. Die Welthandelsorganisation wich 2001 nach Qatar und 2003 in den mexikanischen Ferienort Cancun aus, die Staatschefs der G8-Länder trafen sich 2004 auf einer streng abgeriegelten Insel vor dem amerikanischen Bundesstaat Georgia und 2005 auf einem entlegenen Landsitz in Schottland. Doch 2003 brachte der Irakkrieg einen gewaltigen Rückschlag.

Am 15. Februar waren weltweit noch elf Millionen Menschen auf die Straße gegangen. Was den Krieg natürlich nicht verhindern konnte. Doch als rund zweihunderttausend New Yorker im März den Broadway hinuntermarschierten, war es nicht mehr nur der Krieg, den die Demonstranten lautstark verschrien. Es war die gewaltsame Kehrtwende in der amerikanischen Politik an sich, die George W. Bush verkörperte und den amerikanischen Teil der Bewegung wieder auf die Probleme im eigenen Lande zurückwarf.

George W. Bush hatte ausgerechnet in jenen Stunden, als seine Bomberstaffeln während der ersten »Shock and Awe«-Angriffe glutrote Feuerpilze in den Himmel über Bagdad setzten, seinen Haushaltsplan durch Kongress und Senat geboxt, und damit weitere 726 Milliarden Steuerdollar gestrichen, von denen rund zwei Drittel dem einkommensstärksten ein Prozent der amerikanischen Bevölkerung zugute kommen sollte. Er hatte außerdem das neue Haushaltsdefizit bis zum Jahr 2012 fest in den Staatsfinanzen verankert, und damit jegliche Reformen von Bildungs-, Gesundheits- und Sozialwesen unmöglich gemacht.

»Amtsenthebung für Bush«, stand auf einigen Plakaten. Ein Aktivist aus Massachusetts, der mit einer Gruppe lateinamerikanischer Gewerkschafter marschierte, schimpfte: »Wie zynisch kann ein Präsident sein, der mit einer Bombennacht von seinen innenpolitischen Winkelzügen ablenkt?« Und ein anderer rief durchs Megaphon: »Glaubt bloß nicht, dass es hier nur noch um diesen einen Krieg geht!«

Hätte die frischgebackene Friedensbewegung in den USA den Sprung zur gesellschaftlichen Strömung geschafft, hätte sie eine Tradition fortsetzen können, die der Politologe David Callahan beschrieb. So hatten die Proteste gegen den Mexikanisch-Amerikanischen Krieg von 1846 den Kampf gegen die Sklaverei gestärkt, die Kräfte gegen den Eintritt der USA in den Ersten Weltkrieg bereiteten den Weg für die Errungenschaften der Sozialprogramme in Roosevelts »New Deal«, und die Vietnamproteste gaben der Bürgerrechtsbewegung den entscheidenden letzten Schub.

Diesmal galt es allerdings nicht, gesellschaftliche Veränderungen zu erkämpfen, sondern einen massiven Rechtsruck aufzuhalten. Unter den Neokonservativen dachte man schon über Lösungen für die Problemfälle Iran, Saudi-Arabien und Syrien nach. Bushs Pläne für die Umbesetzungen der obersten Gerichte kamen einer Teilrevision der Bürgerrechtsära gleich.

Als George W. Bush dann trotz gegenteiliger Prognosen und Hochrechnungen im November 2005 für eine zweite Amtszeit zum Präsidenten gewählt wurde, fasste die Journalistin Lakshmi Chaudhry die Stimmung der Basis in ihrer Kolumne für die Website Alternet zusammen: »Niemand schreibt über das Offensichtliche: Es tut weh! Das war nicht nur irgendein konservativer Wahlsieg. Es geht nicht sosehr darum, eine Wahl zu verlieren, sondern um die Angst, den Glauben zu verlieren.«

Und der Historiker der Princeton University Sean Wilentz schrieb als Antwort auf die Frage, wie es denn weitergehen sollte: »Wir müssen jetzt erst einmal das volle Ausmaß des religiösen Fanatismus zu fassen kriegen, der sich hier die Kontrolle über die Bundesregierung geschnappt hat. Senatoren, die Abtreibung mit der Todesstrafe ahnden wollen. Ein Oberster Gerichtshof, der bald schon auf die nächsten vierzig Jahre hinaus mit Revanchisten des alten Südens und Theokraten besetzt wird. Ein Präsident, der sich für ›den richtigen Gott‹ stark macht. Massenmedien, die sich offensichtlich dazu verschrieben haben, das amerikanische Volk zu lobotomisieren. Wir müssen einsehen, dass hier niemand betrogen wurde, sondern dass es das ist, was die momentane Stimmung aus dem Wahlvolk gemacht hat. Und wir müssen begreifen, dass wir nun und für die absehbare Zukunft wirklich zwei verschiedene Länder sind.«

Die amerikanische Regierung schien die schlimmsten Befürchtungen auch in Bushs zweiter Amtszeit noch zu übertreffen. Höchstpersönlich trieb der Präsident die Desäkularisierung mit seiner Unterstützung für die Lehre des als »Intelligent Design« nur halbherzig kaschierten Kreationismus an öffentlichen Schulen voran. In New Orleans erwies sich die neu geschaffene Bürokratie des Heimatschutzes nach dem Hurrikan Katrina und dem Bruch der Dämme als unfähig, ihren Bürgern auch nur ein Mindestmaß an Sicherheit zu garantieren. Trotzdem besetzte Bush wichtige Ämter weiter mit politischen Günstlingen ohne jede Qualifikation. Der Irakkrieg weitete sich immer weiter zum Debakel aus. Mit jedem Versagen der Regierung schien der Volkszorn etwas mehr zu kochen und im Sommer 2005 fielen Bushs Umfragewerte sogar noch unter die Werte Richard Nixons während der Watergate-Affäre. Der Kampf gegen die Globalisierung war in den USA jedoch erst einmal vergessen.

Epilog

Der Pilot hat uns gerade informiert, dass wir die Reiseflughöhe von dreißigtausend Fuß erreicht haben, die Stewardessen verteilen Salzbrezeln und mein Vordermann hat mir mit Schwung seine Rückenlehne vor die Nase gesetzt. Langsam kehrt der Alltag zurück und erinnert mich daran, dass die Dramen und Tragödien, mit denen ich mich beschäftigt habe, nicht meine eigenen sind. Ich habe die letzten Tage damit verbracht, durch fremde Landschaften zu fahren, fremde Menschen auszufragen und mich mit einer Hartnäckigkeit in fremde Angelegenheiten zu mischen, die im wirklichen Leben notorische Nervensägen und Angestellte von Inkassobüros auszeichnet. Morgen werde ich mich mit Wäsche, Post und Rechnungen herumschlagen und die nächsten Tage vor meinem Computer verbringen. Dann werde ich die Einsamkeit des Schreibens verfluchen, weil bis dahin die Reportage keineswegs die Arbeit des einsamen Wolfes war, der heldenhaft der Wirklichkeit ein Stück Wahrheit entreißt, wie man das aus Abenteuerfilmen kennt, sondern das Produkt einer gemeinschaftlichen Anstrengung, zu der eine ganze Mannschaft gehört, ohne die es nicht möglich wäre, solche Geschichten zu erzählen.

Da sind zu allererst einmal die Fotografen. Aus reinem Selbstschutz sei hier kurz angemerkt, dass nicht *jedes* Bild mehr sagt als tausend Worte. Diesen Streit habe ich mit Fotografen schon unzählige Male geführt und meistens hat er zu nichts geführt, weil wir insgeheim unseren jeweiligen Dünkel pflegen, nur wir alleine könnten eine Geschichte erzählen. Die besten Reportagen sind jedoch eine perfekte Kombination aus beiden, und viele der Fotografen, mit denen ich gearbeitet habe, sind gerade deshalb zu guten Freunden geworden, weil uns die gleiche Leidenschaft treibt. Da war der Fotograf, mit dem ich drei Monate an einer Polizeigeschichte arbeitete, was weniger am schwierigen Thema lag, sondern vor allem daran, dass wir beide nicht genug davon kriegen konnten, in Streifenwagen mit Blaulicht und Höchstgeschwindigkeit Gangstern hinterzujagen. Oder der Fotograf, mit dem ich Wohnungen in Bangkok, Dakar und Kolumbien anmietete, weil wir dort auf zu viele Geschichten stießen, die wir unbedingt erzählen wollten.

Dann sind da die Redakteure, die viel Vertrauen in einen Reporter und eine mindestens ebenso große Leidenschaft für seine Geschichten entwickeln müssen, schließlich kaufen sie ein äußerst kostspieliges Produkt das bei Auftragserteilung meist nicht mehr ist, als eine Idee und ein paar Telefonnummern. Später müssen sie die Texte nach Pathos, Kitsch und all den kleinen Eitelkeiten durchforsten, die sich so einschleichen.

Bildredakteure sind für Reporter eigentlich gar nicht zuständig, entscheiden allerdings mit ihrer Auswahl über die nächsten Wochen seines Lebens. Wenn sie kein etabliertes Team engagieren, brauchen sie viel Fingerspitzengefühl, um herauszufinden, welche Bildsprache zur Geschichte und welcher Fotograf zum Reporter passen. Die Reise mit dem nichtrauchenden Fotopreisträger während meinen besten Zeiten als Kettenraucher muss die Hölle für ihn gewesen sein.

Da sind die Schlussredakteure, die einem den Rücken freihalten müssen, denn es gibt keinen perfekten Text und schon gar keinen unfehlbaren Reporter. Es macht allerdings einen gewaltigen Unterschied, ob sich die Streetgangs von Los Angeles mit hunderttausend Maschinengewehren oder mit hunderttausend automatischen Pistolen bewaffnet haben. Das eine hieße Bürgerkrieg, das andere ist Alltag der urbanen Krise.

Und ohne Redaktionssekretärinnen wären Reporter verloren, denn die haben eine ähnliche Funktion wie Miss Moneypenny für James Bond. Sie können unmögliche Reisepläne verwirklichen, wissen, wann man um eine Gehaltserhöhung bitten kann und sie haben mitgekriegt, welcher Redakteur in der Konferenz beim neuen Thema laut aufgestöhnt hat. Und wenn wirklich einmal etwas schief geht, sind sie es, die das Auswärtige Amt mit Telefonanrufen bombardieren, bis sich die diplomatische Bürokratie endlich in Gang gesetzt hat.

Sie sind auch die Brücke zu den Buchhaltern, die oft einen erstaunlichen Stoizismus dabei entwickeln, wenn sie eine Bargeldsumme in der Höhe von drei Monatslöhnen übergeben oder ebenso hohe Spesenabrechnungen bearbeiten. Und auch die können retten. In Belgrad präsentierte mir die Empfangsdame ohne Vorwarnung eine Telefonrechnung über mehrere Tausend Dollar, die wegen des Embargos nicht per Kreditkarte beglichen werden konnte. Nur die beherzte Bareinzahlung auf ein dubioses Konto in Hamburg rettete mich vor dem serbischen Schuldenturm.

Auch vor Ort ist der Reporter nie alleine. Fahrer sind unersetzlich, um nicht im Strassengewirr von Gaza City oder auf den Sandpisten von Mali verloren zu gehen. Moslemische Fahrer sind übrigens die besten. Die trinken keinen Alkohol, sind wegen ihres strengen Betplans Pünktlichkeit gewöhnt und haben in ihrer Gottergebenheit ein erstaunlich lockeres Verhältnis zu Hochgeschwindigkeitsfahrten, die Zeit und Ärger sparen. Auf dem Beifahrersitz findet sich dann meist der so genannte Fixer, der einem als Übersetzer, Rechercheur und Diplomat zuarbeitet, der die örtlichen Dialekte versteht, weiß, mit wem man sprechen sollte und wie man einen Termin beim Polizei-, Garnisons- oder Milizchef bekommt.

Irgendwann ist die Geschichte dann im Blatt und ich frage mich, ob sie die langen Reisen, die Streitereien, die penible Suche wert war, ob ich es wirklich geschafft habe, wenigstens einen Spalt breit einen Blick in eine fremde Welt zu eröffnen. Bis die nächste Geschichte kommt. Dann wird mich wieder diese euphorische Neugier erfassen, die mich damals auf dem

Flug 518 der Eastern Airlines gepackt hat. Ich werde die Redakteure bestürmen, meine Koffer packen und wieder durch fremde Landschaften fahren, fremde Menschen befragen und mich in fremde Angelegenheiten mischen. Bis ich glaube, ich hätte etwas verstanden.

»Aus diesen schweren Zeiten kann eine Neue Weltordnung wachsen. Hundert Generationen haben nach diesem Weg zum Frieden gesucht, tausend Kriege wurden geführt. Doch heute kämpft diese neue Welt darum, geboren zu werden. Eine Welt, ganz anders als jene, die wir kennen.«

George H. Bush am 11. September 1990
vor dem amerikanischen Kongress

»1968 ging es in Chicago um zwei große Themen. Heute geht es um alles.«

Tom Hayden am 29. November 1999
vor Demonstranten in Seattle

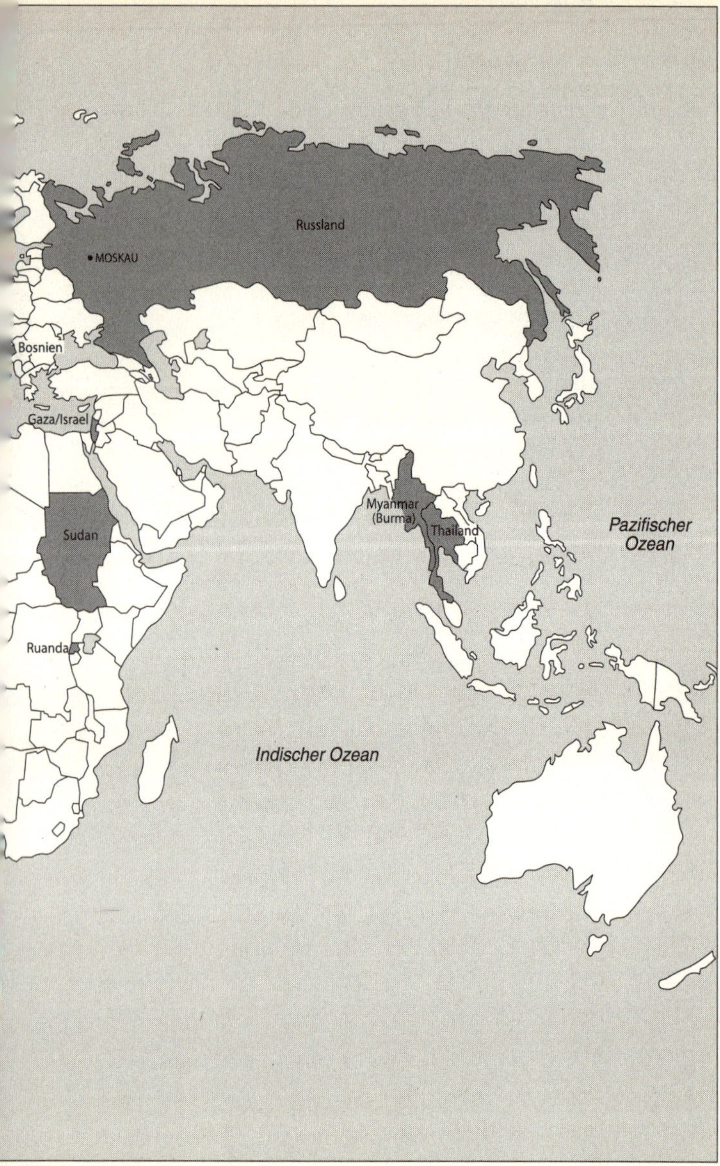
Russland
MOSKAU
Bosnien
Gaza/Israel
Sudan
Ruanda
Myanmar
(Burma)
Thailand
Pazifischer
Ozean
Indischer Ozean